NATIONALMUSEUM

Svenska och övriga nordiska miniatyrer I

Nationalmuseum

Stockholm

Illustrerad katalog över
svenska och övriga nordiska miniatyrer I

Illustrated Catalogue –
Swedish and other Nordic Miniatures I

FÖRFATTARE OCH REDAKTION/AUTHORS & EDITORS   Magnus Olausson och Jessica Sjöholm

ENGELSK ÖVERSÄTTNING OCH SPRÅKGRANSKNING   Martin Naylor

GRAFISK FORM OCH LAYOUT   Ateljén Arne Öström

FOTO   Rickard Karlsson/Nationalmuseum

SKYDDSOMSLAGETS BILD   Peter Adolf Hall
Självporträtt
Self-Portrait
NMB 628

FOTO   Nationalmuseum

KATALOGEN ÄR TRYCKT OCH BUNDEN AV/   Civilen AB, Halmstad 2001
THE CATALOGUE IS PRINTED AND BOUND BY

ISBN   91-7100-651-6

Innehåll
Contents

10336 BNIA (STO)

Förord

FÖRELIGGANDE KATALOG ÖVER svenska och övriga nordiska miniatyrer ersätter motsvarande delar i Nationalmusei senaste beståndskatalog utgiven år 1929, kallad *Nationalmusei miniatyrsamling. Den Wicanderska samlingen och museets övriga miniatyrer.* Trots titeln var denna katalog inte heltäckande utan omfattade endast målerisamlingens miniatyrer. Den nya beståndskatalogen, vars kommande delar även kommer att omfatta de övriga europeiska miniatyrerna, behandlar samtliga miniatyrsamlingar i museets ägo. Katalogen innehåller även så långt möjligt är fullständiga uppgifter rörande ursprung, litteratur och utställningar. I förekommande fall återfinns även smärre kommentarer. Ambitionen har varit att, liksom i de moderna beståndskatalogerna över måleri- och skulptursamlingen 1990, 1995, 1996 och 1998, illustrera varje konstverk. En viktig skillnad är dock att miniatyrerna avbildas skalenligt. Dessutom inleds varje volym av denna katalog med ett antal färgreproduktioner av enskilda arbeten.

Som framgår av innehållet i denna beståndskatalog har det ej gjorts någon skarp gränsdragning mellan de egentliga miniatyrerna och föremål av miniatyrliknande karaktär. Det sistnämnda gäller arbeten målade t.ex. i olja på metall och duk eller akvarell på papper. Nationalmuseum har här valt att följa samlingarnas historiska indelning.

Inventeringen av miniatyrsamlingen igångsattes år 1994. Till en början bearbetades den Dahlgrenska samlingen, ett arbete som avslutades två år senare. Därefter har museets huvudsamling jämte alla övriga blivit genomgångna och fotograferade. Arbetet med att identifiera upphovsman och modell har varit förutsättningslöst. Vidare har inventariet kompletterats med felande uppgifter rörande proveniens, utställningar och litteratur. Huvudansvariga för den omfattande uppgiften att vetenskapligt och föremålsligt bearbeta Nationalmusei samlingar av miniatyrer har varit Magnus Olausson och Jessica Sjöholm. Under ett initialt skede utfördes också ett omfattande registrerings- och inventeringsarbete av Cecilia Widenheim. Vidare har författarna erhållit hjälp av flera kollegor vid museet såsom Eva-Lena Karlsson, Micael Ernstell, Solfrid Söderlind, Eva Karlsson, Eric Cornelius, Hans Thorwid, Rickard Karlsson, Stefan Ohlsson och Marina Strouzer-Rodov. Förutom museets egna tjänstemän har ett flertal utomstående specialister bidragit med kunskap till katalogarbetet. Här kan nämnas den numera avlidne dr. phil Torben Holck Colding, dr. phil Bodo Hofstetter, fil.kand Roger de Robelin, fil.lic Lars-Olof Skoglund, museumsinspektor Steffen Heiberg och konservator (MA) Cecilia Rönnerstam. För katalogens lay-out och formgivning har Arne Öström svarat. Martin Naylor har översatt inledningen och granskat konstverkens titlar.

När konsul Hjalmar Wicander år 1927 donerade sin stora miniatyrsamling till Nationalmuseum var han förutseende nog att även ge museet en fond som kunde användas för såväl förvärv som konservering och bearbetning av samlingen. Det är tack vare dessa medel som en stor del av förberedelsearbetet till katalogen liksom tryckning och utgivning har kunnat ske.

STOCKHOLM I OKTOBER 2001
Görel Cavalli-Björkman

Foreword

THIS CATALOGUE OF Swedish miniatures and those from the other Nordic countries supersedes the corresponding sections in the most recent complete catalogue of collections at the National Museum of Fine Arts, which was published in 1929, entitled *Nationalmusei miniatyrsamling. Den Wicanderska samlingen och museets övriga miniatyrer* (The Collection of Miniatures at the National Museum of Fine Arts. The Wicander Collection and other Miniatures at the Museum). Despite its title, this catalogue was not comprehensive but only covered the miniatures in the collection of paintings. The new complete catalogue, in which future sections will also cover the other European miniatures, deals with all the collections of miniatures in the possession of the Museum. As far as possible the catalogue also contains complete particulars concerning origin, bibliographies and exhibitions. Brief comments have been made where appropriate. It has been the aim – as in the modern complete catalogues of the collections of paintings and sculpture for 1990, 1995, 1996 and 1998 – to include illustrations of each work of art. There is, however, one important difference: the miniatures are reproduced true to scale. In addition, at the beginning of each volume of this catalogue there are a number of colour reproductions of individual works.

As will be apparent from the contents of this complete catalogue, no clear distinction has been made between the miniatures proper and items that resemble miniature. Such items are works of art that are painted, for instance in oil on metal or canvas, or watercolours on paper. The National Museum of Fine Arts has elected to observe the historical divisions of the collections.

The inventory of the collection of miniatures was commenced in 1994. The Dahlgren Collection was the first to be examined, the work taking two years. Then the Museum's main collection and all other collections were studied and photographed. The work of identifying the originator and model has been conducted without preconceptions. Furthermore, where particulars relating to provenance, exhibitions and bibliographies were lacking, they have been added to the inventory. Magnus Olausson and Jessica Sjöholm, the authors, have been mainly responsible for the extensive work of making an item-by-item and scientific assessment of the National Museum of Fine Arts' collections of miniatures. In the initial stage Cecilia Widenheim also carried out much registration and inventory work. The authors have also been assisted by colleagues at the Museum such as Eva-Lena Karlsson, Micael Ernstell, Solfrid Söderlind, Eva Karlsson, Eric Cornelius, Hans Thorwid, Rickard Karlsson, Stefan Ohlsson and Marina Strouzer-Rodov. As well as the Museum's own staff, a number of distinguished outside specialists have contributed their expertise to the work on the catalogue. Especial mention can be made here of Torben Holck Colding, now deceased, Bodo Hofstetter, Roger de Robelin, Lars-Olof Skoglund, Steffen Heiberg and Cecilia Rönnerstam. Arne Öström has been responsible for the layout and design of the catalogue. Martin Naylor has translated the introduction into English and has checked the titles of the works of art.

When Hjalmar Wicander donated his large collection of miniatures to the National Museum of Fine Arts in 1927, he was foresighted enough also to set up a Fund for the Museum that could be used both for acquisitions, conservation and other work on the collection. Money from the Fund has made possible much of the preparation of this catalogue, as well as its printing and publication.

STOCKHOLM, OCTOBER 2001
Görel Cavalli-Björkman

Samlingen och dess historia

SVERIGE ÄR EN AV DE FRÄMSTA europeiska nationerna på miniatyrmåleriets område, men länge avspeglade sig detta märkligt nog inte i Nationalmusei bestånd av bildkonst. Endast ett fåtal miniatyrer inköptes under de första decennierna efter museets tillkomst. I jämförelse med museets övriga samlingar saknades från början helt miniatyrer med kunglig proveniens, om man bortser från ett tjugotal arbeten som ingick i Carl XV:s testamentariska gåva år 1873 samt ett antal kabinettsminiatyrer av Niclas Lafrensen d.y. och Cornelius Höyer som överfördes från Drottningholm två år senare. Den gamla kungliga samlingen av miniatyrer hade ingen egen status utan var en del av den s.k. Skattkammarsamlingen, uppordnad i ett skåp på Drottningholm redan år 1748 av Carl Gustaf Tessin. Därför hade den förmodligen aldrig hunnit bli inordnad i Kongl. Museum och av samma skäl överfördes heller inte några äldre kungliga miniatyrer till det nybildade Nationalmuseum år 1866. Den stora mängd familjeminiatyrer som tillhörde det regerande bernadotteska huset hade en utpräglad privatkaraktär och flertalet härstammade från drottning Josefinas reseschatull för porträttminiatyrer.

Miniatyrer, företrädesvis porträtt, var alltså en intim konstart med uttalad privat funktion. Icke desto mindre blev miniatyrer en handelsvara vid auktionerna efter 1800-talets mitt. De försåldes under särskild rubrik, men i de officiella noteringarna rörande köpare förekommer ytterst sällan Nationalmusei namn. Under museets första sextioåriga tillvaro förvärvades blott ett femtiotal miniatyrer. Konstarten hade alltså svårt att hävda sig i konkurrens med andra föremålsgrupper i museet. I stället för att aktivt söka upp intressanta föremål i enskild ägo eller på auktioner blev hembud från privatpersoner den främsta förvärvskällan. Orsakerna var flera. Bristen på pengar gjorde sig

ständigt påmind. De priser som främst antikhandeln begärde var med dåtida mått väl tilltagna. Avslag blev därför en naturlig följd. Till detta kom så bristen på kunskap. De främsta kännarna fanns i första hand utanför Nationalmuseum. Följande exempel är betecknande för det dåtida museets svala intresse för konstarten. År 1878 hade Nationalmuseum fått fyra miniatyrer i testamentarisk gåva. Samtidigt blev man av samma dödsbo erbjuden att förvärva en porträttminiatyr föreställande den berömda skaldinnan Anna Maria Lenngren. För skams skull antogs erbjudandet då man redan erhållit fyra miniatyrer i gåva. Dödsboets ombud hade på ett föredömligt sätt lämnat alla uppgifter på ursprung och motiv, men bortsett från modellens namn noterades inget av detta i inventariet. Nyssnämnda fall är långtifrån det enda exemplet. Proveniensfrågor var inte högt skattade och inte heller konstarten i sig väckte, som det tycks, något intresse. Betydligt mer engagerade var privatsamlarna, som även dominerade marknaden där de kunde operera utan konkurrens av museet.

Förutom mer namnkunniga samlare som Christian Hammer och Christoffer Eichhorn kan här nämnas grosshandlarna Joseph Jacobson och Jakob Settervall samt byggmästaren Edvard Alfred Boman. Ingen av dessa kunde emellertid mäta sig med vice häradshövdingen och kuratorn i Stockholms stads förmyndarkammare Carl Fredrik Dahlgren, en udda och på många sätt frånstötande karaktär i 1800-talets Stockholm. Han var känd som både hänsynslös och charmfull, girig och givmild. Dahlgrens bullersamma och oborstade sätt skaffade honom många fiender och det är i hög grad dessa som präglat bilden av honom och hans samlingar. "Likplundraren" är ett av Dahlgrens mindre smickrande epitet som en av hans samlarkollegor gav honom. Och det finns åtminstone i ett fall klara belägg för att han, som ryktet gjorde gällande, skodde sig på sina klienters bekostnad. Emellertid var Dahlgrens hunger på miniatyrer långt större än att den kunde mättas genom tvivelaktiga metoder eller genom auktionsköp i Stockholm. När hans samlarlust övergick i mani fick i stället behovet täckas med import från utlandet, framförallt från det tyska kulturområdet. Dahlgrens främste furnissör av miniatyrer var den välkände handlaren Wilhelm Philip Levertin. Denne hade på 1860-talet öppnat en antikvitetsaffär i Stockholm på Drottninggatan 40 med firmanamnet Levertin & Sjöstedt. Den grundläggande affärsidén var dels import av franska gipsavgjutningar dels införsel av tyska antikviteter, däribland miniatyrer. Levertins inköpsresor gick framförallt till de delar av Tyskland som var kända för låga priser, däribland Dresden, Nürnberg, Leipzig och München. Detta är också förklaringen till att Dahlgrens samling och därmed också så småningom Nationalmusei bestånd av miniatyrer kom att innehålla en stor mängd tyska miniatyrer.

Dahlgrens bostad låg på Malmskillnadsgatan 7. I en våning som bestod av sju rum förvarade han sina omfattande samlingar. Konsthistorikern Olof Granberg, som under flera perioder arbetade på Nationalmuseum, har gjort en livfull beskrivning av det dahlgrenska hemmet: "Icke endast väggarna voro fullsatta med tätt sittande tavlor. Även taket var tapetserat med sådana, andra voro placerade på, under och omkring bord och stolar och på gardiner, dörrdraperier och förhängen voro anbragta fickur, miniatyrer osv. som med ett enerverande, klirrande ljud försattes i rörelse så snart jag kom i deras närhet." Granberg hade visserligen ingen positiv bild av Dahlgren, som han närmast tycks ha fruktat, men beskrivningen av dennes "Kunst- und Wunderkammer" är helt sanningsenlig att döma av de interiörfotografier som togs efter donatorns frånfälle i december 1894. I de av konstföremål tätt packade rummen tycks de rent dekorativa aspekterna ha varit den enda vägledande principen för uppställningen. I övrigt letar man här förgäves efter en röd tråd i samlandet. Detta innebär dock inte att Dahlgren själv saknade kunskap om det han samlade på. Huruvida det existerade en förteckning över samlingen eller ej är emellertid okänt. Klart är att ingen dylik kunskap nådde Nationalmuseum. Ointresset var grundmurat på ömse sidor. Donatorn hade i sin livstid inte hyst några varmare känslor för museet. Han tycks i synnerhet ha föraktat dess tjänstemän. Varför valde Dahlgren ändå att gynna denna institution? För den blivande ägaren till Bukowskis, den legendariske Carl Ulrik Palm skall han en gång ha avslöjat sin verkliga avsikt med gåvan. Dahlgren ville på ett ytterst raffinerat sätt utkräva sin hämnd för vad han uppfattade som dålig behandling: genom sin väldiga donation bestående av 4435 miniatyrer, 1100 dosor och 425 fickur ville han "dränka" museets tjänstemän i arbete under en lång rad av år.

Om detta verkligen var Dahlgrens syfte med sin donation, blev han i så fall rejält bedragen av dem som tog emot gåvan. De som ansvarade för museets uppordning av den stora donationen gjorde det nämligen lätt för sig. Förutom en grov indelning i olika tekniker och de enskilda upphovsmän som omedelbart kunde identifieras, nöjde man sig med att ordna det ofta anonyma materialet efter århundrade och kön, civila och militärer. Om någon av de avporträtterade till äventyrs hade äkta hälfter blev dessa bryskt åtskilda i nummerserien. Därmed lyckades man genom en egendomlig typologisk indelning avlägsna det sista som återstod för en säker identifikation.

Ansvarig för mottagandet av donationen från museets sida var i förstone Ludvig Looström, men snart tog andra tjänstemän över, däribland Georg Göthe och Erik Folcker. Arbetet var dock så krävande att dessa snart tröttnade och i stället anställdes Dahlgrens trogne leverantör av miniatyrer, Wilhelm Philip Levertin, för uppgiften. I motsats till vad man skulle ha kunnat tro tycks denne handlare ha vetat förhållandevis lite om Dahlgrens miniatyrer och deras ursprung, eftersom katalogiseringen blev ytterst rudimentär, för att inte säga slarvig. Bland annat tycks man aldrig ha öppnat några miniatyrer för att kontrollera eventuella signaturer och anteckningar om modell, proveniens etc. Enligt Bukowskis auktionskatalog över Eichhorns samling år 1890 skall Dahlgren ha förvärvat ett porträtt av Carl Peter Lehmanns syster utfört av denne konstnär. I museets lappkatalog över samlingen fanns emellertid inga uppgifter om en dylik miniatyr. Det visade sig att man aldrig orkat öppna den aktuella miniatyrens montering, som innehöll en lapp med samtliga uppgifter om konstnär, modell och ursprung. Den "löpande band-karaktär" som katalogiseringen fick präglades även av en hårdhänt behandling av föremålen. När man skulle fastställa teknik och material på den grupp av porträtt som var målade i olja på metall tog man helt enkelt och ristade i det högra övre hörnet. I andra fall betraktades samlingen blott som en "råvarutillgång" för lämpliga ersättningsramar för miniatyrer i museets huvudsamling.

Orsaken till denna nonchalanta behandling och smått likgiltiga attityd var den djupt rotade föreställningen att majoriteten av Dahlgrens miniatyrer inte ägde någon större kvalitet. Olof Granberg hörde till dem som tidigt gav uttryck för sin skepsis rörande samlingens innehåll. Till och med en ledande miniatyrspecialist som Karl Asplund kunde utan omsvep skriva att: "De Dahlgrenska miniatyrmassorna ligger ännu till större delen rättvist nedlagda i lådor. En och annan pärla har dock fiskats upp ur detta grumliga vatten." Det var dock många pärlor som med tiden "fiskades upp", men detta ledde inte till någon omprövning av den gamla uppfattningen om miniatyrernas påstådda låga kvalitet. Med jämna mellanrum gjordes omföringar till huvudinventariet, men utan att samlingen i sin helhet blev föremål för en kvalificerad genomgång. Tvärtom lämnades den Dahlgrenska samlingen åt sitt öde och kom under krigsåren att evakueras till Gripsholm.

Den ytliga genomgången av de Dahlgrenska miniatyrerna som gjordes sedan Nationalmuseum förvärvat den testamentariska gåvan, förrådde både ett ringa intresse och grunda kunskaper beträffande samlingens verkliga innehåll. Redan det förhållandet att Ernst Lemberger använde sig av den för sina stora verk om skandinaviskt respektive tyskt miniatyrmåleri, utgivna i början av 1900-talet, visar att man grundligt misstagit sig. Det måste ha funnits en annan och mer djupt liggande orsak till den nedlåtande inställningen. Den mest troliga förklaringen är Carl Fredrik Dahlgrens egen person, som väckt stor motvilja. Detta gäller inte minst den ovan nämnde Olof Granberg, under en period amanuens på Nationalmuseum.

Som redan framgått var den stora majoriteten av miniatyrer i Dahlgrens samling inte svenska utan tyska. Först i och med konsul Hjalmar Wicanders stora donation år 1927 erhöll Nationalmuseum en representativ samling av både svenska och danska miniatyrer. Industrimannen Wicander var en minst lika hängiven samlare som Dahlgren, men av en helt annan natur. Han hade redan från början ambitionen att skapa en elitsamling, där sträng selektion var en grundläggande princip. I motsats till Carl Fredrik Dahlgrens samlande utvecklade sig aldrig detta till en mani hos Hjalmar Wicander, även om man inte kan utesluta att han som så många andra ville uppresa ett monument över sig själv. I detta avseende fick han dock hjälp av flera vänner, framförallt av sin nära förtrogne Semmy Josephson och den tidigare nämnde konsthistorikern Karl Asplund. Tillsammans gav de ut två praktvolymer över den wicanderska samlingen. Den första utkom med anledning av den store samlarens sextioårsdag år 1920 och var en vängåva, den senare folianten markerade den överdådiga donationen till Nationalmuseum sju år senare. Både Josephson och Asplund var väl skickade för uppgiften. De hade nära följt Wicanders samlande och fungerade ofta som hans ombud. I synnerhet gäller detta Karl Asplund, Sveriges då ledande miniatyrkännare och tillika Bukowskis mångårige chef.

Wicander började emellertid inte att samla miniatyrer utan ostindiskt vapenporslin. Stora delar av denna samling donerade han senare till Riddarhuset. Sin nya passion för miniatyrer väcktes på allvar i samband med Bukowskis stora utställning år 1915. Wicander hade dock sex år tidigare stått som en av de stora bidragsgivarna när Nationalmuseum inköpte en miniatyr av Charles Boit. Inom loppet av endast fyra år, 1916-20, lyckades han förvärva närmare 400 miniatyrer. En förutsättning för den snabba tillväxten var kombinationen av utmärkta rådgivare och god tillgång på pengar. Wicander dominerade helt auktionerna hos Bukowskis, men han gjorde också en rad förvärv utomlands. Det mest spektakulära var Peter Adolf Halls självporträtt, inköpt direkt av konstnärens ättlingar i Paris.

Hall var utan tvekan ett av de stora konstnärsnamn som Hjalmar Wicander själv mest åtrådde. I hans samling finns därför åtskilliga av denne mästares främsta arbeten. Men ibland tycks begäret ha resulterat i att en och annan förfalskning inköptes eller att andra storheter följde med av bara farten, fast under fel namn. Om man bortser från en rad viktiga förvärv i England av bl.a. elisabetanska miniatyrer, utgjordes lejonparten av svenska porträttminiatyrer och då i synnerhet de stora mästarna från 1700-talets senare hälft. Hall har redan nämnts. Rikligt representerade är också hans samtida landsmän i Paris Niclas Lafrensen d.y. och Lorentz Sparrgren, men även hemmamarknadens storheter såsom Jakob Axel Gillberg, Johan Erik Bolinder och Anton Ulrik Berndes.

Till detta kommer den ansenliga mängd danska miniatyrer som Wicander förvärvat i Köpenhamn vid auktionen efter Emil Glückstadt år 1923. Även om hans speciella förtjusning för Cornelius Höyer dominerade inköpen, tycks ambitionen ändå ha varit densamma som när det gällde de svenska miniatyrerna: att skapa en representativ samling där de flesta stora namn var företrädda.

När och hur fick Wicander idén att donera hela sin magnifika samling till Nationalmuseum? En avgörande faktor var säkert vänskapen med den dåvarande överintendenten Axel Gauffin. Denne brukade regelbundet uppvakta Wicander med ganska insmickrande brev ställda till den "outtröttlige mecenaten" och som ofta utmynnade i ett mer eller mindre ohöljt tiggande. Svaret blev inte alltid jakande. Kanske ville Wicander koncentrera skänkerna till något stort. I november 1927 var tiden mogen. Museet blev nu förärat hans stora miniatyrsamling, som vuxit till hela 650 nummer. Denna i sig överdådiga gåva utökades redan följande år med donationen av en stor fond. I och med detta var museet väl rustat inför framtiden, men det fanns ett problem. Kapitalet i fonden fick till en början inte röras, utan endast räntan. När Gauffin och museet ville göra en rad stora förvärv vid århundradets miniatyrauktion i London 1935, försäljningen av Pierpont Morgan-samlingen vid Christie's, ryckte den generöse Wicander in med en betydande engångssumma. Detta möjliggjorde en rad viktiga inköp, som alla förstärkte den utländska delen av samlingen. Efter framgångarna vid auktionen blev Gauffin övertygad om att National-

musei miniatyrsamling skulle bli en ny vallfartsort för miniatyrforskare. Han hade planer på en kongress och en stor utställning, men det skulle i stället bli nya förvärv. År 1937 inköptes sex Hall-miniatyrer och två år senare ytterligare en mängd betydande verk från den franska konsthandeln.

Samlingens stora uppbyggnadsarbete under 1920-30-talen skulle dock i och med krigsutbrottet och de följande årens isolering få ett abrupt slut. År 1939 dog dessutom samlingens store tillskyndare Hjalmar Wicander och tre år senare lämnade Gauffin själv museet. Han fortsatte visserligen att verka i det fördolda, vilket märks på efterkrigsårens förvärv. Dessutom skulle Wicanders son, Carl August, dubblera faderns donationsmedel och tillföra museet resten av miniatyrsamlingen genom gåvan till svenska staten av Harpsund år 1952. Det nya decenniet innebar dock början på en nära nog 30-årig period präglad av ett fåtal förvärv, om man bortser från det remarkabla köpet av Goya 1963 liksom av Hall-miniatyrer åren 1975 och 1981. Först 1987 begynte ett nytt skede av aktiv förvärvspolitik bl.a. genom köpet av den magnifika Signac-emaljen av drottning Kristina, som tidigare ingått i David-Weills samling. Även om tonvikten under de gångna tretton årens talrika inköp legat på den utländska delen av samlingen, har ändå en rad betydande skandinaviska miniatyrer inlemmats. Bland de äldre mästarna märks ett porträtt av Johan Vilhelm, kurfurste av Pfalz-Neuburg, målat av Elias Brenner, en lasciv scen av Carl Gustaf Klingstedt samt ett tidigare okänt självporträtt av den i Berlin verksamme svensken Johann Harper. Den redan betydande samlingen av Halls miniatyrer har utökats med två viktiga arbeten, Gustav III i svensk dräkt av den typ konstnären målade i Paris 1784 samt ett förmodat porträtt, signerat 1780, av Jean-Jacques Rousseaus beskyddare, markis René-Louis de Girardin. Av den likaledes i Paris verksamme svensken Niclas Lafrensen d.y. återfinns två nya arbeten varav det mest betydande är ett ungdomsarbete, målat före konstnärens återkomst till Paris 1774 och som troligen föreställer hovmarskalken, baron Fredrik Ulrik Sack. Till kretsen av Parissvenskar hörde också Lorentz Sparrgren som bl.a. tog starka intryck av Jean-Baptiste Augustin. Detta framgår tydligt av ett av konstnärens bästa arbeten, porträttet av dansösen fru Carré. Av Sparrgren har även tre andra betydande porträtt inlemmats i samlingen: biskopen Frans Mikael Franzén, köpmannen John Hall d.ä. samt ett förmodat porträtt av överstelöjtnanten Carl Pontus Lilliehorn. Sparrgrens samtida, den i England skolade Jakob Axel Gillberg, är nu representerad med två tidigare okända självporträtt, varav det äldsta visar konstnären i tjugoårsåldern. Från ungdomsåren härrör också det porträtt av Gustav III han som sjuttonåring målade efter Hall.

Den redan betydande samlingen av danska miniatyrer har fått flera viktiga nytillskott såsom av den i Danmark verksamme franske emaljören Josias Barbette. Märkligt av historiska skäl är hans kopia av svensken David Richter d.ä:s självporträtt. Än mer sällsynta är arbeten av en annan emaljör, Hans Heinrich Plötz. Hans porträtt av den danske kungen Kristian VII är troligen målat i Schweiz under konstnärens vistelse där efter förebild av landsmannen Jens Juels konterfej. Två nya verk av den kanske mest uppburne danske miniatyristen Cornelius Höyer har förvärvats, varav det märkligaste är det tidigare helt okända porträttet av Gustav III i hatt med den berömda diamantagraffen. Miniatyren målades sannolikt av Höyer i Stockholm sommaren 1783 och ingick troligen i de gåvor som kungen överlämnade till Katarina II och hennes svit i samband med mötet i Fredrikshamn vid samma tid. Då monteringen är sekundär får man anta att detta rör sig om ett porträtt som tidigare varit briljanterat och infällt på locket till en gulddosa. Slutligen har guldåldersmåleriet fått sin motsvarighet i miniatyrkonsten genom ett synnerligen charmfullt dubbelporträtt målat av Frederik Christian Camradt, med all säkerhet föreställande Herman Vilhelm Baudissin och dennes hustru född von Witzleben.

År 1988 återfördes den till Gripsholm utdeponerade Dahlgrenska samlingen till Nationalmuseum. Detta blev början på en grundlig genomgång av museets samtliga miniatyrer, som förutom huvudsamlingen i avdelningen för äldre måleri och skulptur fanns representerade i statens porträttsamling, avdelningen för konsthantverk samt i teckningsoch gravyrsamlingen. Definitivt beslut togs år

1993 och arbetet kunde på allvar påbörjas följande år. Detta var redan från början kopplat till en vårdplan med i första rummet förebyggande vårdåtgärder samt fotografisk dokumentation. Grundläggande för uppordningen av hela museets miniatyrsamling var att så långt som möjligt urskilja konstnär, motiv eller modell samt proveniens. Detta har varit ett både digert och komplicerat arbete beroende på de stora lakunerna i inventariet. Den till numerärt mest omfattande delen av samlingen, de dahlgrenska miniatyrerna, hade bara en summarisk lappkatalog, som ofta saknade de mest elementära uppgifterna. Proveniens förekom nästan aldrig. Till detta kommer så bristerna i kunskapsläget som länge rått inom området. T.o.m. när det gäller de främsta svenska miniatyristernas verk har gränserna ibland varit diffusa. Sålunda förväxlades ofta arbeten av Lafrensen d.y. med Sparrgrens. I andra fall har konstnärers corpus antingen ökat eller minskat till sin omfattning. En enkel felläsning av signaturen "P.K" till "W.K" bidrog till att nästan utradera Per Köhlers verk till förmån för Wilhelmina Krafft, syster till den mer bekante Per Krafft d.y. Mer svårförklarlig är uppkomsten av den nimbus som namnet Örnbeck fått. Efter flera läroår hos Pilo i Köpenhamn återvände Leonhard Örnbeck till Stockholm år 1779. Här verkar han raskt ha fått flera kungliga uppdrag inte minst beroende på det tomrum som uppstått vid hovemaljören Johan Georg Henrichsens död samma år. När Örnbeck själv avled tio år senare kunde han visserligen räkna sig som ledamot av Kungl. Akademien för De Fria Konsterna, men han var ingalunda ett stort namn som miniatyrist. Sålunda blev han lätt utkonkurrerad av dansken Höyer när denne kom till Stockholm 1783/84. Även en "kleinmeister" som Berndes eller tonåringen Jakob Axel Gillberg kunde utan svårighet göra honom rangen stridig som leverantör till den kungliga familjen. Lika svårförklarliga är de attributioner som ofta bär Örnbecks namn. Hans karakteristiskt "gräddiga" färgskala har mycket lite att göra med det distinkta punktmanér som vanligen gått under beteckningen "Örnbeck". Inte sällan är miniatyrer i den senare tekniken reduktioner av Gustaf Lundbergs pastellporträtt. Genom ett antal signerade arbeten i Nationalmusei samling vet vi att upphovsmannen inte är Örnbeck utan Martin Scheffel, son till Johan Henrik Scheffel.

Djupet och bredden i museets rika samling av miniatyrer har inte bara gjort det möjligt att se konturerna av Martin Scheffels utan även en rad andra miniatyristers konstnärskap. Sålunda har den tidiga frihetstiden fått ett nytt namn vid sidan av David Richter d.y., nämligen Gustaf Torshell. Samma sak kan sägas om det sena 1700-talet där trängseln ökar betydligt i fråga om antalet verksamma miniatyrister alltifrån professionella till renodlade amatörer. Många hade en militär bakgrund, då konstnärlig skolning ingick i utbildningen. Inom fortifikationen förekom studier i miniatyrmåleri mycket beroende på kopplingen till kartografin. Motsvarande undervisning gavs inte till kadetterna vid Karlberg, om man bortser från teckningskonst, men flera av lärarna verkade som miniatyrister, däribland bröderna Jakob Axel och Carl Gustaf Gillberg. Till gruppen militärer, om än med något udda yrken, hörde Herman Casselle och Jacob Röngren. Den förre var kortfabrikör medan den senare drev tillverkning av brandsprutor, men bägge hade miniatyrmåleriet som lönsam bisyssla. Konstnärligt var de dock helt olika. Casselle, som var invandrad från Svenska Pommern, arbetade i ett torrt punktmanér i enlighet med tysk tradition. Röngren å sin sida kan närmast liknas vid en Sparrgren-epigon. Ingen av dem var särskilt flitiga med att signera, men i samband med genomgången av museets samling har en rad av deras arbeten kunnat identifieras på stilistisk grund. Detta gäller även de lika okända miniatyristerna Erik Magnusson Sohm och Samuel Wilander. Bägge är att uppfatta som relativt mediokra konstnärer, men i synnerhet Wilander blev en flitig producent av miniatyrer åt Stockholms borgerskap vid sidan om sin syssla som kamrer i Bankofullmäktige. Den stora mängd av Wilanders miniatyrer, som hittills legat dold i Nationalmusei samling, visar att det inte finns någon koppling mellan kvalitén på konstnärens arbeten och den roll han faktiskt spelade på marknaden. Detta kan jämföras med Niclas Lafrensen d.y., som var en av sin tids mest uppburna miniatyrister, men vars produktion var relativt liten. Det problematiska med konsthistorieskrivningens kategorier grundade på konstnärlig kvalité har alltså varit tendensen att av estetiska skäl marginalisera de miniatyrister som befunnit sig i en kvalitetsmässig periferi, kriterier som dock saknar absolut historisk relevans.

Bearbetningen av Nationalmusei miniatyrsamling har inte bara resulterat i kartläggningen av en rad okända konstnärskap utan även bringat klarhet i redan kända miniatyristers verk. I synnerhet gäller detta ungdomsarbeten av Jakob Axel Gillberg och Johan Erik Bolinder. Den förre var något av ett underbarn, som redan vid sjutton års ålder blev "kunglig hovleverantör" av miniatyrer. De två tidigare omnämnda nyförvärven av Gillbergs arbeten har kastat nytt ljus över konstnärens tidiga sätt att måla. När det gäller Bolinder fanns sedan gammalt ett signerat ungdomsarbete som gjorde det möjligt att identifiera andra verk av konstnären. En viktig referens för att på stilistisk grund kunna öka antalet variabler och därmed göra säkra identifikationer har både i detta och andra fall varit museets eget bildarkiv och då i första hand Svenska Porträttarkivet. Detta kombinerat med arkivforskning har givit en rad viktiga resultat, som avsatt spår i denna beståndskatalog. En nyligen inköpt verkförteckning till museets konstnärsarkiv har uppenbarat ett tidigare helt okänt konstnärskap, Eva Christina Barckenboms. Genom att jämföra en rad olika miniatyrer i Svenska Porträttarkivet föreställande modeller upptagna i hennes noteringsbok, har åtminstone ett av hennes verk kunnat identifieras i museets samling.

Den nu avslutade bearbetningen av Nationalmusei bestånd av miniatyrer har inte bara kastat nytt ljus över de enskilda verken i samlingen, utan även resulterat i ny kunskap om miniatyrmåleriet i Sverige och i övriga Skandinavien. Detta kommer i sin tur att bilda underlag för så väl mer tillämpad forskning på området som museets framtida förvärvspolitik.

Magnus Olausson

The Collection and its History

SWEDEN IS ONE OF THE LEADING European nations in the field of miniature painting, and yet for a long time this fact was, strange to say, not reflected in the National Museum of Fine Arts' holdings of pictorial art. During the early decades of the Museum's existence, only a handful of miniatures were purchased. In contrast to its other collections, moreover, miniatures of royal provenance were initially conspicuous by their absence, with the exception of some twenty works included in Carl XV's bequest of 1873 and a number of cabinet miniatures by Niclas Lafrensen the Younger and Cornelius Høyer that were transferred from the Drottningholm collection two years later. The old royal collection of miniatures was not a separate entity, but formed part of what was known as the Treasury Collection, arranged by Count Carl Gustaf Tessin in a cupboard at Drottningholm Palace as early as 1748. As a result there had presumably never been time for it to be incorporated in the Royal Museum (the forerunner of the National Museum of Fine Arts), and for the same reason no early royal miniatures were transferred to the National Museum of Fine Arts when it opened in 1866. The large number of family miniatures belonging to the reigning house of Bernadotte were of a markedly private character, the majority of them originating from Queen Josefina's travelling casket for portrait miniatures.

Miniatures, primarily portraits, were thus an intimate art form with a distinctly private function. Nevertheless, from the middle of the nineteenth century they became a commodity that could be bought and sold at auctions, where they were offered under a separate heading. However, the name of the National Museum of Fine Arts appears extremely rarely in the official records of buyers of such works. During the first sixty years of the Museum's existence, a mere fifty or so miniatures were acquired. Clearly, this art form had difficulty competing with other types of object at the Museum. The primary source of acquisitions was private individuals who had offered the National Museum of Fine Arts first refusal on their works, rather than an active search for interesting objects in private ownership or at auctions. There were several reasons for this. Lack of funds was an ever-present problem. The prices asked, especially by antique dealers, were rather on the steep side by the standards of the day, and the natural result was a refusal to pay them. Expertise was also lacking, with the most prominent connoisseurs primarily to be found outside the walls of the Museum. The following example is illustrative of the Museum's lukewarm interest in this form of art. In 1878 the National Museum of Fine Arts had received a bequest consisting of four miniatures. The executors of the estate also offered it the chance of buying a portrait miniature of the famous poet Anna Maria Lenngren. The Museum accepted the offer out of common decency, having already received four miniatures for free. The executors had, with exemplary attention to detail, supplied full particulars concerning the origins and subject of the painting, but apart from the name of the sitter none of this information was recorded in the inventory. This was by no means an isolated example. Questions of provenance were not considered a high priority, but nor, it seems, did this art form itself arouse any real interest. Private collectors were considerably more interested, and also dominated the market, where they were able to operate without competition from the Museum.

Apart from more renowned collectors like Christian Hammer and Christoffer Eichhorn, mention may be made here of the wholesalers Joseph Jacobson and Jakob Settervall and the builder Edvard Alfred Boman. None of these, though, could compare with Carl Fredrik Dahlgren, deputy judge of the district court and curator of the Stockholm guardianship court, an odd and in many ways repulsive character in nineteenth-century Stockholm. He had the reputation of being at once ruthless and charming, greedy and generous. Dahlgren's noisy and boorish manner made him many enemies, and their views largely coloured prevailing perceptions of him and his collections. 'Grave robber' was one of the less flattering epithets bestowed on him by his fellow collectors. And in one case at least there is clear evidence of his having, as rumour alleged, lined his own pocket at his clients' expense. However, so great was Dahlgren's hunger for miniatures that neither dubious methods nor purchases at Stockholm auctions were sufficient to satisfy it. When his enthusiasm for collecting developed into a mania, he had to resort instead to importing works from abroad, above all from Germany. Dahlgren's principal supplier of miniatures was the well-known Wilhelm Philip Levertin, who in the 1860s had opened an antique shop under the name of Levertin & Sjöstedt at Drottninggatan 40 in Stockholm. His basic 'business concept' was to import, on the one hand, French plaster casts and, on the other, German antiques, including miniatures. Levertin's buying trips took him above all to the parts of Germany that were known for their low prices, including Dresden, Nürnberg, Leipzig and Munich. This is why Dahlgren's collection, and eventually the National Museum of Fine Arts' holding of miniatures, came to include so many works of German origin.

Dahlgren lived at Malmskillnadsgatan 7, in a seven-room apartment in which he also kept his extensive collections. Art historian Olof Granberg, who worked at the National Museum of Fine Arts at various times, has provided a vivid description of Dahlgren's home: 'Not only were the walls filled with closely hung pictures. Even the ceiling was papered with them, others were placed on, under and around tables and chairs, and attached to the curtains in windows and doorways were watches, miniatures etc., which were set in motion with an irritating clinking sound as soon as I went near them.' Granberg admittedly had a less than favourable view of Dahl-

gren, whom he seems almost to have feared, but this description of his 'Kunst- und Wunderkammer' is entirely truthful, judging by the interior photographs taken after the donor's death in December 1894. The arrangement of the objects of art in these packed rooms seems to have been guided by purely decorative considerations. Apart from that aspect, one searches in vain here for a common thread to Dahlgren's collecting. That does not mean, though, that Dahlgren himself was unknowledgeable about the objects he accumulated. It is not known whether an inventory of his collection ever existed, but we do know that no such information ever reached the National Museum of Fine Arts. The lack of interest was firmly entrenched on both sides. During his lifetime, the donor never felt any great affection for the Museum, and he seems in particular to have despised its employees. Why, then, did he nevertheless choose to favour this institution? Dahlgren is said to have revealed his real motive for making the bequest to the future owner of the Bukowski auction house, the legendary Carl Ulrik Palm. According to Palm, this was Dahlgren's carefully studied way of exacting revenge for what he saw as his ill treatment: by making his huge donation of 4,435 miniatures, 1,100 boxes and 425 watches, he was hoping to 'drown' the Museum's staff in work for years to come.

If this really was the reason for Dahlgren's bequest, then the beneficiaries were to deny him any satisfaction in that respect, since the staff entrusted with bringing order to the large donation made their task as simple as possible. Apart from a rough and ready classification based on the different techniques and individual artists that could immediately be identified, they contented themselves with arranging the often anonymous material by century and sex, and according to whether the sitters were civilians or military officers. If by chance any of the individuals portrayed was accompanied by a spouse, the two would be unceremoniously separated in the number sequence. Thus, by means of a bizarre typological classification, the staff managed to eliminate the last remaining evidence that could have helped them make a reliable identification.

Initially, responsibility for receiving the

donation on behalf of the Museum was allotted to Ludvig Looström, but soon other staff took over, including Georg Göthe and Erik Folcker. So demanding was the task, though, that these men quickly tired of it and Dahlgren's faithful supplier of miniatures, Wilhelm Philip Levertin, was employed to take their place. Surprisingly perhaps, this dealer appears to have known relatively little about Dahlgren's miniatures and their origins, for they were catalogued in an extremely rudimentary, if not to say slipshod, manner. For one thing, it seems that none of the miniatures were ever opened to check for signatures or details of their sitters, provenance etc. Bukowskis' auction catalogue of Eichhorn's collection, from 1890, indicates that Dahlgren purchased a portrait of Carl Peter Lehmann's sister by that artist, but no reference to such a miniature could be found in the Museum's sheaf catalogue. It turned out that no one had ever bothered to open the miniature in question, which contained a slip of paper giving full particulars of its artist, sitter and origins. The 'conveyor belt' approach to cataloguing the collection was accompanied by heavy-handed treatment of the objects themselves. In the case of portraits painted in oils, techniques and materials were determined simply by scratching the surface in the top right-hand corner. In other cases, the collection was regarded merely as a source of suitable replacement frames for miniatures in the Museum's main collection.

The reason for this off-hand treatment and somewhat indifferent attitude was the deeply rooted idea that the majority of Dahlgren's miniatures were not of any great quality. Olof Granberg was among those who at an early date voiced scepticism regarding the contents of the collection. Even a leading miniatures specialist like Karl Asplund had no hesitation in expressing himself in disparaging terms: 'The masses of Dahlgren's miniatures are still for the most part, quite rightly, stored away in drawers, although the odd pearl has been fished from these muddy waters.' As time went on, many pearls were in fact 'fished' from the same waters, but this did not lead to a reappraisal of the old view that these miniatures were of poor quality. Works were transferred at regular intervals to the main inventory, but no expert scrutiny was undertaken of the collection as a whole. The Dahlgren collection was simply left to its fate and, during the war years, evacuated to Gripsholm.

The superficial manner in which Dahlgren's miniatures were processed after the National Museum of Fine Arts had received his bequest betrayed both a lack of interest and a shallow understanding of the real value of the collection. The mere fact that Ernst Lemberger made use of this collection in his major works on Scandinavian and German miniature painting, published at the beginning of the twentieth century, shows that the Museum had made a fundamental mistake. There must have been some other, deeper-seated reason for its patronizing attitude. The most likely explanation is probably Carl Fredrik Dahlgren's own personality, which aroused considerable antipathy. This is particularly true in the case of Olof Granberg, who for a time was a clerk at the Museum.

As has already been made clear, the great majority of the miniatures in Dahlgren's collection were not Swedish, but German. Only with the large donation by Consul Hjalmar Wicander in 1927 did the National Museum of Fine Arts acquire a representative collection of both Swedish and Danish miniatures. Wicander, an industrialist, was at least as devoted a collector as Dahlgren, but one of an entirely different kind. From the very beginning, his aim was to create an élite collection, with strict selectivity as a guiding principle. Unlike Carl Fredrik Dahlgren, Hjalmar Wicander never allowed his collecting to develop into a mania, even if it cannot be ruled out that he, like so many others, wished to erect a monument to himself. In that regard, however, he had several friends to help him, notably his close confidant Semmy Josephson and the earlier mentioned art historian Karl Asplund. Together they published two impressive volumes presenting the Wicander collection. The first appeared on the occasion of the great collector's sixtieth birthday in 1920, as a gift from his friends, while the second folio marked his magnificent donation to the Museum seven years later. Both Josephson and Asplund were well qualified for the task. They had followed Wicander's collecting at close quarters and often acted as his agents. This was especially true of Karl Asplund, Sweden's leading expert on miniatures at the time and also for many years the director of Bukowskis.

However, Wicander's collecting career began, not with miniatures, but with Chinese armorial porcelain, most of his collection of which was subsequently donated to the Nobility Foundation. His passion for miniatures was awakened in earnest by the major exhibition at Bukowskis in 1915. Six years earlier, though, Wicander had made a major contribution enabling the National Museum of Fine Arts to purchase a miniature by Charles Boit. In the course of just four years, from 1916 to 1920, he managed to acquire almost 400 miniatures. The rapid growth of his collection was possible thanks to a combination of excellent advisers and an ample supply of funds. Wicander completely dominated the auctions at Bukowskis, but also made a succession of purchases abroad, the most spectacular being Peter Adolf Hall's self-portrait, bought directly from the artist's descendants in Paris.

Hall was without doubt one of the great artists most coveted by Hjalmar Wicander himself, and his collection therefore included a good many of the finest works by this master. Sometimes, though, his craving seems to have resulted in the purchase of the odd forgery or the unintentional acquisition of other celebrities, under the wrong name. Apart from a number of important acquisitions in England, including Elizabethan miniatures, the lion's share of Wicander's collection consisted of Swedish portrait miniatures, in particular great masters from the second half of the eighteenth century. Hall has already been mentioned. His contemporary compatriots in Paris, Niclas Lafrensen the Younger and Lorentz Sparrgren, were also well represented, along with leading figures on the home market such as Jakob Axel Gillberg, Johan Erik Bolinder and Anton Ulrik Berndes.

In addition to these works, Wicander acquired an appreciable number of Danish miniatures at the auction in Copenhagen of Emil Glückstadt's estate in 1923. Although his purchases there were dominated by works by Cornelius Høyer, in which he took particular delight, the aim seems – as in the case of the Swedish miniatures – to have been to create a representative collection that included most of the great names.

When and how did Wicander get the idea of donating the whole of his magnificent collection to the National Museum of Fine Arts? A decisive factor was no doubt his friendship to the then director Axel Gauffin. The latter plied Wicander regularly with rather ingratiating letters addressed to the 'untiring patron of the arts', often ending on a note of more or less undisguised begging. The recipient did not always accede to such requests; perhaps he wanted to save his favours for a larger gesture. By November 1927 the time was ripe, and the Museum was presented with Wicander's extensive collection of miniatures, which by now totalled no less than 650 items. This already munificent gift was augmented the very next year by the endowment of a large fund. With this, the Museum was well prepared for the future, but there was just one problem. Initially, the capital could not be touched, only the interest. When Gauffin and the Museum wished to make several major acquisitions at the miniatures auction of the century, the sale of the Pierpont Morgan collection at Christie's in London in 1935, the generous Wicander stepped in with a substantial lump sum. This made possible several important purchases, all of which enhanced the foreign part of the collection. After his successes at Christie's, Gauffin was convinced that the National Museum of Fine Arts' miniatures collection would become a new place of pilgrimage for scholars in this field. He had plans to hold a congress and a major exhibition, but instead new acquisitions were to follow. In 1937, the Museum bought six Hall miniatures, followed two years later by a large number of other important works from French art dealers.

With the outbreak of war and the isolation of the ensuing years, however, the rapid expansion of the collection witnessed in the 1920s and 1930s came to an abrupt end. Furthermore, in 1939 Hjalmar Wicander, the great promoter of the collection, died, and three years later Gauffin himself left the Museum. Gauffin did remain active behind the scenes, though, as the acquisitions of the postwar years indicate. Moreover, Wicander's son Carl August was later to double the fund endowed by his father and to donate the remainder of his collection of miniatures when he left Harpsund and its contents to the Swedish state on his death in 1952.

However, the new decade saw the start of a period of stagnation that lasted almost thirty years, leaving aside the remarkable Goya purchase in 1963. Not until 1987 did a new phase of active acquisition begin, with the purchase of works such as the magnificent Signac enamel of Queen Kristina, which had earlier been part of David-Weill's collection. Although the many purchases of the last thirteen years have focused on the foreign part of the collection, a number of important Scandinavian miniatures have also been added. Of the old masters acquired, mention may be made of a portrait of Johan Vilhelm, Elector of Pfalz-Neuburg, painted by Elias Brenner, a lascivious scene by Carl Gustaf Klingstedt, and a previously unknown self-portrait by Johann Harper, a Swede working in Berlin. The already substantial collection of miniatures by Hall has been extended with the addition of two important works: Gustav III in the Swedish costume, a representation of the type the artist painted in Paris in 1784, and what is assumed to be a portrait of Jean-Jacques Rousseau's benefactor, the Marquis René-Louis de Girardin, dated 1780. Two new works by Hall's Paris-based compatriot Niclas Lafrensen the Younger have also been acquired, the more important of them being an early miniature, painted before the artist's return to Paris in 1774, and probably representing the Lord Chamberlain, Baron Fredrik Ulrik Sack. Another member of the circle of Swedish artists in Paris was Lorentz Sparrgren, who was greatly influenced there by, among others, Jean-Baptiste Augustin. This is clearly in evidence in one of Sparrgren's best works, his portrait of the dancer Madame Carré. Three other significant miniatures by this artist have likewise been incorporated in the collection: Bishop Frans Mikael Franzén, the merchant John Hall the Elder, and a presumed portrait of Lieutenant Colonel Carl Pontus Lilliehorn. Sparrgren's contemporary, the English-trained Jakob Axel Gillberg, is now represented by two previously unknown self-portraits, the older of

which shows the artist at the age of twenty. Also from his youth is the portrait he painted after Hall, at the age of just seventeen.

Several important works have been added to the already significant collection of Danish miniatures, including one by Josias Barbette, a French enamellist working in Denmark. His copy of the self-portrait by the Swede David Richter the Elder is remarkable for historical reasons. Even rarer are works by another enamellist, Hans Heinrich Plötz. His portrait of the Danish king Kristian VII was probably produced in Switzerland during the artist's stay there, using the painting by fellow Dane Jens Juel as a model. Two new works by perhaps the most celebrated Danish miniaturist, Cornelius Høyer, have also been acquired; particularly noteworthy is the formerly unknown portrait of Gustav III in a hat adorned with the famous diamond agraffe. Høyer probably painted this miniature in Stockholm in the summer of 1783, and it is likely to have been among the gifts which the king presented to Catherine II of Russia and her retinue at the meeting of the two monarchs in Fredrikshamn that summer. Since the present mounting is secondary, it may be assumed that this is a portrait that was previously decorated with brilliants and set in the lid of a gold box. Finally, the paintings of the Danish Golden Age have found their counterpart in miniature art in an extremely charming double portrait by Frederik Christian Camradt, probably representing Herman Vilhelm Baudissin and his wife, née von Witzleben.

In 1988 the Dahlgren collection, deposited at Gripsholm, was returned to the National Museum of Fine Arts. This marked the start of a thoroughgoing examination of the Museum's entire holding of miniatures, which, in addition to the main collection in the Department of Paintings and Sculpture, included works in the National Portrait Gallery, the Department of Applied Arts and the Collection of Prints and Drawings. A definite decision to catalogue the entire collection was made in 1993, and work was able to begin in earnest the following year. The project was linked from the outset to a conservation plan, focusing on preventive conservation measures and photographic documentation. The task of structuring the collection of miniatures was guided by an endeavour, wherever possible, to identify the artist, the subject or sitter, and the provenance of each work. Owing to the significant lacunae in the existing inventory, this proved an immense and complex task. In the case of the Dahlgren miniatures, numerically the largest part of the collection, only a meagre sheaf catalogue was available, often lacking the most elementary particulars. Almost without exception, details of provenance were never recorded. In addition, there have long been considerable gaps in our knowledge of this field. Even regarding the works of the most prominent Swedish miniaturists, lines of demarcation have sometimes been unclear. Works by Lafrensen the Younger, for instance, were often confused with those of Sparrgren. In other cases, the corpora of individual artists either increased or decreased in size. A simple misreading of the initials 'P.K.' as 'W.K.', for example, contributed to the virtual eradication of Per Köhler's works in favour of those of Wilhelmina Krafft, sister of the better-known Per Krafft the Younger. More difficult to explain is the aura that has come to surround the name of Örnbeck. After several years as a pupil of Pilo in Copenhagen, Leonhard Örnbeck returned to Stockholm in 1779. Here he seems to have received several royal commissions in a short space of time, not least thanks to the vacuum that arose after the death that year of the court enamellist Johan Georg Henrichsen. When Örnbeck himself passed away ten years later, he could admittedly count himself a member of the Royal Academy of Fine Arts, but he was by no means a great miniaturist. He was thus easily outshone by the Dane Cornelius Høyer when the latter arrived in Stockholm in 1783/84. Even a 'Kleinmeister' like Berndes or the teenager Jakob Axel Gillberg had no difficulty challenging him as a supplier of royal miniatures. Equally inexplicable are the frequent attributions to Örnbeck. His characteristically 'creamy' colour palette has very little in common with the distinct pointillist manner to which his name has often been linked. Not uncommonly, miniatures in this latter technique are reductions of Gustaf Lundberg's pastel portraits. From a number of signed works in the National Museum of Fine Arts collec-

tion, we now know that they were produced not by Örnbeck, but by Martin Scheffel, son of Johan Henrik Scheffel.

The depth and breadth of the Museum's rich collection of miniatures has made it possible to discern the contours not only of Martin Scheffel's output, but also of the works of several other miniaturists. Thus a new name, alongside David Richter the Younger, has emerged from the early years of the Age of Freedom, namely Gustaf Torshell. The same is true of the late eighteenth century, which has become a good deal more crowded in terms of active miniaturists, from professionals to pure amateurs. Many of them had a military background, and had received artistic instruction as part of their army training. In the fortification corps, studies in miniature painting were undertaken, largely because of the link with cartography. The cadets at the Karlberg Academy did not receive training in this field, apart from lessons in drawing, but several of the tutors were active as miniaturists, including the brothers Jakob Axel and Carl Gustaf Gillberg. Other military men to be mentioned here – albeit with unusual civilian occupations – were Herman Casselle and Jacob Röngren. The former was a playing-card manufacturer, while the latter was a producer of fire engines, but both engaged in miniature painting as a profitable sideline. Artistically, however, they were totally different. Casselle, an immigrant from Swedish Pomerania, worked in a dry, pointillist manner, in keeping with the German tradition. Röngren, for his part, can best be described as an imitator of Sparrgren. Neither of them was very particular about signing his works, but in the course of cataloguing the Museum's collection it has been possible to identify a number of their miniatures on stylistic grounds. The same is true of the equally unknown miniaturists Erik Magnusson Sohm and Samuel Wilander. Both of them are to be regarded as relatively mediocre artists, but Wilander especially became a diligent producer of miniatures for the Stockholm middle classes, alongside his employment as accountant to the Governors of the Bank of Sweden. The large number of Wilander miniatures hitherto hidden away in the National Museum of Fine Arts' collection makes it clear that there was no direct relationship between the quality of this artist's work and the role he actually played on the market. In this respect he can be compared with Niclas Lafrensen the Younger, who was one of the most celebrated miniaturists of his day, but whose output was relatively small. The problem with the criteria of art history, with their emphasis on artistic merit, is that they have tended to marginalize on aesthetic grounds those miniaturists who were peripheral in terms of quality, even though such criteria lack relevance in absolute historical terms.

The process of reviewing and cataloguing the National Museum of Fine Arts' collection of miniatures has not only brought to light the works of a number of unknown artists, but also brought greater clarity to the output of known miniaturists. The latter is particularly true as regards the early works of Jakob Axel Gillberg and Johan Erik Bolinder. The former was something of a child prodigy, who became 'miniaturist by royal appointment' at the age of just seventeen. The two new acquisitions of miniatures by Gillberg referred to above have shed fresh light on this artist's early manner of painting. In the case of Bolinder, the Museum has long been in possession of a signed work from his youth, which has enabled other works by him to be identified. In both this and other cases, an important basis for increasing the number of stylistic variables and thus enabling reliable identifications to be made has been the Museum's Photo Collections and, in particular, the Swedish Portrait Archives. This, combined with archival research, has produced a number of important results, which are reflected in this catalogue. An account book recently purchased for the Museum's Artist Archives has uncovered the work of a previously entirely unknown artist, Eva Christina Barckenbom. By comparing a number of different miniatures in the Swedish Portrait Archives representing sitters referred to in her account book, it has been possible to identify at least one of her works in the Museum's collection.

The now completed task of cataloguing the National Museum of Fine Arts' holding of Scandinavian miniatures has not only shed new light on the individual works in the collection, but also generated new knowledge concerning miniature painting in Sweden and the rest of Scandinavia. This in turn will form the basis both for research of a more applied character in this field and for the Museum's future acquisitions policy.

Magnus Olausson

Förklaringar till katalog och register

Information som är nödvändig för kunskapen om den enskilda miniatyren, men som inte kunnat föras till de övriga katalogrubrikerna, har redovisats i en särskild kommentar. Katalogen skall dock inte uppfattas som en *catalogue raisonné*, då kommentarerna inte är heltäckande. I de fall namn på konstnär, motiv eller modell fastställts av utomstående expert har detta redovisats i en särskild kommentar. I alla övriga fall är nya attributioner fastställda av utgivarna av katalogen. I registret över omattribueringar har också förändringar av äldre attributioner som inte publicerats, men som registrerats i museets inventarier, redovisats.

Följande benämningar används i katalogen i nedan angivna betydelser:

Tillskriven anger att målningen sannolikt utförts av konstnären även om detta ej kan dokumenteras.

Hans/hennes ateljé anger att målningen sannolikt tillkommit i konstnärens verkstad av en okänd medarbetare eller elev.

Hans/hennes skola anger att målningen utförts av en samtida konstnär i samma stad eller tillhörande samma krets av målare.

Hans/hennes art anger en likhet med konstnärens arbete, men med en viss distans i tid och rum.

Okända konstnärer finns upptagna i slutet av varje landsdel i katalogen.

Konstnärens signatur jämte olika påskrifter är exakt återgivna.

Ett antal punkter inom klammer anger att delar av signaturen är oläslig.

Måttuppgifter anges med höjden gånger bredden i cm.

Miniatyrerna är avbildade i naturlig storlek. I de fall en förminskning eller förstoring varit nödvändig markeras detta genom följande symboler:

▲ = Förstoring
▼ = Förminskning

♦ = Färgreproduktion
Test. = Gåva genom testamente. Årtalet anger det år då konstverket infördes i museets inventarium
Överförd = Konstverk som överförts från annan institution
Omförd = Konstverk som omförts från annan samling/inventarium tillhörande Nationalmuseum

Förkortningar:

RS = Rålambska samlingen, Riksbanken
SKS = Skattkammarsamlingen
S.H.M. = Statens historiska museum
SPA = Svenska porträttarkivet
A.K. = accessionskatalog över Hjalmar Wicanders miniatyrsamling

Miniatyrerna i Nationalmusei olika inventarieserier är sorterade enligt följande ordning:

NM	=	Nationalmusei målerisamling
NMB	=	Nationalmusei Bihang (föremål i Nationalmusei målerisamling utförda i andra tekniker än oljemåleri)
NMDs	=	häradshövding Carl Fredrik Dahlgrens samling gouache
NMDsc	=	häradshövding Carl Fredrik Dahlgrens samling camaieux
NMDse	=	häradshövding Carl Fredrik Dahlgrens samling emalj
NMDso	=	häradshövding Carl Fredrik Dahlgrens samling olja
NMDsä	=	häradshövding Carl Fredrik Dahlgrens samling ämne
NMDrh	=	Drottningholmssamlingen
NMGrh	=	Gripsholmssamlingen
NMHpd	=	Harpsundssamlingen
NMK	=	Nationalmusei Konsthantverkssamling
NMK BS	=	greve Axel Bielkes samling
NMK CXV	=	Carl XV:s samling
NMK X	=	Nationalmusei Konsthantverkssamling, okänd proveniens
NMH A(nck)	=	Tecknings- och grafiksamlingen, Anckarsvärds samling

Abbreviated Explanations

Information relevant to our understanding of a particular miniature, but not belonging under any of the other catalogue headings, is presented as a separate comment at the end of the entry concerned. The catalogue is not to be regarded as a catalogue raisonné, however, since such comments are not exhaustive. Where the name of an artist, subject or sitter has been determined by an outside expert, this is specifically noted at the end of the entry. In all other cases, new attributions have been made by the catalogue editors. The index of reattributions includes changes to earlier attributions which have not been published, but which have been recorded in the Museum's inventories.

The following terms are used in the catalogue in the sense given:

"Tillskriven" (Attributed to) indicates that the painting could have been made by the artist although this cannot be confirmed.

"Hans/hennes ateljé" (Workshop of) indicates that the painting could have been executed by the artist's studio by an unidentified collaborator or assistant.

"Hans/hennes skola" (Circle of) indicates that the painting was made by a contemporary artist in the same city or belonging to the the same group of painters.

"Hans/hennes art" (Manner of) indicates a similarity to the work of the artist but may imply a certain distance in time or place of origin.

Anonymous masters (Okända konstnärer) are listed according to country at the end of the catalogue.

The artist's signature and other inscriptions are indicated in an exact way.

A number of dots placed within a square indicates that the signature is not fully legible.

All sizes are given in centimeters, height by width.

The miniatures are reproduced in a natural scale. When reductions or
enlargements have been necessary, these are indicated by the symbols given:

▲	=	Enlargement
▼	=	Reduction
◆	=	Colour Reproduction
Inköp	=	Acquisition
Gåva	=	Gift
Test.	=	Bequest. The year given is the one when the work of art was entered in the Museum inventory
Överförd	=	A work of art which has been tranferred from another institution
Omförd	=	A work of art which has been transferred from another collection/inventory belonging to the National Museum of Fine Arts

Förkortningar = Abbreviations:

RS	=	Rålamb Collection, Riksbanken
SKS	=	The Treasury Collection
S.H.M.	=	The Museum of National Antiquities
SPA	=	Swedish Portrait Archives
A.K.	=	Catalogue of the Wicander Collection of Miniatures

The miniatures in the various series of inventories at the National Museum of Fine arts have
been classified as follows in the catalogue:

NM	=	Main collection of paintings at the National Museum
NMB	=	Annex (items in the National Museum's collection of paintings executed in techniques other than oil)
NMDs	=	Dahlgren Collection (gouache)
NMDsc	=	Dahlgren Collection (camaieux)
NMDse	=	Dahlgren Collection (enamel)
NMDso	=	Dahlgren Collection (oil)
NMDsä	=	Dahlgren Collection (genre and religious paintings)
NMDrh	=	Drottningholm Palace
NMGrh	=	Gripsholm Castle
NMHpd	=	Harpsund
NMK	=	Applied Art
NMK BS	=	Applied Art (Count Axel Bielke's Collection)
NMK CXV	=	Applied Art (Carl XV's Collection)
NMK X	=	Applied Art (unknown provenance)
NMH A(nck)	=	Collection of drawings and engravings (Anckarsvärd Collection)

A.G. Andersson NMB 1287

E. Arnberg NMB 2248

A. von Behn NMDsä 301

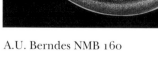

A.U. Berndes NMB 160

E.G. Béron NMB 848

D.V. Blom NMB 2397

C. Boit NMB 396

J.E. Bolinder NMB 541

J.E. Bolinder NMB 542

E. Brenner NMB 337

H. Casselle NMB 1802

S. Derkert NMGrh 2889

C.R. Fahlcrantz NMB 579

J.A. Gillberg NMB 2472

J.A. Gillberg NMB 2480

P.A. Hall NMB 123

P.A. Hall NMB 611

G. Hallman NMB 2495

33

A.J. Hansson NMDs 1070

J. Harper NMB 2375

J.G. Henrichsen NMB 2177

S. Hofling NMB 1199

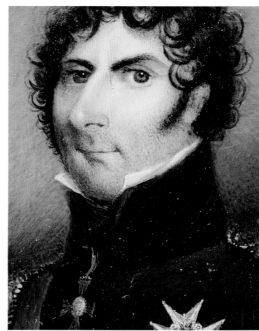

J.G. Hofwenschiöld NMGrh 2490

F.P. Klingspor NMB 675

C.G. Klingstedt NMB 680

P. Köhler NMDs 2163

N. Lafrensen d.ä. NMB 118

N. Lafrensen d.y. NMB 212

N. Lafrensen d.y. NMB 711

C.P. Lehman NMB 199

M. van Meytens d.y. NMB 743

C.F. Mörck NMGrh 2479

Svenska konstnärer
Swedish Masters

AHLGRENSSON, August
Fredrik (Fritz)
1838–1902 STOCKHOLM

**Hilma Konstantia Hermansson (1850–
1891), g. Ahlgrensson, skådespelerska,
konstnärens hustru**
*Hilma Konstantia Hermansson, m. Ahlgrensson,
Actress and Wife of the Artist*
Påskrift a tergo: "Fru Ahlgrensson målad af Fritz A-n"
Olja på duk 10x7,8 oval
Ram: metall
NMGrh 2653
PROVENIENS: 1894 Test. av C.F. Dahlgren; 1958 Omförd
från NMDso 487

AKREL, Carl Fredrik. Tillskriven
1779–1868 STOCKHOLM

Okänd officer
An Unknown Officer
Akvarell och gouache på elfenben 5,7x4,5 oval
Ram: metall, hårlock
NMDs 1225
PROVENIENS: 1894 Test. av C.F. Dahlgren

Carl Fredrik Akrel, generallöjtnant och lärare
vid Krigsakademien på Karlberg, var också
verksam som konstnär, främst som grafiker,
och är en av många militärer som ägnat sig åt
miniatyrkonsten. Porträttet av den okände offi-
ceren avbildar förmodligen en kollega.

ANDERSON (Kumlien), Samuel
1773–1857 STOCKHOLM

Porträtt av Landgren
Portrait of Landgren
Sign: "rit. 1813 af. Kumlien"
Gouache på elfenben 5,7x4,9 oval
Ram: guld, på baksidan hårlock mot benvitt siden, tillhörande boett i rött skinn med gulddekor fodrad med grön sammet
NMB 1933
PROVENIENS: 1967 Gåva av fröken Karin Landgren, Stockholm
LITTERATUR: von Malmborg 1978, s. 196, fig. 7

Modellens identitet har inte med säkerhet kunnat fastställas, men mest troligt är ändå att den avbildade är identisk med givarens farfars far, Strickert Kristian Landgren (1776–1843), borgmästare och vice president i Svea Hovrätt.

ANDERSSON, Anders Gustaf
VÄXJÖ 1780–1833 STOCKHOLM

Paul Edvard Filén (1749–1829), kommerseråd
Paul Edvard Filén, Head of Division at the Board of Trade
Sign: "G. Andersson pinxit 1823."
Akvarell och gouache på elfenben 8x7,4
Ram: papp
NMB 29
PROVENIENS: 1863 Inköpt från Johanna Ulrika Andersson, f. Thelin, målarens änka
LITTERATUR: Sander, vol. IV, 1876, s. 159, nr 1198; Carlander 1897, s. 2; Lemberger 1912, s. 76; Nationalmuseum 1929, s. 1; SPA Index, vol. I, 1935, s. 273

Carl Jöran Kock (1808–1894), grosshandlare, riksdagsman
Carl Jöran Kock, Wholesaler, Member of Parliament
Sign: "G Andersson 1823"
Akvarell och gouache på elfenben h: 4,7 oval
Ram: förgylld metall
NMB 288
PROVENIENS: 1902 Test. av fröken Karolina Emilie Elisabeth Kock
LITTERATUR: Lemberger 1912, s. 76; Nationalmuseum 1929, s. 2; SPA Index, vol. I, 1935, s. 439

Modellen är givarens far. Enligt gåvobrevet målades miniatyren i Köpenhamn 1823.

Johan Herman Schützercrantz (1796–1860), ståthållare, överstelöjtnant

Johan Herman Schützercrantz, Governor, Lieutenant Colonel
Akvarell och gouache på elfenben diam: 5 dagermått
Ram: metall, trä
NMB 310
PROVENIENS: 1908 Gåva av syskonen Schützercrantz genom revisor Johan Vilhelm Schützercrantz
LITTERATUR: SPA Index, vol. II, 1939, s. 739

Gustaf Johansson (1791–1832), grosshandlare

Gustaf Johansson, Wholesaler
Sign: "G Andersson pinxit 1828"
Påskrift a tergo: "Grosshandlaren Gustaf Johanson f. 1791 i Norberg i Westmanland, † 1832 i Bologna. Måladt 1828 af G. Andersson"
Akvarell och gouache på elfenben 8,1x6,5
Ram: metall
NMB 326
PROVENIENS: 1908 Test. av lektor C.H. Johansson
LITTERATUR: Lemberger 1912, s. 76; Nationalmuseum 1929, s. 2; SPA Index, vol. I, 1935, s. 418

**Paul Edvard Filén (1749–1829),
kommerseråd**

*Paul Edvard Filén, Head of Division at the
Board of Trade*

Sign: "G: Andersson. pinxit 1824"
Påskrift på bakstycket: "P. E. Filén: Commercer-
råd † 1829 Andersson pinxit 1823." samt
"Paul Edvard f. 1749 Fröken Lindahl"
Akvarell och gouache på elfenben/papper (?)
    15x12
Ram: ciselerad metall
NMB 412
PROVENIENS: 1921 Test. av fröken Esther Lindahl
LITTERATUR: SPA Index, vol. I, 1935, s. 273

Porträttet av kommerserådet Filén är en
replik av NMB 29 som utökats till en höft-
bild och signerats ett år senare. I sam-
band med bakstyckets montering har
konstnären återanvänt ett tunt skisspap-
per där en första studie av Filéns anlets-
drag fortfarande är synlig.
▼

Charles Brändström (1800–1828), löjtnant

Charles Brändström, Lieutenant

Sign: "G. Andersson pinxit 1828"
Akvarell och gouache på elfenben 7x6,5
Ram: omonterad
NMB 465
PROVENIENS: 1923 Test. av fru Fanny Lönnerberg, f. Bränd-
ström
UTSTÄLLD: Stockholm vandringsutst. 1973, kat.nr 78
LITTERATUR: Nationalmuseum 1929, s. 1; SPA Index, vol. I,
    1935, s. 132

Johan E. Berg (1787–1857), husar inom Fellingsbro socken, korpral, förmodat porträtt

Portrait presumed to be Johan E. Berg, Hussar of Fellingsbro Parish, Corporal

Sign: "G Andersson pinxit 1806."

Akvarell och gouache på elfenben 7,2x5,8 oval dagermått

Ram: silver, på baksidan monogram "E R B" samt hårflätning

NMB 471

PROVENIENS: 1924 Omförd från förråd

LITTERATUR: Nationalmuseum 1929, s. 1; SPA Index, vol. I, 1935, s. 64

Monogrammet har tidigare felaktigt uttolkats som "JEB" vilket bidragit till osäkerheten beträffande modellens identitet. Miniatyren hör till ett av Anderssons tidigaste arbeten där han ännu står under stark påverkan av italienaren Domenico Bossi.

Okänd man

An Unknown Man

Sign: "Anderson pinxit 1811."

Akvarell på elfenben 5,7x5,1 oval

Ram: guld

NMB 506

PROVENIENS: 1913 Källarmästare August Hallners samling; 1920 Inköpt från ingenjör Carl Robert Lamm på Näsby; 1927 Gåva av konsul Hjalmar Wicander, A.K. 509

LITTERATUR: Asplund 1929, s. 41, kat.nr 115, pl. 43; Nationalmuseum 1929, s. 1

Ulrica Fredrika Palén (1789–1862), g. Grevesmühl, förmodat porträtt

Portrait presumed to be Ulrica Fredrika Palén, m. Grevesmühl

Pendang till NMB 509

Sign: "G: Andersson"

Akvarell på elfenben 6,3x5 oval

Ram: brons

NMB 508

PROVENIENS: 1916 Inköpt från bankkassör Fritz Ottergrens samling; 1927 Gåva av konsul Hjalmar Wicander, A.K. 63

LITTERATUR: Asplund 1920, s. 95, kat.nr 220, pl. 78; Nationalmuseum 1929, s. 2; SPA Index, vol. I, 1935, s. 186 (modellen kallad Catharina Dahrelius)

Anders Reinhardt Grevesmühl (1785–1871), bruksägare, förmodat porträtt

Portrait presumed to be Anders Reinhardt Grevesmühl, Works Owner

Pendang till NMB 508
Sign: "G Andersson pinx 1815"
Akvarell på elfenben 6x5,1 oval
Ram: brons
NMB 509
PROVENIENS: 1916 Inköpt från bankkassör Fritz Ottergrens samling; 1927 Gåva av konsul Hjalmar Wicander, A.K. 62
LITTERATUR: Asplund 1920, s. 95, kat.nr 219, pl. 78; Nationalmuseum 1929, s. 1; SPA Index, vol. I, 1935, s. 318

Modellerna på pendangporträtten NMB 508 och NMB 509 ansågs tidigare föreställa Catharina Dahrelius (1765–1852), g. Grevesmühl, och Carl Adolph Grevesmühl (1744–1827), möbel- och grosshandlare. Vid tiden för porträttens utförande var dessa i 50- resp. 70-årsåldern, vilket inte överensstämmer med de avbildades ålder. Modellerna torde snarare vara någon av sönerna med maka, Anders Reinhardt gift med Ulrica Fredrika Palén alt. August Wilhelm (1789–1863) gift med Agnes Sophia Klingspor (1789–1871). Då de förra ingick äktenskap 1815 är det sannolikt också de som är avbildade, och att miniatyrerna utfördes i samband med giftermålet.

Okänd man

An Unknown Man

Sign: "Andersson pinxit 1822"
Akvarell och gouache på elfenben h: 6,1 oval dagermått
Ram: metall
NMB 1174
PROVENIENS: 1894 Test. av C.F. Dahlgren; 1929 Omförd från NMDs 2142
LITTERATUR: Nationalmuseum 1929, s. 1

Okänd officer

An Unknown Officer

Sign: "G Andersson p: 1814"
Akvarell och gouache på elfenben 5,3x4,7 oval
Ram: omonterad
NMB 1175
PROVENIENS: 1894 Test. av C.F. Dahlgren; 1929 Omförd från NMDs 2146
LITTERATUR: Nationalmuseum 1929, s. 1

Okänd kvinna
An Unknown Woman
Sign: "G. Andersson"
Akvarell och gouache på elfenben 6,4x5,5 oval
Ram: metall
NMB 1176
PROVENIENS: 1894 Test. av C.F. Dahlgren; 1929 Omförd
   från NMDs 2187
LITTERATUR: Nationalmuseum 1929, s. 2

**Jacob Gödecke (1757–1823), sockerbruks-
ägare på Södermalm i Stockholm**
Jacob Gödecke, Sugar Mill Owner in Stockholm
Sign: "G. Andersson pinx. 1822"
Akvarell och gouache på elfenben 8x7,2
Ram: omonterad
NMB 1177
PROVENIENS: 1894 Test. av C.F. Dahlgren; 1929 Omförd
   från NMDs 2147
LITTERATUR: Nationalmuseum 1929, s. 1

Den avbildade är Jacob Gödecke enligt uppgift
från hans systersondotter på en miniatyren
tillhörande papperslapp.

Självporträtt
Self-Portrait
Påskrift på bakstycket: "Denna Tafla, föreställande
Hof-porträtt-målaren, Agréen vid Kongl. Akade-
mien för de fria konsterna Gustaf Andersson, af
honom sjelf målad, skänkes efter underteck-
nads död till Nationalmuseum, mot Intenden-
tens qvitto, med begäran om lämplig plats inom
konst-afdelningen. Stockholm den 22 januari
1883 G. F. Andersson Litteratör, f.d. Kassör, och
ende son till ofvannämnde Hofporträtt-
målaren Gustaf Andersson afled den 26 Octob.
1833 vid 53 års ålder. Porträttet är måladt
mellan 1820–30, af fullkomlig likhet."
Gouache på papper 10x10,4
Ram: trä, ciselerad metallist
NMB 1287
PROVENIENS: Gåva av litteratören G.F. Andersson
(konstnärens son); 1934 Omförd från NM för-
råd
LITTERATUR: Lemberger 1912, s. 76, 227, pl. 31;
Cavalli-Björkman 1981, s. 145, fig. 145

Anders Gustaf Andersson utförde oftast
bröstbilder där modellen avtecknar sig mot
en neutral fond. I de kabinettsminiatyrer där
modellen framställts i midje- eller höftbild
och där bakgrunden givits en rumslig gestalt-
ning, såsom i pendangporträtten av honom
själv och hustrun, avslöjas konstnärens svårig-
heter att hantera perspektiv, proportioner
och den mänskliga kroppens fysionomi.
▼ ◆

Johanna Ulrika Thelin (1792/93–1882), g. Andersson, konstnärens hustru
*Johanna Ulrika Thelin, m. Andersson,
the Artist's Wife*
Påskrift på bakstycket: "Denna Tafla, föreställande
Hof-porträtt-målaren, Agréen vid Kongl. Akade-
mien för de fria Konsterna, Gustaf Anderssons
Maka, Johanna Ulrika Andersson född Thelin,
af honom målad, skänkes efter undertecknads,
ende sonens, död, till Nationalmuseum, mot In-
tendentens qvitto, med begäran om lämplig
plats inom konst-afdelningen. Stockholm den
22 Januari 1883. G. F. Andersson Litteratör, f.d.
Kassör. Johanna Ulrika Andersson afled såsom
Enka vid 89 års ålder 1882; porträttet är måladt
mellan åren 1820–1830 och af fullkomlig
porträtt-likhet."
Gouache på papper 10x10
Ram: trä, ciselerad metallist
NMB 1288
PROVENIENS: Gåva av litteratören G.F. Andersson
(konstnärens son); 1934 Omförd från NM förråd
LITTERATUR: Cavalli-Björkman 1981, s. 145, fig. 146
▼

Margareta af Sandeberg (1796–1856), g. grevinna Hård

Margareta af Sandeberg, m. Countess Hård
Sign: "Andersson pinxit 1816"
Akvarell och gouache på elfenben h: 6,5 oval
Ram: guld
NMB 1326
PROVENIENS: 1935 Test. av fröken Elin Andersson (modellens dotters dotterdotter), Stockholm
UTSTÄLLD: Stockholm vandringsutst. 1973, kat.nr 76
LITTERATUR: Sjöblom 1936, s. 155; Schidlof 1964, s. 43, 907, fig. 18, pl. 10; von Malmborg 1978, s. 234; Cavalli-Björkman 1981, s. 145, fig. 144

Anders Magnus Lundmark, handelsman

Anders Magnus Lundmark, Merchant
Sign: "Andersson pinxit 1812 Stock:holm"
Akvarell på elfenben h: 5,5 oval
Ram: guld
NMB 1431
PROVENIENS: 1940 Inköpt
UTSTÄLLD: Stockholm vandringsutst. 1973, kat.nr 77
LITTERATUR: Sjöblom 1944:I, s. 148

Enligt uppgift lämnad av fil.lic Lars-Olof Skoglund, *Svenskt Biografiskt Lexikon*, omnämns en möbelhandlare A. Lundmarck i Marshall Lagerquists *Rokokomöbler signerade av ebenister och schatullmakare i Stockholm* (1949). Huruvida möbelhandlaren Lundmarck är identisk med den avbildade kan inte fastställas med säkerhet.

**Adam Löwenskiold till Naess
(1804–1866), överstekammarjunkare
vid norska hovet**

*Adam Löwenskiold of Naess, Groom of the
Stole at the Norwegian Court*
Sign: "G Andersson pinxit 1832"
Akvarell och gouache på elfenben 9x8
Ram: trä, metall
NMB 1452
PROVENIENS: 1942 Test. av fröken Zelma Lovisa
    Kjellberg
LITTERATUR: Sjöblom 1944:I, s. 147

Enligt traditionen föreställer porträttet
en kammarherre Löwenskiold vid det
norska hovet. Fil.kand Roger de Robelin
har kunnat konstatera att modellen är
överstekammarjunkaren Adam Löwen-
skiold till Naess genom en jämförelse
med hans porträtt i olja på äldre dagar i
Danmarks Adels Aarbog (1949).

Okänd man

An Unknown Man
Sign: "G. Andersson 1824."
Gouache på elfenben diam: 5,6
Ram: omonterad
NMB 1882
PROVENIENS: 1894 Test. av C.F. Dahlgren; 1963 Omförd
    från NMDs 1593

Hedvig Margareta Fleetwood (1777–1821), g. grevinna Cronstedt

Hedvig Margareta Fleetwood, m. Countess Cronstedt
Akvarell och gouache på elfenben diam: 5,3
Ram: trä
NMB 1883
PROVENIENS: 1894 Test. av C.F. Dahlgren; 1963 Omförd
  från NMDs 1825

Modellens identitet har kunnat fastställas med
stöd av ett samtida porträtt utfört av Johan Gustaf
Sandberg.

Fredrik Henrik af Chapman (1721–1808), vice-amiral

Fredrik Henrik af Chapman, Vice Admiral
Påskrift på ramen: "Avtogs vid 87 Års Ålder 3 månader
  före dess död den 19 Augusti 1808."
Gouache på pergament diam: 6,9
Ram: metall
NMB 2407
PROVENIENS: 1887 Gåva av framlidne kapten C.A. Carl-
  ström genom grosshandlare F.A. Carlström; 1996 Om-
  förd från förråd
UTSTÄLLD: Stockholm 1809, kat.nr 211
LITTERATUR: Carlander ms, fol. 2; Art Bulletin of NM,
  1996, s. 19, fig. 3; Olausson 1999, s. 240, avb.

Miniatyren, föreställande Fredrik Henrik af Chap-
man, var länge förrådsförd i museets miniatyrsam-
ling. År 1996 kunde modellens identitet fastställas
med hjälp av inskriptionen på ramen samt genom
den för en sjöofficer ovanliga kombinationen av
ordensutmärkelser. En identisk miniatyr finns i
Sjöhistoriska museet, Stockholm (SPA 1949:187).

Okänd sjöofficer

An Unknown Naval Officer
Akvarell och gouache på pergament diam: 6,3
Ram: metall
NMDs 1197
PROVENIENS: 1894 Test. av C.F. Dahlgren

Okänd officer

An Unknown Officer
Sign: "[G]Andersson [pinxit?] [18]11"
Gouache och akvarell på elfenben 5,8x5,2 oval
Ram: trä, metall
NMDs 1202
PROVENIENS: 1894 Test. av C.F. Dahlgren

**Carl Larsson Hassell (1751–1832),
handlande**

Carl Larsson Hassell, Tradesman
Gouache på papper 11,8x9,8
Ram: trä, ciselerad metallist
NMDs 1276
PROVENIENS: 1894 Test. av C.F. Dahlgren

Modellen har identifierats med hjälp av
en miniatyr i Nordiska museet (inv.nr
105567). Porträttet är utfört 1832.
▼

Okänd kvinna

An Unknown Woman
Påskrift på baksidan: "Gustaf Andersson – pinx."
Gouache och akvarell på elfenben diam: 4,6 dagermått
Ram: trä
NMDs 2192
PROVENIENS: 1894 Test. C.F. Dahlgren

Okänd officer
An Unknown Officer
Sign: "G. Andersson pinxit 1812"
Gouache och akvarell på elfenben 5,6x4,6 oval
Ram: trä, metall
NMDs 2225
PROVENIENS: 1894 Test. av C.F. Dahlgren

Drottning Hedvig Elisabet Charlotta (1759–1818)
Kopia efter Fredrik Westin
Queen Hedvig Elisabet Charlotta of Sweden
Copy after Fredrik Westin
Påskrift på bakstycket: "Drottning Elisabeth Charlotta af
  Gust. Andersson."
Gouache på elfenben 3,7x3 oval
Ram: förgyllt trä
NMGrh 1486
PROVENIENS: 1855 Gåva av greve Gustaf Göran Gabriel
  Oxenstierna
LITTERATUR: von Malmborg 1951, s. 203

Greve Magnus Brahe (1790–1844), hovman, riksmarskalk
Count Magnus Brahe, Courtier, Marshal of the Realm
Sign. a tergo: "M. Brahe mål af G. Anderson"
Gouache på elfenben 6,6x5,3 oval
Ram: metall
NMGrh 2494
PROVENIENS: Christoffer Eichhorn; 1890 Bukowskis
  auktion nr 61, kat.nr 389; 1894 Test. av C.F. Dahlgren;
  1954 Omförd från NMDs 1220
LITTERATUR: Carlander 1897, s. 2; von Malmborg 1968,
  s. 50

Porträttet är målat mellan 1829–33. Förstnämnda
år blev Magnus Brahe riddare av konung Karl
XIII:s orden.

ANDERSSON, Anders Gustaf. Tillskriven
VÄXJÖ 1780–1833 STOCKHOLM

Georg Jöran Améen (1764–1811), överste-löjtnant
Georg Jöran Améen, Lieutenant Colonel
Gouache på elfenben 7,1x7 rombisk
Ram: förgylld brons, på baksidan monogram
"G J A" samt hårflätning
NMB 362
PROVENIENS: 1913 Gåva av fröken Elin Améens sterbhus
LITTERATUR: Nationalmuseum 1929, s. 2

Okänd man
An Unknown Man
Gouache på elfenben diam: 5,2 dagermått
Ram: guld, på baksidan hårlock mot vitt siden
NMB 823
PROVENIENS: 1920 Inköpt från ingenjör Carl Robert Lamm
  på Näsby; 1927 Gåva av konsul Hjalmar Wicander,
  A.K. 515
LITTERATUR: Asplund 1929, s. 39, kat.nr 111, pl. 42; Natio-
  nalmuseum 1929, s. 78

Okänd kvinna
An Unknown Woman
Akvarell på papper diam: 6,4
Ram: mässing
NMDs 1824
PROVENIENS: 1894 Test. av C.F. Dahlgren

Okänd hovdam
An Unknown Lady in Waiting
Akvarell och gouache på elfenben diam: 2,3
Ram: trä, metall
NMDs 1834
PROVENIENS: 1894 Test. av C.F. Dahlgren

**Drottning Hedvig Elisabet Charlotta
(1759–1818)**
Queen Hedvig Elisabet Charlotta of Sweden
Akvarell och gouache på elfenben h: 3,4 oval
Ram: läderetui, metall
NMGrh 2422
PROVENIENS: 1921 Gåva av fru Hedvig von Jaroszinska, f.
Ruduieka, i enlighet med hennes framlidna moders
friherrinnan Matilda von Ruduieka, f. Raab, i livstiden
uttalade önskan; Dubbelförd NMB 410 och NMB
430a; 1952 Omförd från NMB 430a

ANDERSSON, Nils

KÄTTILSTAD SOCKEN 1817–1865 VAXHOLM

Okänd man
An Unknown Man
Sign. på baksidan: "Nils Anderson pinx"
Papper 16,5x13,5 oval
Ram: förgyllt pastellage
NMDs 1301
PROVENIENS: 1894 Test. av C.F. Dahlgren

NMDs 1301 ej avbildad. Porträttet utfördes vid
1800-talets mitt.

ANDRÉASEN-LINDBORG, Ingeborg

HJÖRLUNDE, DANMARK 1875–1950
STOCKHOLM

**Loulou (Glen Dorothy) (1908–1998) och
Rigmor Lindborg (1912–1981), redaktör resp.
författare, konstnärens döttrar**
*Loulou (Glen Dorothy) and Rigmor Lindborg, Editor
and Author respectively, the Artist's Daughters*
Sign: "IAL 1922"
Akvarell och gouache på elfenben 6x4,8
Ram: träetui med pressad blomsterdekor
NMB 2297
PROVENIENS: 1984 Inköpt från Loulou Lindborg, Stock-
holm
LITTERATUR: Dahlbom 1987, s. 51 f., fig. 30

Loulou (Glen Dorothy) Lindborg (1908–1998), redaktör, konstnärens dotter

Loulou (Glen Dorothy) Lindborg, Editor, the Artist's Daughter

Sign: "IAL Pinxit Anno 1924"
Akvarell och gouache på elfenben 7,8x6,4
Ram: läderklätt dagerrotypi-etui med pressad
  blomsterdekor
NMB 2298
PROVENIENS: 1984 Gåva av Loulou Lindborg,
  Stockholm
LITTERATUR: Dahlbom 1987, s. 52 f., fig. 32

Ingeborg Andréasen-Lindborg var verksam som miniatyrmålare mellan 1918–1938, en period som i stort sammanfaller med det sista försöket att återuppliva den insomnade konstarten. Hennes miniatyrporträtt karaktäriseras av ett sparsamt färgpålägg och att elfenbenet lämnats helt orört i bakgrunden. Genom att betona teckningen och linjen före koloriten var hennes verk solitärer i den samtida miniatyrproduktionen.

ARENIUS, Olof

BRO 1701–1766 STOCKHOLM

Grevinnan Catharina Charlotta Taube (1723–1763), g. De la Gardie, filantrop, hovfröken hos kronprinsessan Lovisa Ulrika

Countess Catharina Charlotta Taube, m. De la Gardie, Philanthropist, Maid of Honour to Crown Princess Lovisa Ulrika of Sweden

Påskrift a tergo: "Fru Grefvinnan Pontus de la Gardie
  född Grefvinnan Charlotte Taube af Olof Arenius."
Akvarell och gouache på pergament diam: 7,3
Ram: förgyllt trä
NMB 333
PROVENIENS: Christian Hammers samling; 1905
  Bukowskis auktion nr 166, kat.nr 452, avb.;
  Bankir Carl Adolph Weber; 1911 Gåva av bankir
  Carl Adolph Webers arvingar
LITTERATUR: Lemberger 1912, s. 35, 222, pl. 10; Nationalmuseum 1929, s. 2; SPA Index, vol. II, 1939,
  s. 838, fig. 1013; Schidlof 1964, s. 47; von Malmborg 1978, s. 144, fig. 1; Cavalli-Björkman 1981,
  fig. 106; Österberg 1990, avb. s. 95

Attributionen till Olof Arenius av porträttminiatyren föreställande grevinnan Taube bygger, liksom i ett antal andra fall, på en äldre tradition. Det finns ingen anledning att ifrågasätta denna gamla tillskrivning, då den stilistiska karaktären väl överensstämmer med Arenius arbetssätt såsom lockarnas förhöjning.

Herman Schützer (1713–1802), adlad Schützercrantz, arkiater, förmodat porträtt

Portrait presumed to be Herman Schützer, Ennobled as Schütztercrantz, Physician
Akvarell och gouache på pergament 3,8x2,9 oval
Ram: metallkapsel
NMB 356
PROVENIENS: 1913 Test. av revisor Johan Vilhelm Schützer-
crantz

Modellens identitet har inte med full visshet kun-
nat fastställas, men grundar sig på en sannolik-
hetsbedömning, eftersom de övriga miniatyrerna i
revisor Schützercrantz gåva är porträtt av ättens
medlemmar.

Okänd militär

An Unknown Military Man
Olja på papper 6,3x5 oval
Ram: metallkapsel klädd med svart skinn
NMB 510
PROVENIENS: 1918 Inköpt från Sigrid Sundborgs konsthan-
del; 1927 Gåva av konsul Hjalmar Wicander, A.K. 265
LITTERATUR: Asplund 1920, s. 45, kat.nr 62, pl. 20; Natio-
nalmuseum 1929, s. 3

Porträttet av den okände officeren gällde länge
för ett verk av "okänd mästare i Arenius art". Attri-
butionen var märklig eftersom framställningen
äger alla stilistiska drag typiska för Arenius, varför
det inte finns någon anledning att ifrågasätta ho-
nom som upphovsman.

Friherre Johan Gabriel Sack (1697–1751), kansliråd

Baron Johan Gabriel Sack, Senior Official in the Royal Chancellery

På baksidan gammal etikett: "Cancellie Rådet Friherre Johan Gabriel Sack."
Gouache på pergament 3,9x3,8 olikformad
Ram: metall
NMB 512
PROVENIENS: Framlidne kommerserådet Hugo Rehbinder (?); 1913 Bukowskis auktion nr 197, kat.nr 690 (?); Fröken Nordström (?); 1917 Inköpt från bankir Erik O. Severins samling; 1927 Gåva av konsul Hjalmar Wicander, A.K. 172
UTSTÄLLD: Stockholm 1915, kat.nr 80; Stockholm 1921, kat.nr 27
LITTERATUR: Asplund 1916, s. 69, fig. 59; Mörner 1916, s. 160, avb. s. 161; Asplund 1920, s. 44 f., kat.nr 58, pl. 20; Nationalmuseum 1929, s. 2; SPA Index, vol. II, 1939, s. 711; Schidlof 1964, s. 47

Arenius målade ett porträtt i olja av kanslirådet, friherre Sack, redan år 1728. En miniatyr av densamme finns upptagen i bouppteckningen efter greve Axel Wrede-Sparre. Huruvida detta arbete ur Wicandersamlingen eller det lilla porträttet i olja ur Dahlgrens donation (NMDso 422) är identiskt med Sparres exemplar är omöjligt att säga.

Okänd kvinna

An Unknown Woman

Olja på duk monterad på kopparplatta 4,1x3,5 oval
Ram: vit passepartout, förgyllt trä
NMDso 97
PROVENIENS: 1894 Test. av C.F. Dahlgren
UTSTÄLLD: Stockholm 1874:II, kat.nr 6
LITTERATUR: Carlander ms, fol. 4

Friherrinnan Ebba Margareta Ribbing af Zernava (1726–1787)

Baroness Ebba Margareta Ribbing af Zernava
Olja på plåt 6,2x5,4 oval
Ram: mässing
NMDso 377
PROVENIENS: 1894 Test. av C.F. Dahlgren
UTSTÄLLD: Stockholm 1874:II, kat.nr 5
LITTERATUR: Carlander ms, fol. 4; Olausson 1999, s. 244,
   avb. s. 243

Arenius porträtt av friherrinnan Ribbing efterbildar
en porträttyp som skulle bli på modet i vårt land se-
dan den franske målaren Nattier år 1741 avbildat
grevinnan Ulla Tessin i röd, pälsbrämad mantilj
med muff. Arenius lilla porträtt är en reduktion av
ett större i olja, som även det har tillhört C.F. Dahl-
gren, vilket framgår av ett interiörfoto taget i den-
nes våning på Malmskillnadsgatan. Dahlgren kände
både till namnet på modellen och upphovsmannen
till porträttet, en kunskap som emellertid gick för-
lorad i samband med katalogiseringen på National-
museum. Arenius oljemålning testamenterades till
Östergötlands länsmuseum (inv.nr B 663).

Friherre Johan Gabriel Sack (1697–1751), kansliråd

*Baron Johan Gabriel Sack, Senior Official in the Royal
Chancellery*
Olja på duk 5,3x3,8 oval
Ram: omonterad (endast täckglas)
NMDso 422
PROVENIENS: 1878 Jacobsons auktion, Stockholm, kat.nr
   387; Christoffer Eichhorns samling; 1890 Bukowskis
   auktion nr 61, kat.nr 337; 1894 Test. av C.F. Dahlgren
LITTERATUR: Carlander 1897, s. 4; de Robelin 2000, s. 10, avb.

Identifieringen av modellen är gjord av fil.kand.
Roger de Robelin. På 1890-talet var porträttet en-
ligt uppgift av C.M. Carlander monterat i en ej ur-
sprunglig bronsram.

ARENIUS, Olof. Tillskriven

BRO 1701–1766 STOCKHOLM

Okänt par

An Unknown Couple
Akvarell och gouache på papper diam: 4,5
Ram: guld
NMB 513
PROVENIENS: 1917 Inköpt från Carl Ulrik Palms samling;
   1927 Gåva av konsul Hjalmar Wicander, A.K. 155
UTSTÄLLD: Stockholm 1921, kat.nr 28
LITTERATUR: Asplund 1920, s. 45, kat.nr 59, pl. 20; Natio-
   nalmuseum 1929, s. 3

Okänd kvinna

An Unknown Woman

Senare tillkommen falsk signatur: "HALL"
Gouache på pergament 4,3x3,7 oval
Ram: originalkapsel för armband i förgyllt silver med
  reliefornament
NMB 826
PROVENIENS: 1918 Inköpt från Carl Ulrik Palms samling;
  1927 Gåva av konsul Hjalmar Wicander, A.K. 227
LITTERATUR: Asplund 1920, s. 45, kat.nr 60, pl. 20; Natio-
  nalmuseum 1929, s. 3

Okänd officer

An Unknown Officer

Akvarell och gouache på papper 3,2x2,8 oval
Ram: guld
NMB 1121
PROVENIENS: 1918 Inköpt från Bukowskis; 1927 Gåva av
  konsul Hjalmar Wicander, A.K. 268
LITTERATUR: Asplund 1920, s. 45, kat.nr 61, pl. 20; Natio-
  nalmuseum 1929, s. 85

ARENIUS, Olof. Hans art

BRO 1701–1766 STOCKHOLM

Friherre Gustaf Erik Fleetwood (1707–1762), kapten

Baron Gustaf Erik Fleetwood, Captain

Påskrift på bakstycket: "Kaptenen Baron Gust. Eric Fleet-
  wood f. 1707. † 1762."
Gouache på papper 3,3x2,6 oval
Ram: metall
NMB 511
PROVENIENS: 1917 Inköpt genom Semmy Josephson från
  Bukowskis auktion nr 212, kat.nr 551; 1927 Gåva av
  konsul Hjalmar Wicander, A.K. 195
LITTERATUR: Nationalmuseum 1929, s. 2; SPA Index, vol. I,
  1935, s. 275; Schidlof 1964, s. 47

Karolina Simzon (1720–1796), g. m. kammarherre Claes Henric Stedt

Möjligen kopia efter Lorens Pasch d.ä.
*Karolina Simzon, m. to the Chamberlain Claes
Henric Stedt*
Possibly Copy after Lorens Pasch the Elder
Gouache på papper/elfenben (?) 3,8x3,1 oval dager-
   mått
Ram: guld, bakstycke av elfenben med monogram "C S"
NMGrh 2000
PROVENIENS: 1929 Inköpt
LITTERATUR: SPA Index, vol. II, 1939, s. 755; von Malm-
   borg 1951, s. 255

Modellen var moder till Nils Stedt (NMGrh 2001,
A.U. Berndes) och Johan Axel Stedt (NMGrh
2002, J.E. Bolinder).

ARNBERG, Elise, f. Talén

STOCKHOLM 1826–1891 STOCKHOLM

Agneta Cornelia Åhman (1747–1827), g. Wohlfahrt

Kopia efter Lorentz Sparrgren
Agneta Cornelia Åhman, m. Wohlfahrt
Copy after Lorentz Sparrgren
Påskrift: "L. S. S."
Påskrift a tergo: "Sparrgren mål. originalet"
Gouache på pergament 7x6 oval
Ram: omonterad (endast täckglas)
NMB 1753
PROVENIENS: 1894 Test. av C.F. Dahlgren; 1958 Omförd
   från NMDs 1684
LITTERATUR: Carlander 1897, s. 87; Ullman 1985, s. 45,
   109, nr 88; Olausson 1999, s. 245, not 21

När miniatyren 1958 överfördes från den Dahl-
grenska samlingen attribuerades den fortfarande
till Lorentz Sparrgren. De stilistiska dragen skiljer
sig dock från Sparrgrens och pekar snarare på en
konstnär från en senare del av 1800-talet. Fru
Wohlfahrt var mor till konstnären Wilhelm Wohl-
fahrt (1812–1863). Sparrgrens originalporträtt
finns i Sinebrychoffs museum, Helsingfors (inv.nr
325).

Okänd man

An Unknown Man
Sign: "Elise Arnberg."
Gouache på elfenben 7x6 oval
Ram: förgylld brons
NMB 1764
PROVENIENS: 1894 Test. av C.F. Dahlgren; 1958 Omförd
   från NMDs 1595

Drottning Kristina (1626–1689)
Kopia efter David Beck (NM 308)
Queen Kristina of Sweden
Copy after David Beck (NM 308)
Sign: "Elise Arnberg"
Gouache och akvarell på elfenben 11,5x9,2 oval
Ram: metall
NMB 2248
PROVENIENS: 1894 Test. av C.F. Dahlgren; 1980
   Omförd från NMDs 2008
▼ ◆

Okänd kvinna
An Unknown Woman
Sign: "Elise Arnberg"
Akvarell och gouache på papper 10x8 oval
Ram: trä
NMB 2264
PROVENIENS: 1894 Test. av C.F. Dahlgren; 1981
   Omförd från NMDs 1878
UTSTÄLLD: Stockholm vandringsutst. 1973, kat.nr 86
LITTERATUR: Cavalli-Björkman 1981, fig. 153

Magdalena Rudenschöld (1766–1823), hovdam

Kopia efter Niclas Lafrensen d.y. (NMB 798)
Magdalena Rudenschöld, Lady in Waiting
Copy after Niclas Lafrensen the Younger
(NMB 798)
Påskrift på baksidan: "Lafrensen d.y."
Gouache och akvarell på elfenben 6,4x4,9 oval
Ram: mässing
NMDs 111
PROVENIENS: 1894 Test. av C.F. Dahlgren
LITTERATUR: Olausson 1999, s. 245 f., avb. s. 246

Kopian efter Lafrensens porträtt av Magdalena
Rudenschöld visar att Arnberg var mycket skicklig
som kopist. Endast ramen och ett detaljstudium av
miniatyren avslöjar att det rör sig om en kopia.

Marie-Christine av Österrike (1742–1798), hertiginna av Sachsen-Teschen

Kopia efter Alexander Roslin
Marie-Christine of Austria, Duchess of Saxe-Teschen
Copy after Alexander Roslin
Akvarell och gouache på elfenben diam: 3,6
Ram: trä
NMDs 275
PROVENIENS: Elise Arnberg; 1891 Bukowskis auktion nr 73,
kat.nr 154; 1894 Test. av C.F. Dahlgren

Originalmålningen utfördes av Roslin 1778 och
fanns tidigare i Vidar Christensens samling, Stock-
holm.

Greve Johan Gabriel Oxenstierna (1750–1818), skald, ämbetsman

Kopia efter Ulrica Fredrica Pasch (NMGrh 1578)
Count Johan Gabriel Oxenstierna, Poet, Civil Servant
Copy after Ulrica Fredrica Pasch (NMGrh 1578)
Gouache på elfenben 8,2x7 oval
Ram: förgylld brons
NMDs 294
PROVENIENS: 1894 Test. av C.F. Dahlgren
LITTERATUR: SPA Index, vol. II, 1939, s. 606

Greve Wilhelm Mauritz Klingspor
(1744–1814), fältmarskalk
Count Wilhelm Mauritz Klingspor, Field Marshal
Påskrift på baksidan: "Klingsp[…]"
Akvarell och gouache på elfenben h: 5,8 oval
Ram: trä, metall
NMDs 296
PROVENIENS: 1894 Test. av C.F. Dahlgren
LITTERATUR: SPA Index, vol. I, 1935, s. 435

Gustav III (1746–1792)
King Gustav III of Sweden
Gouache på cellulosanitrat 7,4x5,7 oval
Ram: metall
NMDs 409
PROVENIENS: 1894 Test. av C.F. Dahlgren

Magdalena Rudenschöld (1766–1823),
hovdam
Kopia efter okänd konstnär
Magdalena Rudenschöld, Lady in Waiting
Copy after an Unknown Artist
Påskrift på baksidan: "Magdalena Rudenshöld"
Akvarell och gouache på elfenben 5,9x4,7 oval
Ram: trä, metall
NMDs 868
PROVENIENS: 1894 Test. av C.F. Dahlgren
LITTERATUR: SPA Index, vol. II, 1939, s. 699

Anton Ulrik Berndes har utfört ett snarlikt por-
trätt av Magdalena Rudenschöld framställd i profil
(jfr *Svenska och finska porträtt: förteckning öfver en
porträttsamling tillhörig B. Wadström*, Stockholm
1894, nr 220).

Nils Leijonhielm (1820–1876), kammarherre
Kopia efter Johannes Möller
Nils Leijonhielm, Chamberlain
Copy after Johannes Möller
Påskrift a tergo: "Johannes Möller pinx 1845"
Påskrift på bakstycket: "Originalet af Johannes Möller
    mål. 1845"
Gouache på elfenben 5,3x4,1 oval
Ram: metall
NMDs 1203
PROVENIENS: 1894 Test. av C.F. Dahlgren

Carl Wilhelm Böttiger (1807–1878), professor
Carl Wilhelm Böttiger, Professor
Påskrift på baksidan: "Karl Wilh. Böttiger"
Gouache och akvarell på elfenben h: 6,5 oval
Ram: omonterad (endast täckglas)
NMDs 1601
PROVENIENS: Christoffer Eichhorn; 1890 Bukowskis auktion
    nr 61, kat.nr 395; 1894 Test. av C.F. Dahlgren
LITTERATUR: Carlander 1897, s. 48

**Elias Sehlstedt (1809–1874), tullinspektör,
diktare, målare**
Elias Sehlstedt, Inspector of Customs, Poet, Painter
Sign: "E. Arnberg"
Elfenben 5x4 oval
Ram: förgylld brons
NMDs 1602
PROVENIENS: 1880 Inköpt från Bukowskis auktion nr 1,
    kat.nr 9 (?); 1894 Test. av C.F. Dahlgren

NMDs 1602 ej avbildad.

**John Edvard Arfwedsson (1842–1928), dansk
konsul i Genua, myntsamlare**
*John Edvard Arfwedsson, Danish Consul in Genoa,
Coin Collector*
Akvarell och gouache på elfenben 4x3,2 oval
Ram: metall
NMDs 1603
PROVENIENS: 1894 Test. av C.F. Dahlgren

Carl Stenborg (1752–1813), operasångare
Kopia efter Ulrica Fredrica Pasch
Carl Stenborg, Opera Singer
Copy after Ulrica Fredrica Pasch
Påskrift på baksidan: "STENBORG"
Gouache på elfenben 7,3x5,7
Ram: metall
NMDs 1606
PROVENIENS: 1893 Inköpt från offentlig auktion på Drott-
ninggatan 30, Stockholm, den 10 maj, kat.nr 110;
1894 Test. av C.F. Dahlgren
LITTERATUR: Carlander 1897, s. 5; SPA Index, vol. II, 1939,
s. 799

**Edvard Stjernström (1816–1877), skådespelare,
teaterledare**
Edvard Stjernström, Actor, Theatre Manager
Akvarell och gouache på elfenben 7,3x5,6
Ram: metall
NMDs 1610
PROVENIENS: 1894 Test. av C.F. Dahlgren
LITTERATUR: SPA Index, vol. II, 1939, s. 807

Georg Dahlqvist (1807–1873), skådespelare
Georg Dahlqvist, Actor
Påskrift på baksidan: "Georg Dahlqvist"
Akvarell och gouache på elfenben 6,6x5,6 oval
Ram: metall
NMDs 1612
PROVENIENS: 1893 Inköpt från offentlig auktion på Drott-
ninggatan 30, Stockholm, den 10 maj, kat.nr 113;
1894 Test. av C.F. Dahlgren
LITTERATUR: Carlander 1897, s. 5; SPA Index, vol. I, 1935,
s. 181

Anna Charlotta Jansson (1851–1879), g. Hellander, skådespelerska

Anna Charlotta Jansson, m. Hellander, Actress
Påskrift på baksidan: "Fru Helander"
Gouache och akvarell på papper 7,5x5,9 oval
Ram: metall
NMDs 1708
PROVENIENS: 1894 Test. av C.F. Dahlgren

Sibylla Persica

Sibylla Persica
Akvarell och gouache på elfenben 4,4x3,6 oval
Ram: förgylld metall
NMDs 1768
PROVENIENS: 1894 Test. av C.F. Dahlgren
LITTERATUR: Carlander 1897, s. 5 ("Dam. Bröstbild åt venster, naken, med gul och hvit turban")

Stilistiska studier visar att miniatyren otvetydigt är ett arbete av Elise Arnberg. Detta bekräftas också av Carlanders beskrivning i sitt verk över miniatyrmålare i Sverige.

Anna Katarina av Brandenburg (1575–1612), drottning av Danmark

Anna Katarina of Brandenburg, Queen of Denmark
Påskrift på baksidan: "Carolina Mathilda"
Akvarell och gouache på elfenben h: 5,2 oval
Ram: omonterad
NMDs 1849
PROVENIENS: 1894 Test. av C.F. Dahlgren

Fredrika Andreé (1836–1880), g. Stenhammar, operasångerska

Fredrika Andreé, m. Stenhammar, Opera Singer
Påskrift på baksidan: "Fru Stenhammar"
Gouache på elfenben 5,7x4,5 oval
Ram: metall
NMDs 1856
PROVENIENS: 1894 Test. av C.F. Dahlgren

Sophie Hagman (1758–1826), dansös

Sophie Hagman, Dancer
Påskrift på baksidan: "Sofi Hagman"
Gouache på elfenben 6,6x5,6 oval
Ram: metall
NMDs 1902
PROVENIENS: 1894 Test. av C.F. Dahlgren

**Zelma Bergnéhr (1827–1874), g.
1) Kinmansson, 2) Hedin, skådespelerska**

Zelma Bergnéhr, m. 1) Kinmansson, 2) Hedin, Actress
Påskrift på baksidan: "Fru Zelma Hedin"
Gouache på elfenben 7,4x5,5
Ram: omonterad
NMDs 1931
PROVENIENS: 1893 Inköpt från offentlig auktion på Drott-
    ninggatan 30, Stockholm, den 10 maj, kat.nr 116;
    1894 Test. av C.F. Dahlgren
LITTERATUR: Carlander 1897, s. 5

Elisabeth Lillström (1740–1828), g. Olin, sångerska, skådespelerska
Kopia efter Lorens Pasch d.y.
Elisabeth Lillström, m. Olin, Singer, Actress
Copy after Lorens Pasch the Younger
Påskrift på baksidan: "Fru Olin"
Akvarell och gouache på elfenben 7,3x5,5
Ram: metall
NMDs 1934
PROVENIENS: 1894 Test. av C.F. Dahlgren

Valfrid Torsslow (1855–1882), g. Moberg, skådespelerska
Valfrid Torsslow, m. Moberg, Actress
Påskrift på baksidan: "Fru Moberg"
Gouache och akvarell på papper 8,1x6,6 oval
Ram: trä, metall
NMDs 1972
PROVENIENS: 1894 Test. av C.F. Dahlgren

Anna Ehrenstedt
Anna Ehrenstedt
Påskrift på baksidan: "Anna Ehrenstedt"
Gouache och akvarell på papper 7,6x6,2 oval
Ram: trä, metall
NMDs 1979
PROVENIENS: 1894 Test. av C.F. Dahlgren

Elisabeth (Betty) Deland (1831–1882), g. Almlöf, skådespelerska

Elisabeth (Betty) Deland, m. Almlöf, Actress
Akvarell och gouache på papper 7,7x5,9 oval
Ram: trä, metall
NMDs 2001
PROVENIENS: 1893 Inköpt från offentlig auktion på Drott-
ninggatan 30, Stockholm, den 10 maj, kat.nr 117;
1894 Test. av C.F. Dahlgren
LITTERATUR: Carlander 1897, s. 5

Louise Michal (1830–1875), g. Michaëli, opera- och konsert-sångerska

Louise Michal, m. Michaëli, Opera and Concert Singer
Gouache och akvarell på papper
12,1x9,5 oval
Ram: mässing
NMDs 2009
PROVENIENS: 1894 Test. av C.F.
Dahlgren

▼

Madame de Wareus

Madame de Wareus

Påskrift på baksidan: "Madame de Wareus"
Akvarell och gouache på elfenben 7,5x5,9 oval
Ram: trä, metall
NMDs 2635
PROVENIENS: 1894 Test. av C.F. Dahlgren; 2000 Omförd
från NMDs s.n.

Okänd kvinna

An Unknown Woman

Sign: otydlig
Akvarell och gouache på papper 6,9x5,5 oval
Ram: trä, metall
NMDs 2636
PROVENIENS: 1894 Test. av C.F. Dahlgren; 2000 Omförd
från Ds s.n.

Kraka

Kopia efter Mårten Eskil Winge (detalj av NM
1247)
Kraka
Copy after Mårten Eskil Winge (Detail of NM 1247)
Sign. på baksidan: "Elise Arnberg pinxit."
Gouache och akvarell på papper 7x5,9 oval
Ram: trä, metall
NMDsä 65
PROVENIENS: 1894 Test. av C.F. Dahlgren

Två krigare i Macbeth och häxorna

Kopia efter okänd konstnär
Two Soldiers in Macbeth and the Witches
Copy after an Unknown Artist
Sign: "E. Arnberg"
Gouache och akvarell på papper diam: 8,5
Ram: förgylld brons
NMDsä 425
PROVENIENS: Elise Arnberg; 1891 Inköpt
    från Bukowskis auktion nr 73, kat.nr
    153; 1894 Test. av C.F. Dahlgren
LITTERATUR: Carlander ms, fol. 4

I den Dahlgrenska samlingen finns
ytterligare en miniatyr med samma
motiv och format, men målad i olja
på metall av en okänd konstnär
(NMDso 565).

Edvard Schwartz (1826–1897), skådespelare, i rollen som Hamlet

Edvard Schwartz, Actor, as Hamlet
Påskrift på baksidan: "Hamlet"
Akvarell och gouache på elfenben/papper (?)
    monterat på papp 18,1x13,2
Ram: förgyllt trä
NMGrh 2499
PROVENIENS: 1894 Test. av C.F. Dahlgren; 1954
    Omförd från NMDs 1615
LITTERATUR: von Malmborg 1968, s. 50
▼

**Zacharias Topelius (1818–1898), skald,
professor i historia**

Zacharias Topelius, Poet, Professor of History
Påskrift på baksidan: "Zacharias Topelius"
Gouache på elfenben 6,7x5,5 oval
Ram: metall
NMGrh 2500
PROVENIENS: 1894 Test. av C.F. Dahlgren; 1954 Omförd
   från NMDs 1253
LITTERATUR: von Malmborg 1968, s. 50

**Gustaf Fredriksson (1832–1921), skåde-
spelare, teaterdirektör**

Gustaf Fredriksson, Actor, Theatre Manager
Påskrift på baksidan: "Fredrikson"
Gouache på elfenben 8,4x6,5 oval dagermått
Ram: metall
NMGrh 2502
PROVENIENS: 1893 Inköpt från offentlig auktion på Drott-
   ninggatan 30, Stockholm, den 10 maj, kat.nr 115;
   1894 Test. av C.F. Dahlgren; 1954 Omförd från NMDs
   1617
LITTERATUR: Carlander 1897, s. 5; von Malmborg 1968, s. 50

Julius Kronberg (1850–1921), konstnär

Julius Kronberg, Artist
Påskrift på baksidan: "Julius Kronberg"
Gouache på elfenben 6,7x5,3 oval
Ram: förgylld metall
NMGrh 2503
PROVENIENS: 1894 Test. av C.F. Dahlgren; 1954 Omförd
   från NMDs 1604
LITTERATUR: von Malmborg 1968, s. 50

Benjamin Franklin (1706–1790), statsman, författare

Kopia efter Lorentz Sparrgren
Benjamin Franklin, Statesman, Author
Copy after Lorentz Sparrgren
Påskrift på bakstycket: "B. Franklin" samt "Gjörwell"
Gouache på elfenben 9,1x7,5 oval
Ram: metall
NMGrh 2506
PROVENIENS: 1894 Test. av C.F. Dahlgren; 1954 Omförd
   från NMDs 1600

Adolf Hillman jr (1844–1933), spansk konsul, skriftställare

Adolf Hillman jr, Spanish Consul, Author
Sign: "Elise Arnberg."
Påskrift på baksidan: "A Hillman spansk konsul"
Gouache på elfenben 4,7x3,6 oval
Ram: metall
NMGrh 2552
PROVENIENS: Elise Arnberg; 1891 Inköpt från Bukowskis
auktion nr 73, kat.nr 150; 1894 Test. av C.F. Dahlgren;
1956 Omförd från NMDs 1597
LITTERATUR: Carlander ms, fol. 4; von Malmborg 1968, s. 54

Edvard Schwartz (1826–1897), skådespelare

Edvard Schwartz, Actor
Påskrift på bakstycket: "Edward Schwartz"
Gouache på cellulosanitrat (?) 7x5,9 oval
Ram: metall
NMGrh 2553
PROVENIENS: 1894 Test. av C.F. Dahlgren; 1956 Omförd
från NMDs 1614
LITTERATUR: von Malmborg 1968, s. 54

Svante Hedin (1822–1896), skådespelare

Svante Hedin, Actor
Påskrift: "Svante Hedin"
Gouache på elfenben 8,6x6,4 oval
Ram: metall
NMGrh 2554
PROVENIENS: 1894 Test. av C.F. Dahlgren; 1956 Omförd
från NMDs 1613
LITTERATUR: von Malmborg 1968, s. 54

Peter Michael Sällström (1800–1839),
operasångare
Fri kopia efter Carl Gustaf Plagemann
Peter Michael Sällström, Opera Singer
Free copy after Carl Gustaf Plagemann
Påskrift på bakstycket: "Pehr Sällström"
Gouache på elfenben 7,9x5,6 oval
Ram: metall
NMGrh 2555
PROVENIENS: 1894 Test. av C.F. Dahlgren; 1956 Omförd
    från NMDs 1609
LITTERATUR: von Malmborg 1968, s. 54

Per Sevelin (1791–1851), skådespelare
Fri kopia efter Per Krafft d.y.
Per Sevelin, Actor
Free copy after Per Krafft the Younger
Påskrift på bakstycket: "P.E. Sevelin Skådespelare."
Gouache på elfenben 7,5x5,4
Ram: metall
NMGrh 2556
PROVENIENS: 1894 Test. av C.F. Dahlgren; 1956 Omförd
    från NMDs 1608
LITTERATUR: von Malmborg 1968, s. 54

Arnbergs miniatyr är målad fritt efter Per Krafft
d.y:s porträtt av sin vän Per Sevelin. Originalpor-
trättet finns på Kungl. Operan i Stockholm.

Sara Strömstedt (1795–1859), g. Torsslow
Kopia efter Johan Gustaf Sandberg (?)
Sara Strömstedt, m. Torsslow
Copy after Johan Gustaf Sandberg (?)
Påskrift a tergo: "Fru Torslow"
Gouache på elfenben 7,5x5,8
Ram: metall
NMGrh 2557
PROVENIENS: 1894 Test. av C.F. Dahlgren; 1956 Omförd
    från NMDs 1709
LITTERATUR: von Malmborg 1968, s. 54

Elis Schröderheim (1747–1795), ämbetsman, skriftställare
Kopia efter Johan Snack
Elis Schröderheim, Civil Servant, Author
Copy after Johan Snack
Påskrift på bakstycket: "Elis Schröderheim"
Gouache på elfenben 5,9x4,9 oval
Ram: trä, metall
NMGrh 2605
PROVENIENS: 1894 Test. av C.F. Dahlgren; 1957 Omförd
    från NMDs 293

Greve Axel von Fersen d.ä. (1719–1794), arméofficer
Count Axel von Fersen the Elder, Army Officer
Påskrift på bakstycket: "Axel Fersen d.y. [sic!]"
Gouache på elfenben 6,4x5,2 oval
Ram: förgyllt trä
NMGrh 2624
PROVENIENS: 1894 Test. av C.F. Dahlgren; 1958 Omförd
    från NMDs 295

Sophie Séptimanie de Vignerod du Plessis (1740–1773), hertiginna de Richelieu, g. grevinna d'Egmont

Kopia efter Peter Adolf Hall (NMB 158)
Sophie Séptimanie de Vignerod du Plessis, Duchess de Richelieu, m. Countess d'Egmont
Copy after Peter Adolf Hall (NMB 158)
Sign: "Copia af Elise Arnberg"
Gouache på elfenben 9,1x7,3 oval
Ram: trä, metall
NMGrh 2932
PROVENIENS: 1885 Bukowskis julauktion nr 23, kat.nr 24 (?); 1894 Test. av C.F. Dahlgren; 1962 Omförd från NMDs 867
LITTERATUR: Carlander 1897, s. 5

Okänd kvinna

An Unknown Woman
Gouache på elfenben 7,3x5,3 oval dagermått
Ram: ciselerad metallist, sammetsklädd platta
NMHpd 320
PROVENIENS: Konsul Hjalmar Wicander; 1953 Test. av Carl August Wicander; 2000 Omförd från Hpd s.n.

Lord George Gordon Byron (1788–1824), skald

Lord George Gordon Byron, Poet
Gouache på elfenben 8x5,9 oval
Ram: svartbetsat trä med metallist
NMHpd 321
PROVENIENS: Konsul Hjalmar Wicander; 1953 Test. av Carl August Wicander; 2000 Omförd från Hpd s.n.

ARNBERG, Elise, f. Talén. Tillskriven
STOCKHOLM 1826–1891 STOCKHOLM

Drottning Sofia Magdalena (1746–1813)
Kopia efter Cornelius Höyer
Queen Sofia Magdalena of Sweden
Copy after Cornelius Höyer
Gouache på elfenben 3,7x3 oval
Ram: ciselerat guld
NMB 519
PROVENIENS: 1921 Inköpt genom Semmy Josephson
   från Bukowskis auktion nr 231, kat.nr 577 (model-
   len kallad "Prinsessan Sofia Albertina?"); 1927 Gåva
   av konsul Hjalmar Wicander, A.K. 571
LITTERATUR: Asplund 1929, s. 29 f., kat.nr 72, pl. 26; Na-
   tionalmuseum 1929, s. 4; Strandberg 1980, s. 11 (i
   samtliga föregående källor attribuerad till A.U.
   Berndes)

Maria von Kohl (1731–1801), g. m. grosshandlaren Seele i Stockholm
Kopia efter Niclas Lafrensen d.ä. (NMDs 99)
Maria von Kohl, m. to the Stockholm Wholesaler Seele
Copy after Niclas Lafrensen the Elder
(NMDs 99)
Gouache på papper 8x6,5 oval
Ram: metall
NMB 1226
PROVENIENS: 1930 Test. av Christina Nilsson, grevinna
   de Casa Miranda

Okänd kvinna
An Unknown Woman
Blyerts och akvarell på papper 11,7x8,8 oval
Ram: trä, metall
NMDs 984
PROVENIENS: 1894 Test. av C.F. Dahlgren; 2000
  Omförd från NMDs s.n.

Okänd präst
An Unknown Clergyman
Gouache och akvarell på papper 9,4x7,3 oval
Ram: mässing
NMDs 1221
PROVENIENS: 1894 Test. av C.F. Dahlgren

Okänd pojke
An Unknown Boy
Akvarell och gouache på elfenben h: 3,9 oval
Ram: metall
NMDs 1313
PROVENIENS: 1894 Test. av C.F. Dahlgren

Okänd man
An Unknown Man
Gouache och akvarell på papper 9,4×7,4
   oval
Ram: mässing
NMDs 1596
<small>PROVENIENS:</small> 1894 Test. av C.F. Dahlgren

Okänd kvinna
An Unknown Woman
Akvarell och gouache på papper h: 9,5
   oval
Ram: metall
NMDs 1707
<small>PROVENIENS:</small> 1894 Test. av C.F. Dahlgren

Okänd kvinna
An Unknown Woman
Akvarell och gouache på elfenben h: 4,8 oval
Ram: metall
NMDs 1904
PROVENIENS: 1894 Test. av C.F. Dahlgren

Okänd skådespelerska
An Unknown Actress
Papper 10,5x8 oval
Ram: förgylld brons
NMDs 2011
PROVENIENS: 1894 Test. av C.F. Dahlgren

NMDs 2011 ej avbildad. Porträttet utfördes under
1800-talets senare del.

Amorin i landskap
Cupid in a Landscape
Gouache på elfenben 8,3x6,9
Ram: metall
NMDsä 367
PROVENIENS: 1894 Test. av C.F. Dahlgren

ARNBERG, Elise, f. Talén.
Hennes art
STOCKHOLM 1826–1891 STOCKHOLM

Ernst Willkommen, förmodat porträtt
Portrait presumed to be Ernst Willkommen
Pendang till NMDs 837
Gouache på papper 8,3x5 dagermått
Ram: trälist
NMDs 492
PROVENIENS: 1894 Test. av C.F. Dahlgren

Jfr SPA 1961:267.

Sofia Willkommen, förmodat porträtt
Portrait presumed to be Sofia Willkommen
Pendang till NMDs 492
Gouache på papper 8,2x5 dagermått
Ram: trälist
NMDs 837
PROVENIENS: 1894 Test. av C.F. Dahlgren

Jfr SPA 1961:268.

ARVIDS DOTTER, Christina
VERKSAM UNDER 1600-TALETS ANDRA
HÄLFT

Klassicerande figurer i tempel
Classical Figures in a Temple
Sign: "Christina. Arvids Dotter. Sui […] 168[…]"
Påskrift på ramens bakstycke: "Arvidsson Christina
    sign 1684."
Akvarell, gouache och guld på pergament 12,5x8,5
Ram: skulpterat och förgyllt trä, bemålad i rött och
    grönt
NMB 2486
PROVENIENS: 2000 Inköpt från Uppsala auktionskam-
    mare, kvalitetsauktion 14 maj, kat.nr 510
▼

BARCKENBOM, Eva Christina,
f. Wendel. Tillskriven
KVISSBERG 1765–1844 LINKÖPING

Sophie Ekerstedt (1735–1800), g. de Frese
Sophie Ekerstedt, m. de Frese
Påskrift på bakstycket: "Sophie de Frese född Ecker-
    stedt"
Gouache på elfenben 5,5x4,5 oval
Ram: svartbetsat trä, metallist
NMDs 1702
PROVENIENS: 1894 Test. av C.F. Dahlgren
LITTERATUR: SPA Index, vol. I, 1935, s. 238; Olausson
    1999, s. 245, not 18

Tillskrivningen bygger på de stilistiska iaktta-
gelser och jämförande studier som gjorts med
de i SPA registrerade miniatyrerna av model-
ler, omnämnda i Barckenboms noteringsbok
över utförda arbeten.

von BEHN, Andreas
KRISTIANOPEL (?) 1650–1713 WIEN (?)

Drottning Hedvig Eleonora (1636–1715)
Queen Hedvig Eleonora of Sweden
Sign. på baksidan: "A Behn f.1684"
Emalj på koppar h: 2,6 oval
Ram: silverinfattning
NMB 67
PROVENIENS: 1873 Test. av Carl XV, nr 413
LITTERATUR: Upmark 1882, s. 73; Carlander 1897, s. 7;
Asplund 1916, s. 61; Nationalmuseum 1929, s. 3; SPA
Index, vol. III, 1943, s. 289 (HE:10); SKL, vol. I, 1952,
s. 125; Schidlof 1964, s. 71; Cavalli-Björkman 1981, s.
50, fig. 29

Danaë och guldregnet
Kopia efter Antonio Correggio (?)
Danaë and the Shower of Gold
Copy after Antonio Correggio (?)
Pendang till NMDsä 253
Akvarell på papper 13x17
Ram: svart trä
NMB 1724
PROVENIENS: 1894 Test. av C.F. Dahlgren; 1958 Omförd
från NMDsä 204   ▼

Drottning Hedvig Eleonora (1636–1715)

Queen Hedvig Eleonora of Sweden
Graverat på baksidan: "HERS"
Emalj h: 2,6 oval
Ram: guldkapsel
NMB 2120
PROVENIENS: Drottningholms slott (?); 1978 Överförd från
SKS 580
UTSTÄLLD: Stockholm 1930, kat.nr 580

Susanna i badet/Batseba (?)

Susanna in the Bath/Bathsheba (?)
Gouache och förgyllning på papper 12,3×15,4
Ram: förgyllt trä
NMDsä 203
PROVENIENS: 1894 Test. av C.F. Dahlgren

Den sedan länge skadade miniatyren med sina
gamla övermålningar är försedd med det för
Behn så karakteristiska manéret att teckna silhuett-
artade blommor och blad.   ▼

Diana och Actaeon
Diana and Actaeon
Pendang till NMB 1724
Gouache på pergament 12,7x16,5
Ram: svart trä
NMDsä 253
<small>PROVENIENS:</small> 1894 Test. av C.F. Dahlgren
▼

Vilande Diana
Diana at Rest
Sign: "A: behn: f:"
Akvarell och gouache på papper 9,5x12,3
Ram: metall
NMDsä 301
PROVENIENS: 1894 Test. av C.F. Dahlgren
◆

Allegori över Karl XII:s födelse

Kopia efter David Klöcker Ehrenstrahl
Allegory of the Birth of King Karl XII of Sweden
Copy after David Klöcker Ehrenstrahl

Påskrift a tergo på påklistrad lapp: "Konung Carl XII:s
  Födelse. Allegorisk Composition af Ehrenstrahl sampt
  i miniature på perg:t utförd af Adam Behn sachsisk
  Dverg i Karl XI:s hof och sedn. Carl XII:s ritmästare."
Gouache på pergament 26x31,5
Ram: trä, skuren 1928 efter förebild från ca 1690 på
  Drottningholm
NMGrh 2004
PROVENIENS: 1873 Test. av Carl XV, nr 414; 1930 Omförd
  från Carl XV:s inventarium nr 414 (Ulriksdal)
UTSTÄLLD: Stockholm 1984–86
LITTERATUR: Upmark 1882, s. 73; Carlander 1897, s. 8;
  von Malmborg 1951, s. 255; SKL, vol. I, 1952, s. 125
▼

**Friherrinnan Sophia Juliana Forbus
(1649–1701), g. grevinna De la Gardie**

Baroness Sophia Juliana Forbus, m. Countess De la Gardie

Påskrift a tergo: "Sophia Juliana Forbus Contesse
   Delagardie Anno 1686"

Olja på koppar 21,4x16

Ram: förgylld metall

NMGrh 3448

PROVENIENS: Gåva enligt greve Axel och grevinnan Malwina
   De la Gardies testamente 1874/83, genom greve Pon-
   tus De la Gardies dödsbo 1973

UTSTÄLLD: Läckö 1980, kat.nr 202:20

LITTERATUR: SPA Index, vol. I, 1935, s. 284; SKL, vol. I,
   1952, s. 125

▼

von BEHN, Andreas. Tillskriven

KRISTIANOPEL (?) 1650–1713 WIEN (?)

Drottning Hedvig Eleonora (1636–1715)
Queen Hedvig Eleonora of Sweden
På ramen a tergo krönt monogram: "HERS"
Gouache på pergament 2,3x1,8 oval
Ram: förgylld metall
NMB 2150
PROVENIENS: 1978 Överförd från SKS 581
UTSTÄLLD: Stockholm 1930, kat.nr 581
LITTERATUR: SPA Index, vol. III, 1943, s. 290 (HE:14)

Drottning Hedvig Eleonora (1636–1715)
Queen Hedvig Eleonora of Sweden
Akvarell och gouache på pergament h: 2,5 oval
Ram: silverinfattning
NMDs 90
PROVENIENS: 1894 Test. av C.F. Dahlgren

von BEHN, Andreas. Hans art

KRISTIANOPEL (?) 1650–1713 WIEN (?)

Diana sittande invid källa med hundar
Diana with Dogs by a Spring
Gouache på papper monterat på trä 14,2x19,5
Ram: trä
NMDsä 364
PROVENIENS: 1894 Test. av C.F. Dahlgren   ▼

BERGER, A.G.N.
Tillskriven
VERKSAM KRING
1800-TALETS MITT

Napoleon Berger (d.y.?)
Napoleon Berger (the Younger?)
Påskrift: "Porträtt af Napoleon
 Berger, lek-kamrat. Fadren typo-
 graf och rabulist."
Olja på papp 15,4x14,7
Ram: förgyllt trä
NMDso 436
PROVENIENS: 1894 Test. av C.F. Dahl-
 gren

Porträttet föreställer förmod-
ligen en son till typografen
Napoleon Berger (1812–1881)
och Amalia Frank. Möjligen
skulle påskriften också kunna
tolkas som att målningen är
ett självporträtt, utfört av
Napoleon Berger d.y.
▼

BERNDES, Anton Ulrik
RAMSHÄLL 1757–1844 STOCKHOLM

Gabriel Wennerstedt (1728–1793), kapten
Gabriel Wennerstedt, Captain
Sign: "B"
Gouache och akvarell på elfenben diam: 5,4
Ram: mässing
NMB 62
PROVENIENS: 1872 Gåva av kammarjunkare Carl Ulrik
 Bertold Gripenwaldt
LITTERATUR: Carlander 1897, s. 12; Lemberger 1912, s. 83
 (attribuerad till Johan Erik Bolinder); SPA Index, vol.
 II, 1939, s. 914

Porträttet är målat före 1784. Johan Erik Bolinder
har tidigare varit föreslagen som upphovsman till
miniatyren.

93

Karl (XIII) (1748–1818), hertig av Södermanland

King Karl XIII of Sweden, when Duke of Södermanland
Akvarell och gouache på elfenben h: 5,5 oval
Ram: förgylld metall
NMB 153
PROVENIENS: 1872 Test. av Carl XV; 1879 Omförd från Carl
XV:s samling på Rosersberg, nr 477
LITTERATUR: Upmark 1882, s. 74; Carlander 1897, s. 9; Na-
tionalmuseum 1929, s. 5; Strandberg 1980, s. 11

Lars Orre (1724–1799), adlad Orrsköld, krigsråd

*Lars Orre, Ennobled as Orrsköld, Head of Division at
the War Office*
Sign: "berndes 1785"
Gouache på elfenben 3,8x2,9 oval dagermått
Ram: guld
NMB 160
PROVENIENS: 1883 Gåva av framlidne hovrättsrådet Fr. Järta
genom friherre Hochschild
UTSTÄLLD: Stockholm 1785
LITTERATUR: Carlander 1897, s. 9; Nationalmuseum 1929,
s. 3

Modellen, som tidigare kallades Nils Marelius,
kunde lätt identifieras med stöd av Berndes förla-
geteckning (SPA 1920:1689).
◆

Greve Carl Reinhold von Fersen (1716–1786), riksråd, överhovjägmästare

*Count Carl Reinhold von Fersen, Councillor of the
Realm, Master of the Buckhounds*
Gouache på elfenben 2,9x2,2 oval dagermått
Ram: metall
NMB 179
PROVENIENS: Grevinnan Ulrika Eleonora von Höpken;
1886 Inköpt från bruksägaren Carl Rydström genom
amanuensen H. Huldt
LITTERATUR: Carlander 1897, s. 120 (attribuerad till okänd
svensk konstnär); Nationalmuseum 1929, s. 76; SPA
Index, vol. I, 1935, s. 271

Porträttet beställdes postumt av Carl Reinhold von
Fersens dotter, grevinnan Ulrika Eleonora von
Höpken (1749–1810), och utfördes år 1787 en-
ligt A.U. Berndes räkenskaper.

Anna Charlotta von Stapelmohr (1754–1791), g. Schröderheim

Anna Charlotta von Stapelmohr, m. Schröderheim
Akvarell och gouache på elfenben h: 4,8 oval
Ram: metall
NMB 239
PROVENIENS: Har tillhört den Schröderheimska familjen;
　1895 Gåva av fröken C. Fornell genom f.d. marin-
　direktör O. Toll
LITTERATUR: Levertin 1899, s. 121 f.; Looström 1900, s. 25,
　fig. 2; Nationalmuseum 1929, s. 4; SPA Index, vol. II,
　1939, s. 788

I Berndes anteckningsbok för 1784–1833 nämns
ett porträtt av fru Schröderheim målat 1789. Noti-
sen syftar troligen på NMB 239. Enligt Oscar Le-
vertin har Niclas Lafrensen d.y. tidigare varit före-
slagen som upphovsman till porträttet. (Se även
NMB 521).

Adolfina Lovisa Schützercrantz (1759–1822), g. m. biskopen Olof Wallqvist

*Adolfina Lovisa Schützercrantz, m. to the Bishop Olof
Wallqvist*
Sign: "Berndes 1784"
Akvarell och gouache på elfenben h: 3,2 oval
Ram: läderetui
NMB 348
PROVENIENS: 1913 Test. av revisor Johan Vilhelm Schützer-
　crantz
LITTERATUR: Nationalmuseum 1929, s. 3

Modellens identitet kunde fastställas med stöd av
proveniensen samt konstnärens förlageteckning
(SPA 1920:1690).

Okänd kvinna

An Unknown Woman
Sign: "Berndes 85."
Akvarell och gouache på elfenben h: 3,2 oval
Ram: metall
NMB 349
PROVENIENS: 1913 Test. av revisor Johan Vilhelm Schützer-
　crantz
LITTERATUR: Nationalmuseum 1929, s. 3

**Lovisa Margareta Lilliestråle (1768–1834),
g. m. konteramiralen Johan Herman
Schützercrantz, förmodat porträtt**

*Portrait presumed to be Lovisa Margareta Lilliestråle, m.
to the Rear Admiral Johan Herman Schützercrantz*
Akvarell och gouache på elfenben h: 2,1 oval
Ram: guld
NMB 350
PROVENIENS: 1913 Test. av revisor Johan Vilhelm Schützer-
crantz

**Johan Herman Schützercrantz (1762–1821),
ståthållare, överstelöjtnant, sedermera konter-
amiral**

*Johan Herman Schützercrantz, Governor, Lieutenant
Colonel, later Rear Admiral*
Sign: "B"
Akvarell och gouache på elfenben (?) 3,3x2,6 oval
Ram: guld
NMB 355
PROVENIENS: 1913 Test. av revisor Johan Vilhelm Schützer-
crantz
LITTERATUR: SPA Index, vol. II, 1939, s. 739

Trots monogramsignaturen och proveniensen be-
tecknades denna miniatyr länge som ett porträtt
av okänd konstnär föreställande en okänd man.
Enligt Berndes räkenskapsbok utfördes porträttet
av överstelöjtnant Schützercrantz år 1784.

**Gabriel Kristian Koschell (1743–1810),
grosshandlare i Stockholm, kommerseråd**

*Gabriel Kristian Koschell, Wholesaler in Stockholm,
Head of Division at the Board of Trade*
Sign: "Berndes."
Akvarell och gouache på elfenben h: 4,1 oval
Ram: metall
NMB 428
PROVENIENS: 1898 I Ossian Koschells ägo; 1921 Test. av
herr O.W. Koschell
LITTERATUR: Carlander ms, fol. 9; Nationalmuseum 1929,
s. 4; SPA Index, vol. I, 1935, s. 441

Enligt A.U. Berndes anteckningsbok målades
porträttet 1792.

Okänd man

An Unknown man

Gouache på elfenben 3,8x3 oval

Ram: mässing

NMB 433

PROVENIENS: 1894 Test. av C.F. Dahlgren; 1922 Omförd
från NMDs 8

LITTERATUR: Nationalmuseum 1929, s. 77

**Grevinnan Eva Sofia von Fersen (1757–1816),
g. Piper, hovmästarinna hos drottning
Hedvig Elisabet Charlotta**

*Countess Eva Sofia von Fersen, m. Piper, Lady of the
Bedchamber to the Queen Hedvig Elisabet Charlotta*

Sign: "Berndes 1787" (otydlig)

Påskrift på pappersbakstycket: "Grefvinnan Eva Sophia
von Fersen f. 1757. † 1816. Gift med Kung […]rher-
ren Grefve Adolf Ludvig Piper Till Ängsö."

Akvarell på elfenben 4,4x3,5 oval

Ram: förgylld och graverad silverkapsel

NMB 514

PROVENIENS: 1923 Inköpt genom Semmy Josephson från
Bukowskis auktion nr 244, kat.nr 497; 1927 Gåva av
konsul Hjalmar Wicander, A.K. 601

LITTERATUR: Asplund 1929, s. 30, kat.nr 73, pl. 26; Natio-
nalmuseum 1929, s. 4; SPA Index, vol. I, 1935, s. 268

Enligt uppgift i A.U. Berndes anteckningsbok be-
ställdes porträttet föreställande grevinnan Piper av
hertiginnan av Södermanland, Hedvig Elisabet
Charlotta.

**Anna Elisabeth Unfraun (1766–1807),
g. Berndes, konstnärens första hustru**

*Anna Elisabeth Unfraun, m. Berndes, the Artist's
First Wife*

Påskrift på pappbakstycket: "A.U. Berndes 1787"

Akvarell på elfenben h: 3,9 oval

Ram: brons

NMB 515

PROVENIENS: 1927 Gåva av konsul Hjalmar Wicander, A.K.
347

LITTERATUR: Asplund 1920, s. 69, kat.nr 119, pl. 44; Natio-
nalmuseum 1929, s. 3; SPA Index, vol. II, 1939, s. 880

I Berndes egenhändiga verkförteckning omtalas
ett porträtt av "Mademoiselle Unfraun" år 1786.
Berndes förlovade sig 1786 med den 20-åriga
Anna Elisabeth Unfraun och året därpå ingick de
äktenskap. Miniatyren var sannolikt en gåva till
modellen.

Anna Katarina Levin (1760–1814),
g. Hedenberg, förmodat porträtt

Portrait presumed to be Anna Katarina Levin,
m. Hedenberg

Sign: "Berndes 1795"

Akvarell och gouache på elfenben diam: 3,9 dagermått

Ram: guldberlock

NMB 516

PROVENIENS: 1917 Inköpt genom Semmy Josephson från
Bukowskis våraukion nr 211, kat.nr 435; 1927 Gåva av
konsul Hjalmar Wicander, A.K. 130

UTSTÄLLD: Stockholm 1921, kat.nr 65; Köpenhamn 1921,
kat.nr 292

LITTERATUR: Asplund 1920, s. 71, kat.nr 127, pl. 24; Asp-
lund 1923, s. 194 f.; Nationalmuseum 1929, s. 3;
Schidlof 1964, s. 916, fig. 99, pl. 57; Cavalli-Björkman
1981, s. 120, fig. 516

Modellens identitet kunde fastställas med stöd av
en anteckning i konstnärens egenhändiga verkför-
teckning för år 1795, hans förlageteckning (SPA
1920:1737), samt jämförelser med ytterligare por-
trätt föreställande samma person (SPA 1919:310,
miniatyr av Cornelius Höyer; NMB 1258, pastell
av Carl Gustaf Pilo; miniatyr av Cornelius Höyer,
avb. i Meinander 1931, pl. CLXV).

Greve Karl Adolf David
Gyllenborg (1787–1863)
som barn, sedemera
protokollssekreterare

Count Karl Adolf David
Gyllenborg as a Child, later
Recording Clerk

Sign: "A.U. Berndes. del: 1798."

Blyerts på papper diam: 10

Ram: brons

NMB 517

PROVENIENS: 1916 Inköpt från Carl
Ulrik Palms samling; 1927
Gåva av konsul Hjalmar Wi-
cander, A.K. 61

UTSTÄLLD: Stockholm 1915,
kat.nr 202

LITTERATUR: Asplund 1916, s. 85,
fig. 85; Asplund 1920, s. 71,
kat.nr 129, pl. 46; National-
museum 1929, s. 3; Strand-
berg 1980, s. 11, fig. 37
▼

Självporträtt vid 47 års ålder

Self-Portrait at the Age of Forty-Seven
Sign: "A.U. Berndes 1804"
Emalj diam: 4,8
Ram: metall
NMB 518
PROVENIENS: 1918 Inköpt från Marcus konsthandel, Köpen-
hamn; 1927 Gåva av konsul Hjalmar Wicander, A.K. 139
UTSTÄLLD: Stockholm vandringsutst. 1973, kat.nr 74
LITTERATUR: Asplund 1920, s. 71, kat.nr 130, pl. 43;
Nationalmuseum 1929, s. 4; SPA Index, vol. I, 1935,
s. 73; Schidlof 1964, s. 79, 916, fig. 99a, pl. 57;
Cavalli-Björkman 1981, s. 120, fig. 113; Olausson
1999, s. 243, not 14

Detta självporträtt i emalj är i sitt slag unikt i Berndes
produktion. Genom dansken T.C. Bruun-Neergaard
är det känt att Berndes så sent som år 1804 experi-
menterade med emalj. Då ingen i Sverige behärska-
de denna teknik är det mest troligt att Berndes till-
ägnat sig den under vistelsen i England 1794–95.

Änkedrottning Lovisa Ulrika (1720–1782)

Kopia efter Alexander Roslin (NMDrh 35)
Queen Dowager Lovisa Ulrika of Sweden
Copy after Alexander Roslin (NMDrh 35)
Akvarell och gouache på elfenben 2,8x2,2 oval
Ram: metall
NMB 520
PROVENIENS: 1921 Inköpt genom Semmy Josephson från
Bukowskis auktion nr 231, kat.nr 576; 1927 Gåva av
konsul Hjalmar Wicander, A.K. 572
LITTERATUR: Asplund 1929, s. 29, kat.nr 71, pl. 26; Natio-
nalmuseum 1929, s. 4; Strandberg 1980, s. 11

Originalmålningen utfördes av Roslin år 1775.

Änkedrottning Lovisa Ulrika (1720–1782)
à l'antique

Fri studie efter Gustaf Lundberg (NMDrh 52)
Queen Dowager Lovisa Ulrika of Sweden à l'antique
Free Study after Gustaf Lundberg (NMDrh 52)
Akvarell och gouache på elfenben h: 3,1 oval
Ram: metall
NMB 521
PROVENIENS: Prinsessan Sofia Albertina; 1921 Inköpt genom
Semmy Josephson från Bukowskis auktion nr 231, kat.nr
574; 1927 Gåva av konsul Hjalmar Wicander, A.K. 570
LITTERATUR: Levertin 1899, s. 121; Asplund 1916, s. 84 f.,
fig. 82; Asplund 1929, s. 30, kat.nr 74, pl. 26; National-
museum 1929, s. 4; SPA Index, vol. II, 1939, s. 788;
Strandberg 1980, fig. 36

Modellen kallades länge Anna Charlotta von Sta-
pelmohr, g. Schröderheim. En jämförelse med
Lundbergs profilporträtt av Lovisa Ulrika visar
dock att det rör sig om en fri studie efter denna
målning. Därmed går det också att fastslå att mini-
atyren är identisk med det postuma porträtt som
beställdes av prinsessan Sofia Albertina efter änke-
drottningens död och som upptas i Berndes rä-
kenskapsbok för år 1785.

Johan Jacob Unfraun (1773–1810), notarie i Svea Hovrätt, konstnärens svåger

Johan Jacob Unfraun, Clerk to the Svea Court of Appeal, the Artist's Brother-in-law

Akvarell och gouache på elfenben 5,7x4,3 oval

Ram: förgylld metall

NMB 522

PROVENIENS: 1927 Gåva av konsul Hjalmar Wicander, A.K. 348

LITTERATUR: Asplund 1920, s. 70, kat.nr 122, pl. 44; Nationalmuseum 1929, s. 4; SPA Index, vol. II, 1939, s. 880

Okänd kvinna

An Unknown Woman

Akvarell och gouache på elfenben diam: 4,5

Ram: guld

NMB 523

PROVENIENS: 1918 Inköpt från H. Bukowskis konsthandel; 1927 Gåva av konsul Hjalmar Wicander, A.K. 344

LITTERATUR: Asplund 1920, s. 70, kat.nr 125, pl. 44; Nationalmuseum 1929, s. 4

Miniatyren är restaurerad av Fanny Hjelm.

Okänd kvinna

An Unknown Woman

Akvarell på elfenben h: 5 oval

Ram: guld, filigran

NMB 524

PROVENIENS: 1920 Inköpt från bankkassör Fritz Ottergrens samling; 1927 Gåva av konsul Hjalmar Wicander, A.K. 431

UTSTÄLLD: Stockholm 1915, kat.nr 203

LITTERATUR: Asplund 1929, s. 30, kat.nr 75, pl. 26; Nationalmuseum 1929, s. 4

Greve Adolf Fredrik Munck (1749–1833), hovman

Count Adolf Fredrik Munck, Courtier
Akvarell på elfenben 5,2x4 oval
Ram: metall
NMB 525
PROVENIENS: Fredrik Morssings samling; 1911 Bukowskis
auktion nr 192, kat.nr 591; Herr af Donner; 1918 In-
köpt från H. Bukowskis konsthandel; 1927 Gåva av
konsul Hjalmar Wicander, A.K. 259
UTSTÄLLD: Stockholm 1921, kat.nr 64; Köpenhamn 1921,
kat.nr 291 (modellen kallad okänd medelålders man)
LITTERATUR: Asplund 1920, s. 70, kat.nr 126, pl. 24; Asp-
lund 1923, s. 194 f.; Nationalmuseum 1929, s. 5; SPA
Index, vol. II, 1939, s. 562

Enligt A.U. Berndes räkenskapsbok målades
porträttet 1789.

Petter Bernhard Berndes (1750–1826), kapten, konstnärens broder

Petter Bernhard Berndes, Captain, the Artist's Brother
Akvarell och gouache på elfenben 4,3x3,2 oval dager-
mått
Ram: metall
NMB 527
PROVENIENS: Familjen Berndes; 1917 Inköpt genom Sem-
my Josephson från Bukowskis auktion nr 212, kat.nr
542; 1927 Gåva av konsul Hjalmar Wicander, A.K. 197
LITTERATUR: Asplund 1920, s. 70, kat.nr 121, pl. 43; Natio-
nalmuseum 1929, s. 5; SPA Index, vol. I, 1935, s. 74

Friherrinnan Charlotta Fredrika Sparre (1719–1795), g. grevinna von Fersen, överhovmästarinna

*Baroness Charlotta Fredrika Sparre, m. Countess von
Fersen, Mistress of the Robes*
Akvarell och gouache på elfenben diam: 6,3
Ram: metall
NMB 528
PROVENIENS: 1917 Inköpt genom Semmy Josephson från
Bukowskis auktion nr 212, kat.nr 541; 1927 Gåva av
konsul Hjalmar Wicander, A.K. 194
UTSTÄLLD: Stockholm 1921, kat.nr 63
LITTERATUR: Asplund 1920, s. 70, kat.nr 123, pl. 45; Natio-
nalmuseum 1929, s. 5; SPA Index, vol. II, 1939, s. 769

C.M. Carlander nämner i sin bok *Miniatyrmålare i
Sverige* (1897) ett porträtt av Anton Ulrik Berndes
föreställande Charlotta Fredrika von Fersen
iklädd änkedräkt med kungligt medaljongporträtt
på bröstet, vilket utställdes på Bukowskis 1884.
Huruvida någon av de två miniatyrer i National-
musei ägo som överensstämmer med Carlanders
beskrivning (NMB 528 och NMB 1884) är iden-
tisk med det porträtt som ställdes ut på Bukowskis
går inte att fastställa.

Olof Wallquist (1755–1800), hovpredikant, sedermera biskop, förmodat porträtt

Portrait presumed to be Olof Wallquist, Chaplain to the King, later Bishop
Akvarell och gouache på elfenben 5,4x4,5 oval
Ram: metall
NMB 529
PROVENIENS: 1927 Gåva av konsul Hjalmar Wicander, A.K. 183
LITTERATUR: Asplund 1920, s. 71, kat.nr 128, pl. 43; Nationalmuseum 1929, s. 5

Enligt A.U. Berndes räkenskapsbok målades porträttet 1784.

Friherrinnan Aurora Wilhelmina Koskull (1778–1852), g. grevinna Brahe, hovfröken

Baroness Aurora Wilhelmina Koskull, m. Countess Brahe, Maid of Honour
Akvarell och gouache på elfenben diam: 5,1
Ram: metall
NMB 530
PROVENIENS: 1917 Inköpt från bankir Erik O. Severins samling; 1927 Gåva av konsul Hjalmar Wicander, A.K. 175
LITTERATUR: Mörner 1916, s. 162, avb. s. 161; Asplund 1920, s. 70, kat.nr 124, pl. 43; Nationalmuseum 1929, s. 5; SPA Index, vol. I, 1935, s. 442 (felaktigt angivet inv.nr "NMB 53")

Catharina Charlotta Thraene (1774–1819), g. Berndes, konstnärens andra hustru

Catharina Charlotta Thraene, m. Berndes, the Artist's Second Wife
Akvarell och gouache på elfenben diam: 5,9
Ram: metall
NMB 531
PROVENIENS: 1917 Inköpt från Marcus konsthandel, Köpenhamn; 1927 Gåva av konsul Hjalmar Wicander, A.K. 138
UTSTÄLLD: Stockholm vandringsutst. 1973, kat.nr 75
LITTERATUR: Asplund 1920, s. 70, kat.nr 120, pl. 45; Nationalmuseum 1929, s. 5; SPA Index, vol. II, 1939, s. 852; Cavalli-Björkman 1981, s. 120 f., fig. 114

Självporträtt
Self-Portrait
Akvarell och gouache på elfenben 3,2x2,6 oval dager-
  mått
Ram: metall, pärlor
NMB 532
PROVENIENS: 1917 Inköpt från Marcus konsthandel, Kö-
  penhamn; 1927 Gåva av konsul Hjalmar Wicander,
  A.K. 137
UTSTÄLLD: Stockholm 1921, kat.nr 62
LITTERATUR: Asplund 1920, s. 69, kat.nr 118, pl. 43; Natio-
  nalmuseum 1929, s. 5; SPA Index, vol. I, 1935, s. 73

Drottning Sofia Magdalena (1746–1813)
Kopia efter Cornelius Höyer
Queen Sofia Magdalena of Sweden
Copy after Cornelius Höyer
Akvarell och gouache på elfenben 3,5x2,6 oval
Ram: rosenstenar, metall
NMB 717
PROVENIENS: 1916 Inköpt från Hoving & Winborgs konst-
  handel; 1927 Gåva av konsul Hjalmar Wicander, A.K.
  87
UTSTÄLLD: Stockholm 1921, kat.nr 34; Köpenhamn 1921,
  kat.nr 190 (attribuerad till Lafrensen d.y.)
LITTERATUR: Asplund 1920, s. 54, kat.nr 72, pl. 26; Natio-
  nalmuseum 1929, s. 29; Wennberg 1947, s. 155

Berndes skriver i sin räkenskapsbok att han 1786
kopierat drottningens porträtt. Konstnären till ori-
ginalverket anges inte, men sannolikt syftar noti-
sen "Drottningens cop." på ovanstående miniatyr
kopierad efter Höyer. Miniatyren har tidigare varit
tillskriven Niclas Lafrensen d.y.

Okänd officer
An Unknown Officer
Sign: "Berndes 1800"
Akvarell och gouache på elfenben 6,4x5 oval
Ram: metall
NMB 1198
PROVENIENS: 1894 Test. av C.F. Dahlgren; 1929 Omförd
  från NMDs 336
LITTERATUR: Nationalmuseum 1929, s. 4

I konstnärens räkenskapsbok för år 1800 finns det
fyra officerare som skulle kunna vara identiska
med den avbildade på ovanstående porträtt: kap-
ten Warberg, major Apelqvist, överste Engelbrech-
ten eller löjtnant Schenström.

Okänd kvinna
An Unknown Woman
Gouache på elfenben 4,5x3,5 oval
Ram: glasinfattning, sammetspassepartout
NMB 1763
PROVENIENS: 1894 Test. av C.F. Dahlgren; Dubbelförd i
   inventariet, även kallad NMDs 92; 1958 Omförd från
   NMDs 948

**Friherrinnan Charlotta Fredrika Sparre
(1719–1795), g. grevinna von Fersen,
överhovmästarinna**
*Baroness Charlotta Fredrika Sparre, m. Countess von
Fersen, Mistress of the Robes*
Gouache på elfenben 3,3x2,8 oval
Ram: omonterad
NMB 1884
PROVENIENS: 1882 Inköpt från Bukowskis, kat.nr 77; 1894
   Test. av C.F. Dahlgren; 1963 Omförd från NMDs 120

Okänd kvinna
An Unknown Woman
Akvarell och gouache på elfenben 4,6x3,3 oval
Ram: metall
NMB 1885
PROVENIENS: 1894 Test. av C.F. Dahlgren; 1963 Omförd
   från NMDs 252

Sophie Hagman (1758–1826), dansös

Sophie Hagman, Dancer
Akvarell och gouache på elfenben h: 4,7 oval
Ram: omonterad
NMB 2121
PROVENIENS: 1872 Gåva av universitetskanslern greve Henning Hamilton; S.H.M. 4810; 1978 Överförd från SKS 668
UTSTÄLLD: Stockholm 1930, kat.nr 668 (konstnären kallad "Lorens Sparrgren (?)")
LITTERATUR: Levertin 1899, s. 121

Enligt A.U. Berndes räkenskapsbok målades porträttet 1785.

Johan Tobias Sergel (1740–1814), bildhuggare, professor, hovintendent

Johan Tobias Sergel, Sculptor, Professor, Surveyor to the King's Household
Gouache och akvarell på elfenben 4,7x3,9 oval
Ram: sekundär infattning med ram av pärlemor infattad i ett guldarmband, utfört av Anders Petter Lundqvist, Stockholm, stämplat 1843
NMB 2349
PROVENIENS: Ärvd på manssidan inom adliga ätten Sergel; 1918 Kapten Sergel, Spånga; 1991 Inköpt från agronom Lennart Sergell, Eksjö
UTSTÄLLD: Stockholm 1818, kat.nr 180
LITTERATUR: SPA Index, vol. II, 1939, s. 746; Strandberg 1980, s. 12; NM Bulletin 16:1, 1992, avb. s. 8

Enligt A.U. Berndes räkenskapsbok utförd 1811.
Ett av de sista porträtten av Sergel som tyvärr fått en något förändrad karaktär p.g.a. en fuktskada.

Okänd man. Studie

An Unknown Man. Study
Akvarell på papper 4,5x3,5
Ram: klistrad i skissbok
NMB 2496
PROVENIENS: 2000 Gåva av Brita Grissla, Stockholm (anförvant till A.U. Berndes)

Okänd kvinna. Studie

An Unknown Woman. Study
Blyerts på pergament 4,7x4
Ram: omonterad
NMB 2497
PROVENIENS: 2000 Gåva av Brita Grissla, Stockholm (anförvant till A.U. Berndes)

Gustav IV Adolf (1778–1837) som kronprins. Studie

Gustav IV Adolf as Crown Prince of Sweden. Study
Akvarell och gouache på elfenben 3,9x2,7 oval
Ram: klistrad i skissbok
NMB 2498
PROVENIENS: 2000 Gåva av Brita Grissla, Stockholm (anförvant till A.U. Berndes)

Okänd man. Studie

An Unknown Man. Study
Akvarell på papper 6,6x6,4 (målad oval: 5x4,1)
Ram: klistrad i skissbok
NMB 2499
PROVENIENS: 2000 Gåva av Brita Grissla, Stockholm (anförvant till A.U. Berndes)

Fredric Anton Berndes (1791–1871), som barn, konstnärens son, sedermera bergsråd. Studie

Fredric Anton Berndes as a Child, the Artist's Son, later Member of the Board of Mines. Study
Påskrift i skissboken: "Anton"
Akvarell och gouache på elfenben 5x4 oval
Ram: klistrad i skissbok
NMB 2500
PROVENIENS: 2000 Gåva av Brita Grissla, Stockholm (anförvant till A.U. Berndes)

Johan Bernhard (Janne) Berndes (1792–1834), som barn, konstnärens son, sedermera protokollsekreterare, gravör. Studie

Johan Bernhard (Janne) Berndes as a Child, the Artist's Son, later Recording Clerk, Engraver, Study
Påskrift i skissboken: "Janne"
Blyerts och akvarell på elfenben 5x3,9 oval
Ram: klistrad i skissbok
NMB 2501
PROVENIENS: 2000 Gåva av Brita Grissla, Stockholm (anförvant till A.U. Berndes)

Okänd kvinna

An Unknown Woman
Gouache på elfenben 2,4x1,9 oval
Ram: metall
NMB 2506
PROVENIENS: Bankir Carl Adolph Weber; 1911 Kapten John Klingspor (föregåendes svåger); 1929 Kapten Curt Klingspor; 1938 Dottern Ulla Klingspor, g. von Essen af Zellie; 2000 Inköpt från Bukowskis auktion nr 518, kat.nr 871

Carolina Wadenstjerna (1760–1848), g. Oxenstierna, statsfru

Carolina Wadenstjerna, m. Oxenstierna, Lady of the Bedchamber
Sign. a tergo: "B"
Påskrift a tergo: "C:W:"
Gouache på elfenben 3,1x2,5 oval
Ram: förgylld brons
NMDs 730
PROVENIENS: 1894 Test. av C.F. Dahlgren
LITTERATUR: Olausson 1999, s. 243, avb.

Miniatyren av Carolina Wadenstjerna kunde iden-
tifieras med hjälp av konstnärens signatur a tergo
jämte påskriften med modellens initialer samt
med stöd av förlageteckningen (SPA 1920:1690).
Enligt A.U. Berndes räkenskapsbok utfördes por-
trättet 1787.

Okänd kvinna

An Unknown Woman
Elfenben 4x2 oval
Ram: graverad metall
NMDs 750
PROVENIENS: 1894 Test. av C.F. Dahlgren

Okänd flicka

An Unknown Girl
Blyerts och akvarell på papper 9,8x8 oval
Ram: metall, trä, vit passepartout
NMDs 1711
PROVENIENS: 1894 Test. av C.F. Dahlgren

Okänd man

An Unknown Man
Gouache på elfenben 3,6x2,9 oval
Ram: omonterad
NMDs 2630
PROVENIENS: 1894 Test. av C.F. Dahlgren; 2000 Omförd
från NMDs s.n.

Nils Stedt (1743–1827), överstelöjtnant

Nils Stedt, Lieutenant Colonel
Gouache på elfenben 3,2x2,6 oval
Ram: guld, hårfläta som bakstycke med monogram "N S"
NMGrh 2001
PROVENIENS: 1929 Inköpt
LITTERATUR: SPA Index, vol. II, 1939, s. 791; von Malm-
borg 1951, s. 255

Enligt A.U. Berndes anteckningsbok målades
porträttet 1789. Modellen är son till Karolina
Simzon, g. Stedt (NMGrh 2000, Arenius. Hans
art) och bror till Johan Axel Stedt (NMGrh 2002,
J.E. Bolinder).

Friherre Gustaf Adolf Reuterholm (1756–1813), politiker, president i kammar-revisionen

*Baron Gustaf Adolf Reuterholm, Statesman, President
of the Audit Office*
Gouache på elfenben 5,2x4 oval
Ram: läderfodral
NMGrh 2031
PROVENIENS: 1931 Test. av fröken Amalia Ädelgren; 1932
Till NMGrh
UTSTÄLLD: Gripsholm & Göteborg 1991–92, kat.nr 28
LITTERATUR: SPA Index, vol. II, 1939, s. 665; von Malm-
borg 1951, s. 259

Friherre Gustaf Adolf Reuterholm (1756–1813), politiker, president i kammarrevisionen

Baron Gustaf Adolf Reuterholm, Statesman, President of the Audit Office

Grisaille, gouache på elfenben diam: 7,4

Ram: läderfodral

NMGrh 2127

PROVENIENS: 1945 Test. av fröken Anna Ädelgren

UTSTÄLLD: Gripsholm & Göteborg 1991–92, kat.nr 32a, avb. s. 69

LITTERATUR: von Malmborg 1951, s. 269

I sin verkförteckning anger Berndes att han år 1791 utfört en miniatyr "Ritadt af medaljonen" d.v.s. Sergels. Konstnärens grisailleversion är dock att uppfatta som en fri studie efter gipsmedaljongen. Miniatyren har tidigare felaktigt tillskrivits Johan Henrik Rydingsvärd (1796–1839). Jfr NMGrh 2687.

Karl (XIII) (1748–1818), hertig av Södermanland

King Karl XIII of Sweden, when Duke of Södermanland

Sign: "Berndes 1789"

På ramen graverat: "DEN 17 JULII 1788."

Graverat på baksidan: "Donné par S.A.R. Mgr Le Duc de Sudermannie au Baron Gustave Adolphe Reuterholm Chambellan de Sa Majesté la Reine de Suéde, à Son depart pour les paÿs étrangers, 1e de Mai 1789; ainsi que les vers Suivants, ecrits de Sa propre Main _ Cher Ami, en partant recevez ce Portrait, De celui qui vous aime conservez cette Image; Qu'il Serve a rappeller les noeuds qui nous engage, ces noeuds que l'amitié cementa pour jamais. Quelque triste que Soit le Sort qui nous Separe, Ma constante amitié suivra toujours vos pas, Et ramené enfin, par ce Dieu dans Mes bras, Nous jouirons tous deux, des douceurs qu'il prépare."

Gouache på elfenben 11,1x8 oval

Ram: guld

NMGrh 2407

PROVENIENS: 1 maj 1789 Gåva av hertig Karl (XIII) till friherre Gustaf Adolf Reuterholm; 1872 Test. av Carl XV, nr 470; 1952 Omförd från NMB 88

UTSTÄLLD: Gripsholm & Göteborg 1991–92, kat.nr 39, avb. s. 30; Stockholm 1998–99, kat.nr 151, avb. s. 186; S:t Petersburg 1999, kat.nr 24 (bd 2)

LITTERATUR: Upmark 1882, s. 74; Carlander 1897, s. 9; Nationalmuseum 1929, s. 3

▼

**Friherre Gustaf Adolf Reuterholm
(1756–1813), politiker, president i
kammarrevisionen**

*Baron Gustaf Adolf Reuterholm, Statesman,
President of the Audit Office*

Grisaille, gouache på elfenben diam: 7

Ram: läderfodral

NMGrh 2687

PROVENIENS: 1959 Test. av kanslisekreterare Nils
Ädelgren

UTSTÄLLD: Gripsholm & Göteborg 1991–92, kat.nr 32b;
S:t Petersburg 1999

Enligt A.U. Berndes räkenskapsbok utförd
1793. Miniatyren har tidigare varit tillskriven
Johan Henrik Rydingsvärd (1796–1839).

**Friherre Gustaf Adolf Reuterholm
(1756–1813), politiker, president i kammar-
revisionen**

*Baron Gustaf Adolf Reuterholm, Statesman, President
of the Audit Office*

Påskrift: "G.A. Reuterholm Berndes pinx."

Gouache på elfenben 5x4 oval

Ram: läderfodral

NMGrh 2688

PROVENIENS: 1959 Test. av kanslisekreterare Nils Ädelgren

UTSTÄLLD: Gripsholm & Göteborg 1991–92, kat.nr 29, avb.
s. 68

**Friherre Gustaf Adolf Reuterholm
(1756–1813), politiker, president i kammar-
revisionen**

*Baron Gustaf Adolf Reuterholm, Statesman, President of
the Audit Office*

Påskrift på bakstycket: "H. [...] Friherre Gustaf Adolph
  Reuterholm. f. d 7 Julii 1756 död 27 D[...] 1813."
Gouache på elfenben diam: 6,7 dagermått
Ram: metall
NMGrh 2689
PROVENIENS: 1959 Test. av kanslisekreterare Nils Ädelgren
UTSTÄLLD: Gripsholm & Göteborg 1991–92, kat.nr 24, avb.
  s. 68

**Friherre Gustaf Adolf Reuterholm
(1756–1813), politiker, president i kammar-
revisionen**

*Baron Gustaf Adolf Reuterholm, Statesman, President
of the Audit Office*

Gouache på elfenben diam: 6,3
Ram: läderetui
NMGrh 2690
PROVENIENS: 1959 Test. av kanslisekreterare Nils Ädelgren
UTSTÄLLD: Gripsholm & Göteborg 1991–92, kat.nr 25, avb.
  s. 68

Drottning Sofia Magdalena (1746–1813)
Kopia efter Cornelius Höyer
Queen Sofia Magdalena of Sweden
Copy after Cornelius Höyer
Gouache på elfenben 3,7x2,6 oval
Ram: metall
NMGrh 2734
PROVENIENS: Grosshandlare August Michaelsson; 1880 In-
  köpt från Bukowskis auktion i maj, nr 21; 1894 Test. av
  C.F. Dahlgren; 1960 Omförd från NMDs 741

Hedvig Elisabet Charlotta (1759–1818), hertiginna av Södermanland, förmodat porträtt

Portrait presumed to be Queen Hedvig Elisabet Charlotta of Sweden, when Duchess of Södermanland
Gouache på elfenben diam: 4,2
Ram: dosa med ram och falsar av kopparlegering, lock
och botten av klart glas, locket har dubbelt glas, där-
emellan flätat hår, emaljerade sidor, insidan klädd
med elfenben
NMK 593/1895
PROVENIENS: 1895 Test. av C. F. Dahlgren

Porträttet är troligen målat mellan 1786–90.

BERNDES, Anton Ulrik. Tillskriven
RAMSHÄLL 1757–1844 STOCKHOLM

Carl Fredrik von Breda (1757–1818), porträttmålare

Carl Fredrik von Breda, Portrait Painter
Akvarell och gouache på elfenben diam: 6,2
Ram: metall
NMB 59
PROVENIENS: 1871 Inköpt från bergseleven G. Réhn
UTSTÄLLD: Stockholm 1804, kat.nr 40
LITTERATUR: Carlander 1897, s. 9; Nationalmuseum 1929,
s. 4; SPA Index, vol. I, 1935, s. 122

Jonas Forsslund (1754–1809), målare, skulptör, professor

Jonas Forsslund, Artist, Sculptor, Professor
Påskrift a tergo: "PROF. JOHAN [sic!] FORSLUND
*1754, †1805,"
Gouache och akvarell på elfenben 3,6x3 oval
Ram: metall, ovantill med genombruten rosett
NMDs 97
PROVENIENS: 1894 Test. av C.F. Dahlgren

Okänd officer i skärgårdsflottan

An Unknown Officer of the Archipelago Fleet
Gouache och akvarell på elfenben 6,6x5,5 oval
Ram: mässing
NMDs 112
PROVENIENS: 1894 Test. av C.F. Dahlgren

Okänd man

An Unknown Man
Gouache på elfenben 4x3 oval
Ram: förgylld brons
NMDs 554
PROVENIENS: 1894 Test. av C.F. Dahlgren

Greve Claës Julius Ekeblad (1742–1808)

Count Claës Julius Ekeblad
Påskrift a tergo: "Gref Claes Ekeblad 1778"
Gouache på elfenben 3x2,5 oval
Ram: förgylld brons
NMDs 655
PROVENIENS: 1894 Test. av C.F. Dahlgren
LITTERATUR: SPA Index, vol. I, 1935, s. 234

Okänd kvinna

An Unknown Woman
Gouache på elfenben 3,6x2,8 oval
Ram: metall
NMDs 735
PROVENIENS: 1894 Test. av C.F. Dahlgren

BÉRON, Erik Gustaf

STOCKHOLM 1748–1780 BORDEAUX

Okänd manlig medlem av familjen De Geer

An Unknown Male Member of the De Geer Family
Akvarell och gouache på elfenben 4,3x3,2 oval
Ram: metall
NMB 847
PROVENIENS: 1917 Inköpt från bankir Erik O. Severins sam-
    ling; 1927 Gåva av konsul Hjalmar Wicander, A.K. 162
UTSTÄLLD: Stockholm 1915, kat.nr 162; Stockholm 1921,
    kat.nr 61
LITTERATUR: Asplund 1916, s. 81, not 2; Asplund 1920, s.
    67, kat.nr 114, pl. 25; Nationalmuseum 1929, s. 5;
    SKL, vol. I, 1952, s. 170

Okänd officer

An Unknown Officer
Sign: "Beron 76."
Gouache på elfenben 3,9x3,6 oval
Ram: metall
NMB 848
PROVENIENS: 1916 Inköpt från S. Sundborgs auktion; 1927
    Gåva av konsul Hjalmar Wicander, A.K. 98
UTSTÄLLD: Stockholm 1921, kat.nr 60
LITTERATUR: Asplund 1920, s. 67, kat.nr 113, pl. 24; Natio-
    nalmuseum 1929, s. 5; Schidlof 1964, s. 80, 917, fig.
    102, pl. 57; von Malmborg 1978, s. 175, fig. 14;
    Cavalli-Björkman 1981, s. 115, fig. 103
◆

von BILANG, Johanna Emerentia
1777–1857 STOCKHOLM

**Lovisa Margareta Lilliestråle (1768–1834),
g. Schützercrantz, förmodat porträtt**
*Portrait presumed to be Lovisa Margareta Lilliestråle,
m. Schützercrantz*
Akvarell och gouache på elfenben diam: 4
Ram: guld
NMB 353
PROVENIENS: 1913 Test. av revisor Johan Vilhelm Schützer-
crantz

**Johan Herman Schützercrantz (1796–1860)
som barn, sedermera ståthållare, överste-
löjtnant, konteramiral, förmodat porträtt**
*Portrait presumed to be Johan Herman Schützercrantz
as a Child, later Governor, Lieutenant Colonel, Rear
Admiral*
Akvarell och gouache på elfenben diam: 2,3
Ram: guld
NMB 359
PROVENIENS: 1913 Test. av revisor Johan Vilhelm Schützer-
crantz

Identifieringen av de båda ovanstående modeller-
na bygger på en sannolikhetsbedömning, efter-
som de övriga miniatyrerna i revisorn Schützer-
crantz gåva är porträtt av ättens medlemmar. Lovi-
sa Margareta Lilliestråle, g. Schützercrantz, var
moder till överstelöjtnanten Johan Herman Schüt-
zercrantz.

BILLING, Anna
STOCKHOLM
1849–1927
STOCKHOLM

Månadsbild: Januari
The Months: January
Påskrift: "IANVARIVS"
Gouache på pergament
8,1x12,5
Ram: omonterad
NMDsä 214
PROVENIENS: 1894 Test. av C.F.
Dahlgren

Månadsbild: Mars

The Months: March
Påskrift: "MARTIVS"
Gouache på pergament 8x12,2
Ram: omonterad
NMDsä 215
PROVENIENS: 1894 Test. av C.F. Dahlgren

Månadsbild: Maj

The Months: May
Påskrift: "MAIVS."
Gouache och akvarell på pergament 8,1x12,6
Ram: omonterad
NMDsä 216
PROVENIENS: 1894 Test. av C.F. Dahlgren

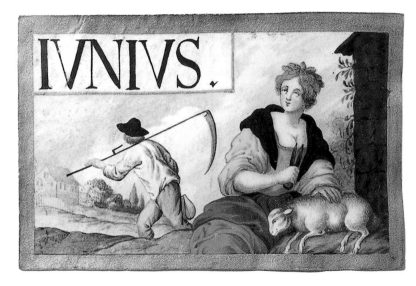

Månadsbild: Juni

The Months: June
Påskrift: "IVNIVS."
Gouache och akvarell på pergament 8,1x12,4
Ram: omonterad
NMDsä 217
PROVENIENS: 1894 Test. av C.F. Dahlgren

Månadsbild: Juli

The Months: July
Påskrift: "IVLIVS."
Gouache och akvarell på pergament 8x12,8
Ram: omonterad
NMDsä 218
PROVENIENS: 1894 Test. av C.F. Dahlgren

Månadsbild: Augusti

The Months: August
Påskrift: "AVGVSTVS"
Gouache och akvarell på pergament 8,1x12,6
Ram: omonterad
NMDsä 219
PROVENIENS: 1894 Test. av C.F. Dahlgren

Månadsbild: September

The Months: September
Påskrift: "SEPTEMBR"
Gouache och akvarell på pergament 8x12,6
Ram: omonterad
NMDsä 220
PROVENIENS: 1894 Test. av C.F. Dahlgren

Månadsbild: Oktober

The Months: October
Påskrift: "OCTOBER"
Gouache och akvarell på pergament 8,1x12,7
Ram: omonterad
NMDsä 221
PROVENIENS: 1894 Test. av C.F. Dahlgren

Månadsbild: November

The Months: November
Påskrift: "NOVEMBER"
Gouache och akvarell på pergament 8x12,5
Ram: omonterad
NMDsä 222
PROVENIENS: 1894 Test. av C.F. Dahlgren

Månadsbild: December

The Months: December
Påskrift: "DECEMBER"
Påskrift a tergo i bläck: "Af Anna Billing"
Gouache och akvarell på pergament 8,1x12,6
Ram: omonterad
NMDsä 223
PROVENIENS: 1894 Test. av C.F. Dahlgren

BILLMAN, Peter Magnus

HESSELBACKA 1785–1811 BILLINGSHOLM

Okänd präst

An Unknown Clergyman
Sign: "P. M. Billman px 1811."
Gouache och akvarell på elfenben 6,2x5,2 oval
Ram: förgylld mässing
NMDs 1245
PROVENIENS: 1894 Test. av C.F. Dahlgren

BLOM, David Vilhelm
1789–1862

Okänd man
An Unknown Man
Sign: "V. Blom pxt"
Gouache på elfenben 4,9x4,2 oval
Ram: metall
NMB 533
PROVENIENS: 1920 Hoving & Winborgs höstauktion,
    kat.nr 41; 1927 Gåva av konsul Hjalmar Wicander,
    A.K. 440
LITTERATUR: Asplund 1929, s. 41, kat.nr 118, pl. 42; Na-
    tionalmuseum 1929, s. 6; Schidlof 1964, s. 88

Okänd kvinna
An Unknown Woman
Sign: "V Blom pxt."
Gouache på elfenben 5,1x4,5 oval
Ram: guld
NMB 2397
PROVENIENS: 1995 Inköpt från Bonham's, London 21
    november, kat.nr 47
    ◆

Landskap
Landscape
Påskrift på ramens bakstycke: "D.W. Blom pinxit
    1789–1862"
Akvarell och gouache på papper 5,2x6,3
Ram: mässing
NMB 2490
PROVENIENS: 2000 Inköpt från Lilla Bukowskis,
    Stockholm

Landskap

Landscape

Påskrift på ramens bakstycke: "D.W. Blom pinxit
    1789–1862"
Akvarell och gouache på papper 5,1x6,3
Ram: mässing
NMB 2491
PROVENIENS: 2000 Inköpt från Lilla Bukowskis,
    Stockholm

BLOM, David Vilhelm. Tillskriven
1789–1862

Kvinna kallad Johanna Ulrika Thelin (okända levnadsdata), konstnären Anders Gustaf Anderssons hustru

*Woman traditionally identified as Johanna Ulrika
Thelin, Wife of the Artist Anders Gustaf Andersson*
Gouache på elfenben 5,3x4 oval
Ram: metall
NMB 507
PROVENIENS: 1920 Inköpt från Hoving & Winborgs höst-
    auktion, kat.nr 34; 1927 Gåva av konsul Hjalmar
    Wicander, A.K. 438
UTSTÄLLD: Stockholm vandringsutst. 1949–50, kat.nr 89
LITTERATUR: Nationalmuseum 1929, s. 2; SPA Index, vol.
    II, 1939, s. 849

Okänd kvinna

An Unknown Woman
Akvarell på kartong diam: 4,4 dagermått
Ram: metall
NMDs 1744
PROVENIENS: 1894 Test. av C.F. Dahlgren

**Hertig Karl August av Augustenborg
(1768–1810), kronprins av Sverige**
*Duke Karl August of Augustenborg, Crown Prince
of Sweden*
Gouache på papper (?) 6,1x5,2 oval dagermått
Ram: mässing
NMGrh 1663
PROVENIENS: 1875 Gåva av friherrinnan K. Lindroth, f.
Sack
LITTERATUR: von Malmborg 1951, s. 223

**Hertig Karl August av Augustenborg
(1768–1810), kronprins av Sverige**
*Duke Karl August of Augustenborg, Crown Prince
of Sweden*
Påskrift a tergo: "Carl August Kron Prins af Swerige D.
1809." samt "G:W:F:"
Gouache på elfenben 5,9x4,8 oval
Ram: trä
NMGrh 2483
PROVENIENS: 1894 Test. av C.F. Dahlgren; 1954 Omförd
från NMDs 2199
LITTERATUR: von Malmborg 1968, s. 49

Porträtt av samma typ som NMGrh 1663 och
NMGrh 2483 återfinns i åtminstone två exemplar
i Danmark, en miniatyr på Rosenborg utförd av
okänd konstnär och ett grafiskt blad av Schmith
i Det Kongelige Bibliotheks i Köpenhamn ägo.

BLOM, David Vilhelm. Hans art
1789–1862

Okänd man
An Unknown Man
Gouache och akvarell på elfenben 3,8x3,3 oval
Ram: metall
NMDs 1319
PROVENIENS: 1894 Test. av C.F. Dahlgren

Okänd man

An Unknown Man
Akvarell och gouache på elfenben diam: 3,3
Ram: skulpterat trä
NMDs 1348
PROVENIENS: 1894 Test. av C.F. Dahlgren

Okänd man

An Unknown Man
Påskrift på baksidan: "Rylander"
Gouache på elfenben h: 5,3 oval
Ram: metall
NMDs 1538
PROVENIENS: 1894 Test. av C.F. Dahlgren

Okänd kvinna, kallad grevinnan Piper

An Unknown Woman, traditionally identified as the
Countess Piper
Påskrift a tergo: "Uppgifvits vara Grefvinnan Piper"
Gouache på elfenben diam: 3,5 dagermått
Ram: förgylld papp
NMDs 1693
PROVENIENS: 1894 Test. av C.F. Dahlgren

Okänd kvinna

An Unknown Woman
Gouache på elfenben 2,4x1,9 oval
Ram: förgyllt silver
NMDs 1790
PROVENIENS: 1894 Test. av C.F. Dahlgren

Lovisa Charlotta Malm (1768–1845), g. friherrinna Reuterholm

Lovisa Charlotta Malm, m. Baroness Reuterholm
Gouache på elfenben 5,6x4,8 oval
Ram: läderetui med guldtryck: "GAR", påskrift på klistrad lapp inuti etuiet: "SOUVENIR D'UNE AMIE"
NMGrh 2695
PROVENIENS: 1959 Test. av kanslisekreterare Nils Ädelgren
LITTERATUR: von Malmborg 1968, s. 58

Miniatyren har tidigare gått under Jakob Axel Gillbergs namn, vilket närmast verkar som en rutinmässig tillskrivning av den typ av profilporträtt som Gillberg producerade *en masse*. Ovanstående miniatyr har en mjukare modellering, särskilt i håret, än den som vanligen kännetecknar Gillbergs profilbilder. Porträttet av fru Reuterholm har snarare likheter med David Vilhelm Bloms sätt att arbeta.

BOIT, Charles
STOCKHOLM 1662–1727 PARIS

Bacchus och Ariadne

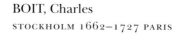
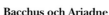

Bacchus and Ariadne
Sign: "C. Boit pinx"
 Emalj på koppar (?) 5,6x7,9 liggande oval
   Ram: förgylld metall
    NMB 321

PROVENIENS: 1909 Inköpt från Bukowskis konsthandel med bidrag av konsul Hjalmar Wicander, bankdirektör Louis Fraenkel och direktör C. Palm
UTSTÄLLD: Köpenhamn 1921, kat.nr 5; Stockholm & Paris 1993–94, kat.nr 824 (696)
LITTERATUR: Asplund 1916, s. 62; Asplund 1923, s. 189; Nisser 1927, katalogdel s. 120; Clouzot 1928, s. 97; Nationalmuseum 1929, s. 6; Lundberg 1933, s. 15, fig. 24; SKL, vol. I, 1952, avb. mot s. 211; Cavalli-Björkman 1981, s. 46, fig. 17; Lundberg 1987, avb. i bildbilaga

Peter I den store (1672–1725), tsar av Ryssland

Peter I the Great, Tsar of Russia
Sign: "C Boit p:"
Emalj 2,6x2,7 rund
Ram: förgylld brons
NMB 396
PROVENIENS: 1918 Gåva av generaldirektör Alfred Lager-
    heim
UTSTÄLLD: Stockholm 1915, kat.nr 34
LITTERATUR: Asplund 1916, s. 63, fig. 46; Nisser 1927, kata-
    logdel s. 127; Clouzot 1928, s. 96 f.; Nationalmuseum
    1929, s. 6; Lundberg 1933, s. 12, fig. 16; Cavalli-Björk-
    man 1981, s. 41 f.; Hofstetter 2000, s. 25

Under Peter I:s besök i England 1698 blev han fle-
ra gånger porträtterad av Boit. Då ovanstående
miniatyr framställer den ryske tsaren som ung
man är det inte omöjligt att porträttet utfördes
under englandsvistelsen 1698. Miniatyren är en
replik av ett porträtt i Eremitaget och efterbildar
Sir Godfrey Knellers porträtt av tsaren, målat i
Haag 1697 på Wilhelm III:s uppdrag.
◆

Okänd man

An Unknown Man
Sign. a tergo: "Carolus Boit de Stockholm. pinx A:o Dni:
    1694"
Emalj 3,5x2,8 oval
Ram: metall
NMB 534
PROVENIENS: Etatsrådet Emil Glückstadt; 1924 Inköpt från
    Glückstadtska auktionen, Köpenhamn, kat.nr 585;
    1927 Gåva av konsul Hjalmar Wicander, A.K. 614
LITTERATUR: Nisser 1927, s. 156, katalogdel s. 119; Asp-
    lund, 1929, s. 11, kat.nr 14, pl. 1; Nationalmuseum
    1929, s. 6; Asplund 1951, s. 578; Cavalli-Björkman
    1981, s. 41, fig. 14

Drottning Anna (1665–1714) av England och Skottland

Kopia efter Sir Godfrey Kneller
Queen Anne of England and Scotland
Copy after Sir Godfrey Kneller
Sign: "C. Boit p:"
Emalj 5x4,1 oval
Ram: guld
NMB 535
PROVENIENS: Inköpt från Sigge Björcks konsthandel; 1920
    Inköpt från ingenjör Carl Robert Lamm på Näsby;
    1927 Gåva av konsul Hjalmar Wicander, A.K. 516
UTSTÄLLD: Stockholm 1921, kat.nr 15
LITTERATUR: Nisser 1927, katalogdel s. 106 f.; Asplund,
    1929, s. 11, kat.nr 16, pl. 1; Nationalmuseum 1929, s.
    6; Lundberg 1933, s. 9 f.; SKL, vol. I, 1952, avb. mot s.
    211; von Malmborg 1978, s. 102, fig. 9; Cavalli-Björk-
    man 1981, s. 43 ff., fig. 18

Peter I den store (1672–1725), tsar av Ryssland

Peter I the Great, Tsar of Russia
Emalj 2,9x2,4 oval
Ram: förgylld metall
NMB 536
PROVENIENS: 1921 Konsul Hjalmar Wicander; 1927 Gåva av
konsul Hjalmar Wicander, A.K. 445
LITTERATUR: Asplund 1929, s. 11, kat.nr 15, pl. 2; Clouzot
1928, s. 96 f.; Nationalmuseum 1929, s. 6; Uggla 1929,
s. 56; Lundberg 1933, s. 12; von Malmborg 1978, s.
102; Cavalli-Björkman 1981, s. 42; Lundberg 1987, s.
12, avb. i bildbilaga; Hofstetter 2000, s. 25

Miniatyren är, liksom NMB 539, en replik av det
porträtt Boit målade under Peter den stores besök
i Paris 1717.

Sir Richard Steel (1671–1729), skriftställare, förmodat porträtt

Förmodligen kopia efter Sir Godfrey Kneller
Portrait presumed to be Sir Richard Steel, Author
Probably Copy after Sir Gottfrey Kneller
Sign: "C. Boit"
Emalj 4,5x3,7 oval
Ram: metall
NMB 538
PROVENIENS: 1918 Inköpt från H. Bukowskis konsthandel;
1927 Gåva av konsul Hjalmar Wicander, A.K. 221
UTSTÄLLD: Stockholm 1921, kat.nr 14, pl. 1
LITTERATUR: Asplund 1920, s. 33, kat.nr 35, pl. 11; Nisser
1927, katalogdel s. 119; Nationalmuseum 1929, s. 6,
avb. i bildbilaga; SKL, vol. I, 1952, avb. mot s. 211

Peter I den store (1672–1725), tsar av Ryssland

Peter I the Great, Tsar of Russia
Sign: "C. Boit"
Emalj 4,4x3,6 oval
Ram: guld med blå emaljlist närmast miniatyren
NMB 539
PROVENIENS: 1917 Inköpt från bankir Erik O. Severins sam-
ling; 1927 Gåva av konsul Hjalmar Wicander, A.K. 202
LITTERATUR: Clouzot 1928, s. 96 f.; Nationalmuseum 1929,
s. 6; Lundberg 1933, s. 12, fig. 17; Cavalli-Björkman
1981, s. 42, fig. 13; Lundberg 1987, s. 12; Hofstetter
2000, s. 25

Sir Godfrey Kneller (1646–1723), konstnär

Kopia efter Sir Godfrey Knellers självporträtt
Sir Godfrey Kneller, Artist
Copy after Sir Godfrey Kneller's Self-Portrait
Emalj på koppar 3,8x3,2 oval
Ram: förgylld metall
NMB 1071
PROVENIENS: Earlen av Wharncliff (?); 1920 Inköpt från
    London; 1927 Gåva av konsul Hjalmar Wicander, A.K.
    406
UTSTÄLLD: South Kensington 1865 (?)
LITTERATUR: Asplund 1920, s. 143, kat.nr 299, pl. 112; Nis-
    ser 1927, katalogdel s. 124 (?); Nationalmuseum 1929,
    s. 80

Porträttet gällde länge för att vara en kopia efter
Sir Godfrey Knellers porträtt av Francis, 2nd Earl
of Godolphin. Under arbetet med beståndskatalo-
gen identifierades det rätta originalet, Knellers
självporträtt målat ca 1715 (National Portrait Gal-
lery, London, inv.nr 3214). Senare upptäcktes att
detta redan på 1960-talet påpekats från NPG:s
sida, något som emellertid förblivit en förbisedd
notis i Nationalmusei inventarium.

Francis (1678–1766), 2nd Earl of Godolphin, med blivande hustrun Henrietta

*Francis, 2nd Earl of Godolphin, with his
Future Wife Henrietta*
Sign: "C. Boit 1697"
Emalj 15,8x14 oval
Ram: förgylld metall
NMB 1585
PROVENIENS: Omkr. 1900 G. Holfords samling, England;
    1949 Inköpt från auktion efter Harry Seal, Esq., Chris-
    tie's, London
UTSTÄLLD: Stockholm 1981:II, kat.nr 9
LITTERATUR: Nisser 1927, katalogdel s. 110 (?); Lundberg
    1933, s. 11; Nordenfalk 1952, s. 75 f., fig. 24; Cavalli-
    Björkman 1981, s. 41, fig. 15; Lundberg 1987, avb. i
    bildbilaga; Coffin 2000, s. 32, fig. 6; Olin 2000, fpl. XIV,
    s. 157
    ▼

August II den starke (1670–1733), kurfurste av Sachsen, kung av Polen

August II the Strong, Elector of Saxony, King of Poland
Graverat på bakstycket: krönt monogram "FARP 1720"
Emalj 3,4x2,8 oval
Ram: förgylld metall
NMB 2122
PROVENIENS: Drottningholms slott; 1978 Överförd från SKS 655
UTSTÄLLD: Stockholm 1930, kat.nr 655
LITTERATUR: Lundberg 1931, s. 85

BOIT, Charles. Tillskriven

STOCKHOLM 1662–1727 PARIS

Okänd riddare av Strumpebandsorden

An Unkown Knight of the Order of the Garter
Påskrift på lapp på bakstycket: "Prince George of Den-
 mark husband of Queen Anne"
Emalj 2,9x2,4 oval
Ram: metall, rosenstenar
NMB 540
PROVENIENS: 1917 Inköpt från bankir Erik O. Severins sam-
 ling; 1927 Gåva av konsul Hjalmar Wicander, A.K. 173
UTSTÄLLD: Stockholm 1915, kat.nr 35
LITTERATUR: Mörner 1916, s. 160, avb. s. 161; Asplund
 1920, s. 122 f., kat.nr 241, pl. 3; Nationalmuseum
 1929, s. 78

Den avbildade kallades tidigare prins Georg av Danmark, gift med drottning Anna av England.

Okänd man

An Unknown Man
På baksidan emalj med texten: "Joindre ou mourir"
Emalj 3,1x2,7 oval
Ram: emalj, guld
NMB 557
PROVENIENS: 1918 Inköpt från H. Bukowskis konsthandel;
 1927 Gåva av konsul Hjalmar Wicander, A.K. 278
UTSTÄLLD: Stockholm 1921, kat.nr 11; Stockholm 1981:II,
 kat.nr 8
LITTERATUR: Asplund 1920, s. 28, kat.nr 16, pl. 1; National-
 museum 1929, s. 9; Asplund 1951, s. 567 (attribuerad
 till Elias Brenner); Schidlof 1964, s. 109; Cavalli-Björk-
 man 1981, s. 38 ff., fig. 10–11

Enligt Görel Cavalli-Björkman hör detta porträtt till Boits tidiga produktion, förmodligen tillkom-met redan i Stockholm när konstnären ännu stod under inflytande av läromästaren Pierre Signac. Emaljen har burits i ett armband och har med tanke på baksidans text, "förenas eller dö", för-modligen skänkts som kärleksgåva. Porträttet har tidigare tillskrivits Elias Brenner.

Okänd kvinna
An Unknown Woman
Emalj 2,5x2,3 oval
Ram: metall
NMB 564
PROVENIENS: 1917 Inköpt från H. Bukowskis konsthandel;
   1927 Gåva av konsul Hjalmar Wicander, A.K. 160
UTSTÄLLD: Stockholm 1921, kat.nr 10
LITTERATUR: Asplund 1920, s. 28, kat.nr 15, pl. 1; National-
   museum 1929, s. 9; Asplund 1951, s. 567 (attribuerad
   till Elias Brenner); Schidlof 1964, s. 109

I analogi med attributionen av mansporträttet,
NMB 557 har även denna emalj tillskrivits Charles
Boit.

BOIT, Charles. Hans art
STOCKHOLM 1662–1727 PARIS

Okänd man
An Unknown Man
Emalj 4,3x3,6 oval
Ram: metall
NMB 537
PROVENIENS: 1917 Inköpt från generaldirektör Alfred La-
   gerheims samling; 1927 Gåva av konsul Hjalmar Wi-
   cander, A.K. 225
LITTERATUR: Asplund 1920, s. 33, kat.nr 36, pl. 83; Nisser
   1927, katalogdel s. 119; Nationalmuseum 1929, s. 6

BOLINDER, Johan Erik
SÖDERHAMN 1768–1808 STOCKHOLM

**Johan Peter Almgren (1759–1830),
advokatfiskal**
Johan Peter Almgren, Prosecuting Counsel
Sign: "Bolinder Pinxit 1800"
Akvarell och gouache på elfenben diam: 5,8
Ram: metall
NMB 57
PROVENIENS: 1871 Inköpt från fröken M. Bäckström, Norr-
   tälje
LITTERATUR: Carlander 1897, s. 12; Lemberger 1912, s. 83;
   Nationalmuseum 1929, s. 7; SPA Index, vol. I, 1935, s.
   14

Henrik Liljensparre (1738–1814), polismästare, ämbetsman, understårhållare

Henrik Liljensparre, Chief Constable, Civil Servant, Assistant Governor
Akvarell och gouache på elfenben diam: 6,4
Ram: metall
NMB 139
PROVENIENS: 1876 Gåva av postmästare, f.d. kapten
    Henric Liljensparre (modellens sonson)
UTSTÄLLD: Gripsholm 1992, kat.nr 31, s. 39 f.
LITTERATUR: Carlander 1897, s. 12; Lemberger
    1912, s. 83; Nationalmuseum 1929, s. 8; SPA
    Index, vol. II, 1939, s. 496

Magnus af Lehnberg (1758–1808), biskop

Magnus af Lehnberg, Bishop
Sign: "Bolinder pinxit 1804"
Akvarell och gouache på elfenben h: 7,4 oval
Ram: metall
NMB 141
PROVENIENS: 1878 Gåva av modellens sondotter änkefru
    Hilma Egges, f. af Lehnberg, Sterbhus
LITTERATUR: Carlander 1897, s. 12; Lemberger 1912, s. 83;
    Nationalmuseum 1929, s. 7; SPA Index, vol. II, 1939, s.
    47[1]

Ulrika Eleonora Säfström (1771–1857), operasångerska, skådespelerska

Ulrika Eleonora Säfström, Opera Singer, Actress
Gouache på elfenben 6,7x5,1 oval dagermått
Ram: guldinfattning, hårflätning på baksidan
NMB 201
PROVENIENS: 1887 Inköpt från fröken Kaulbars genom fröken Emma Franck
LITTERATUR: Carlander 1897, s. 12; Lemberger 1912, s. 83, 230, pl. 42; Asplund 1916, s. 91, fig. 104; Nationalmuseum 1929, s. 8; SPA Index, vol. II, 1939, s. 831; SKL, vol. I, 1952, s. 214; Cavalli-Björkman 1981, s. 135, fig. 132

Enligt en inskription på infattningens ögla är porträttet utfört år 1799. Autotypi i Johan Flodmarks *Stenborgska skådebanorna* (1893).

Friherre Gustaf Bennet (1773–1825), löjtnant, ryttmästare

Baron Gustaf Bennet, Lieutenant, Cavalry Captain
Sign: "Bolinder pinxit 1801."
Akvarell och gouache på elfenben diam: 6 dagermått
Ram: guld
NMB 228
PROVENIENS: Friherre O.H. Bennet; 1893 Gåva av grevinnan Johanna Mörner, f. Bennet (enligt framlidne friherre O.H. Bennets i livstiden uttalade önskan)
UTSTÄLLD: Stockholm vandringsutst. 1973, kat.nr 60
LITTERATUR: Lemberger 1912, s. 83; Nationalmuseum 1929, s. 7; SPA Index, vol. I, 1935, s. 58

Maria Kristina Franck (1772–1847),
g. Ruckman skådespelerska
Maria Kristina Franck, m. Ruckman, Actress
Sign: "Bolinder Pinxit 1800"
Akvarell och gouache på elfenben diam: 6,5
Ram: metall, sammet
NMB 240
PROVENIENS: 1879 Gåva av dödsboet efter fröken Maria
Ruckman, enligt hennes på miniatyrens baksida 1879
uttryckta önskan
LITTERATUR: Lemberger 1912, s. 83; Nationalmuseum
1929, s. 7; SPA Index, vol. I, 1935, s. 288

Johan Wilhelm Palmstruch (1770–1811),
ryttmästare, tecknare, gravör
Johan Wilhelm Palmstruch, Cavalry Captain,
Draughtsman, Engraver
Gouache på elfenben 5,3x4,5 oval
Ram: omonterad
NMB 250
PROVENIENS: 1897 Test. av fröken Katarina Charlotta Cru-
senstolpe
UTSTÄLLD: Stockholm 1806, kat.nr 58 ("Porträt af Ryttmäs-
taren och Ridd. Hr J. W. Palmstruch. Målat i miniatu-
re.")
LITTERATUR: SPA Index, vol. II, 1939, s. 616

Carl Urban Palmstruch (1771–1838), major
Carl Urban Palmstruch, Major
Akvarell och gouache på elfenben h: 6,8 oval
Ram: förgylld metall
NMB 252
PROVENIENS: Fredrica Palmstruch; Hedda Palmstruch;
1897 Test. av fröken Katarina Charlotta Crusenstolpe
LITTERATUR: Lemberger 1912, s. 83; Nationalmuseum
1929, s. 8; SPA Index, vol. II, 1939, s. 616

Tidigare fanns en lapp på miniatyrens baksida
med påskriften: "Palmstruchs Portrait tillhör Hed-
da Palmstruch efter min Död detta är gifvit af
egen vilja och med fullt förstånd. Fredrica Palm-
struch d. 4 junii 1845".

David Broberg (d. 1818), källarmästare

David Broberg, Restaurant-Keeper
Påskrift på lapp på bakstycket: "[...] Broberg † 1818"
Akvarell och gouache på elfenben 7,1x5,8 oval dager-
  mått
Ram: metall, a tergo motiv med hårlock samt hårflätning
NMB 325
PROVENIENS: 1908 Test. av fröken Hilda M. H. Broberg
  (modellens dotterdotter)
UTSTÄLLD: Stockholm vandringsutst. 1973, kat.nr 61
LITTERATUR: Lemberger 1912, s. 83, 230, pl. 41; National-
  museum 1929, s. 8; SPA Index, vol. I, 1935, s. 127;
  SKL, vol. I, 1952, s. 214; Schidlof 1964, s. 92; Cavalli-
  Björkman 1981, s. 135, fig. 131

Okänd man

An Unknown Man
Sign: "Bolinder P: 1802"
Akvarell och gouache på elfenben h: 6,2 oval
Ram: förgylld metall
NMB 330
PROVENIENS: 1911 Gåva av bankir Carl Adolph Webers ar-
  vingar
LITTERATUR: Nationalmuseum 1929, s. 7

Johan Petter Tidén (1763–1805), bibliotekarie, professor

Johan Petter Tidén, Librarian, Professor
Sign: "Bolinder 1795"
Akvarell och gouache på elfenben 5,3x4 oval
Ram: guld
NMB 541
PROVENIENS: 1918 Inköpt genom Semmy Josephson från
 Bukowskis auktion nr 217, kat.nr 337, pl. 15; 1927
 Gåva av konsul Hjalmar Wicander, A.K. 246
LITTERATUR: Asplund 1920, s. 87, kat.nr 185, pl. 65; Natio-
 nalmuseum 1929, s. 6; SPA Index, vol. II, 1939, s. 854;
 Olausson 1999, s. 241, avb. s. 240

Denna signerade miniatyr av Bolinder gör det
möjligt att fastställa karaktären på konstnärens ar-
beten innan hans stora förebild, italienaren Do-
menico Bossi, anlände till Sverige 1797 och helt
kom att revolutionera den förhärskande stilen
inom svenskt miniatyrmåleri. Jfr NMDs 108 och
NMDs 326.
◆

Okänd man

An Unknown Man
Sign: "Bolinder Pinxit 1800"
Akvarell och gouache på elfenben diam: 6,1
Ram: guld
NMB 542
PROVENIENS: 1921 Inköpt genom Semmy Josephson från
 Bukowskis auktion nr 231, kat.nr 579; 1927 Gåva av
 konsul Hjalmar Wicander, A.K. 569
LITTERATUR: Asplund 1929, s. 36, kat.nr 98, pl. 38; Natio-
 nalmuseum 1929, s. 6
◆

Samuel Enander (1733–1803), postmästare, protokollsekreterare

Samuel Enander, Postmaster, Recording Clerk
Sign: "Bolinder Pinxit 1800"
Akvarell och gouache på elfenben diam: 5,8
Ram: metall
NMB 543
PROVENIENS: Enanderska släkten; 1920 Inköpt från ingenjör
 Carl Robert Lamm på Näsby; 1927 Gåva av konsul
 Hjalmar Wicander, A.K. 512
UTSTÄLLD: Stockholm 1801, kat.nr 43 ("Herr Kongl. Secre-
 teraren Enander")
LITTERATUR: Carlander ms, fol. 12; Asplund 1929, s. 36,
 kat.nr 97, pl. 38; Nationalmuseum 1929, s. 6; SPA In-
 dex, vol. I, 1935, s. 244

Okänd man

An Unknown Man

Sign: "Bolinder pinxit 1800"
Akvarell och gouache på elfenben 7,5x5,8 oval
Ram: metall
NMB 544
PROVENIENS: 1916 Inköpt från H. Bukowskis konsthandel;
1927 Gåva av konsul Hjalmar Wicander, A.K. 28
UTSTÄLLD: Stockholm 1921, kat.nr 84
LITTERATUR: Asplund 1920, s. 88, kat.nr 193, pl. 68; Natio-
nalmuseum 1929, s. 7, avb. i bildbilaga

Okänd man

An Unknown Man

Sign: "Bolinder Pinxit 1802"
Akvarell och gouache på elfenben diam: 6,1
Ram: metall
NMB 545
PROVENIENS: 1927 Gåva av konsul Hjalmar Wicander, A.K.
156
LITTERATUR: Asplund 1920, s. 88, kat.nr 192, pl. 67; Natio-
nalmuseum 1929, s. 7

Okänd militär

An Unknown Military Man

Sign: "Bolinder p. 1805"
Akvarell och gouache på elfenben 4,8x4 oval
Ram: metall med blå och grön emaljdekor
NMB 546
PROVENIENS: 1917 Inköpt från H. Bukowskis konsthandel;
1927 Gåva av konsul Hjalmar Wicander, A.K. 154
UTSTÄLLD: Stockholm 1921, kat.nr 83
LITTERATUR: Asplund 1920, s. 88, kat.nr 190, pl. 65; Natio-
nalmuseum 1929, s. 7

Johan Petter Hedbom, grosshandlare och italiensk generalkonsul i Stockholm

Johan Petter Hedbom, Wholesaler and the Italian Consul-General in Stockholm

Sign: "Bolinder p. 1807"
Akvarell och gouache på elfenben h: 6,2 oval
Ram: metall
NMB 547
PROVENIENS: Häradshövding Fredrik Sundgren; 1916 Inköpt genom Semmy Josephson från Bukowskis höstauktion nr 209, kat.nr 857; 1927 Gåva av konsul Hjalmar Wicander, A.K. 73
LITTERATUR: Asplund 1920, s. 88, kat.nr 188, pl. 65; Nationalmuseum 1929, s. 7; SPA Index, vol. I, 1935, s. 365

Johan Petter Hedbom var verksam som italiensk generalkonsul i Stockholm omkring 1810.

Okänd kvinna

An Unknown Woman

Sign: "Bolinder 1807" (otydligt)
Akvarell och gouache på elfenben 5,3x4,3 oval
Ram: metall, hårlock på baksidan
NMB 548
PROVENIENS: 1917 Inköpt från H. Bukowskis konsthandel; 1927 Gåva av konsul Hjalmar Wicander, A.K. 153
UTSTÄLLD: Stockholm 1921, kat.nr 85 (?)
LITTERATUR: Asplund 1920, s. 88, kat.nr 189, pl. 65; Nationalmuseum 1929, s. 7

Greve Hans Henrik von Essen (1755–1824), fältmarskalk, riksståthållare

Count Hans Henrik von Essen, Field Marshal, Governor of the Realm

Sign: "B-r 1802"
Akvarell och gouache på elfenben diam: 5,8 dagermått
Ram: förgyllt silver
NMB 549
PROVENIENS: Familjen von Essen; 1927 Gåva av konsul Hjalmar Wicander, A.K. 704
UTSTÄLLD: Gripsholm 1992, kat.nr 30
LITTERATUR: Asplund 1929, s. 36, kat.nr 99, pl. 38; Nationalmuseum 1929, s. 7; SPA Index, vol. I, 1935, s. 251

Gustav IV Adolf (1778–1837)

King Gustav IV Adolf of Sweden

Sign: "Bolinder"

Akvarell och gouache på elfenben diam: 10,2

Ram: brons, med krona samt inskriptionen "1796"

NMB 550

PROVENIENS: Riksmarskalken Claes Adolf Fleming af Liebe-
litz, Lydinge; Gustaf Malcolm Hamilton, Hedensberg;
1915 Bukowskis auktion nr 204, kat.nr 327, avb.;
Bankkassören Fritz Ottergren; 1927 Gåva av konsul
Hjalmar Wicander, A.K. 30

UTSTÄLLD: Stockholm 1915, kat.nr 340; Stockholm 1921,
kat.nr 82; Köpenhamn 1921, kat.nr 340; Stockholm
1998–99, kat.nr 320, avb. s. 347; S:t Petersburg 1999,

kat.nr 123 (bd 3), kat.nr 97 (bd 4); Gripsholm 2000,
kat.nr 35, s. 39, avb. s. 41

LITTERATUR: Sjöberg 1905, s. 38, avb. s. 39; Asplund 1916,
s. 91, fig. 106; Asplund 1920, s. 87, kat.nr 186, pl.
66; Asplund 1923, s. 195; Nationalmuseum 1929,
s. 8; Asplund 1951, s. 566 f.; SKL, vol. I, 1952, s. 214;
Schidlof 1964, s. 920, fig. 133, pl. 76; Cavalli-
Björkman 1981, s. 135, fig. 129

Porträttet utfördes inför Gustav IV Adolfs resa till
Ryssland 1796 och hans förestående frieri till kej-
sarinnan Katarina II:s sondotter, storfurstinnan
Alexandra Pavlovna (1783–1801). Detta är förkla-
ringen till inskriptionen på ramen.   ▼

Okänd flicka

An Unknown Girl

Sign: "Bolinder"

Akvarell och gouache på elfenben diam: 6,8

Ram: metall, trä

NMB 551

PROVENIENS: 1917 Inköpt från bankir Erik O. Severins samling; 1927 Gåva av konsul Hjalmar Wicander, A.K. 166

LITTERATUR: Mörner 1916, s. 162; Asplund 1920, s. 88, kat.nr 191, pl. 67; Nationalmuseum 1929, s. 8

Hans Busck (1733–1822), kommerseråd, borgmästare i Göteborg

Hans Busck, Head of Division at the Board of Trade, Mayor of Gothenburg

Påskrif a tergo: "Måladt i dess 72^{dra} år."

Påskrif på pappersbakstycket: "Commerce Rådet Hans Busck, Handels o. Polite Borgmästare i Göteborg f. 20/7 1733 † 29/4 1822. 1805 i hans 72^{dra} år blef detta Porträtet måladt på elfenben och signeradt af miniatyrmålaren Johan Erik Bolinder (f. 1768 † 1808)"

Graverat på baksidan (otydligt): "Hans Busck Commerce Råd RVO f d Handels o Polit. Borgmästare Göteborg f[ödd] 26 Juli 1733 [död] 1822 Portr måladt 1804 [?] – Hans 72 år (af Johan Erik Bolinder på elfenben)"

Akvarell och gouache på elfenben diam: 6,4

Ram: metall

NMB 552

PROVENIENS: 1918 Inköpt från H. Bukowskis konsthandel; 1927 Gåva av konsul Hjalmar Wicander, A.K. 328

LITTERATUR: Asplund 1920, s. 87, kat.nr 187, pl. 67; Nationalmuseum 1929, s. 7; SPA Index, vol. I, 1935, s. 136

Okänd äldre man

An Unknown Elderly Man

Gouache på elfenben 6,5x5,5 oval

Ram: originalinfattning i guld

NMB 553

PROVENIENS: 1921 Inköpt från Bukowskis vårauktion; 1927 Gåva av konsul Hjalmar Wicander, A.K. 533

LITTERATUR: Nationalmuseum 1929, s. 8

NMB 553 ej avbildad.

Okänd man

An Unknown Man

Sign: "Bolinder f"

Akvarell och gouache på elfenben diam: 6

Ram: mässing

NMB 1194

PROVENIENS: 1894 Test. av C.F. Dahlgren; 1929 Omförd från NMDs 2166

LITTERATUR: Nationalmuseum 1929, s. 8

**Clara Catharina Olbers (1776–1842),
g. Lilljenwalldh**

Clara Catharina Olbers, m. Lilljenwalldh
Sign: "Bolinder pinxit 1808"
Gouache på elfenben 16,3x12,4
Ram: förgyllt trä
NMB 1283
PROVENIENS: 1888 Inköpt från Bukowskis auktion nr 48,
   kat.nr 2; 1894 Test. av C.F. Dahlgren; 1934 Omförd
   från NMDs 2200
UTSTÄLLD: Stockholm 1807, kat.nr 83 (?)
LITTERATUR: Carlander 1897, s. 12
▼

**Per Olof Nyström (1764–1830), ämbetsman,
psalmist**

Per Olof Nyström, Civil Servant, Psalmist
Sign: "Bolinder Pinxit 1803"
Akvarell och gouache på elfenben diam: 5,4 dagermått
Ram: förgylld metall
NMB 1284
PROVENIENS: 1934 Omförd från NM förråd

Okänd man

An Unknown Man

Sign: "Bolinder pxt. 1799"

Akvarell och gouache på elfenben h: 7,5 oval

Ram: trä

NMB 1450

PROVENIENS: 1942 Test. av fröken Zelma Lovisa Kjellberg

LITTERATUR: Sjöblom 1944:I, s. 147, fig. 53

Okänd man

An Unknown Man

Sign: "Bolinder 1804"

Gouache och akvarell på elfenben 6x5 oval

Ram: metall, trä

NMDs 2220

PROVENIENS: 1894 Test. av C.F. Dahlgren

Johan Axel Stedt (1756–1805), landshövding

Johan Axel Stedt, County Governor

Sign: "Bolinder Pinxit 1801"

Gouache på elfenben diam: 5,8 dagermått

Ram: guld, hårarbete som bakstycke

NMGrh 2002

PROVENIENS: 1929 Inköpt

LITTERATUR: SPA Index, vol. II, 1939, s. 791; von Malm-
borg 1951, s. 255

Modellen är son till Karolina Simzon, g. Stedt
(NMGrh 2000, Arenius. Hans art) och bror till
Nils Stedt (NMGrh 2001, A.U. Berndes).

BOLINDER, Johan Erik. Tillskriven
SÖDERHAMN 1768–1808 STOCKHOLM

Okänd kvinna
An Unknown Woman
Akvarell och gouache på elfenben 3,5x2,3 oktagonal
Ram: silver
NMB 455
PROVENIENS: 1894 Test. av C.F. Dahlgren; 1922 Omförd
   från NMDs 2191
LITTERATUR: Nationalmuseum 1929, s. 78

Okänd man
An Unknown Man
Akvarell och gouache på elfenben h: 6,7 oval
Ram: metall
NMDs 108
PROVENIENS: 1894 Test. av C.F. Dahlgren
LITTERATUR: Olausson 1999, s. 241, not 4

Attributionen av denna miniatyr bygger, i likhet
med NMDs 326, på en teknisk och stilistisk jämfö-
relse med det av Bolinder signerade och daterade
porträttet föreställande bibliotekarien och profes-
sorn Tidén (NMB 541).

Okänd sjöofficer
An Unknown Naval Officer
A tergo: minnesbild, monument med tavla "Souvenir
   Eternel", monogram "GL" på sköld med hårflätning
Gouache och akvarell på elfenben 5,8x4,5 oval
Ram: guld
NMDs 124
PROVENIENS: 1894 Test. av C.F. Dahlgren

Okänd officer
An Unknown Officer
Gouache på elfenben h: 5,7 oval
Ram: trä
NMDs 326
PROVENIENS: 1894 Test. av C.F. Dahlgren
LITTERATUR: Olausson 1999, s. 241, not 4, avb.

Okänd man
An Unknown Man
Gouache på elfenben 6,6x5,3 oval
Ram: brun pastellage med mässingslist
NMDs 2093
PROVENIENS: 1894 Test. av C.F. Dahlgren

Okänd man
An Unknown Man
Akvarell och gouache på elfenben 6,1x4,6
Ram: metall
NMDs 2154
PROVENIENS: 1894 Test. av C.F. Dahlgren

BOMAN, Lars Henning. Tillskriven
1720-TALET– DÖD EFTER 1789

Karl XII (1682–1718)
King Karl XII of Sweden
Olja på trä 17x11,5
Ram: guld
NMGrh 2632
PROVENIENS: 1894 Test. av C.F. Dahlgren; 1958 Omförd
från NMDso 404

Jfr Bukowskis höstauktion, Stockholm 1999,
kat.nr 351.
▼

BREDENBERG, S.
VERKSAM EFTER 1850

Landskap
Landscape
Sign: "S. Bredenberg"
Olja på porslin diam:
10,3
Ram: förgylld och
ornerad metall
NMDso 493
PROVENIENS: 1894 Test. av
C.F. Dahlgren

BREMER, Fredrika

TUORLA, FINLAND 1801–1865
ÅRSTA

Fröken Fredrika Gustava Poppius (1812–1888)

Miss Fredrika Gustava Poppius
Sign: "F B"
Akvarell och gouache på elfenben h: 9,5
oval
Ram: metall
NMB 301
PROVENIENS: 1905 Test. av friherrinnan Elisa-
beth Berzelius, f. Poppius, och hennes
framlidna syster Fredrika Poppius
UTSTÄLLD: Stockholm vandringsutst. 1973,
kat.nr 84
LITTERATUR: Lemberger 1912, s. 98; National-
museum 1929, s. 8; SPA Index, vol. II,
1939, s. 638; Schidlof 1964, s. 108, 925,
fig. 166, pl. 94; Cavalli-Björkman 1981, s.
149, fig. 152

BRENNER, Elias

STORKYRO, FINLAND 1647–1717
STOCKHOLM

Hartwick Losck (1655–1725), bryggare

Hartwick Losck, Brewer
Graverat på baksidan: "Hartwick Losck […]
af måhlat: af EL Brenner: 1711"
Akvarell och gouache på pergament
3,4x2,8 oval dagermått
Ram: metallinfattning
NMB 242
PROVENIENS: 1896 Gåva av apotekaren E.R.
Ringströms dödsbo genom apotekaren
J. Drake, Nora (enl. uppgift av C.M.
Carlander)
LITTERATUR: Carlander 1897, s. 115; National-
museum 1929, s. 9; SPA Index, vol. II,
1939, s. 520

Susanna Elisabeth Brenner (1677–1700), g. Gyllenhöök, konstnärens dotter

Susanna Elisabeth Brenner, m. Gyllenhöök, the Artist's Daughter

Sign. i emaljen a tergo: "Hanc filiæ Suæ natú maximæ Susannæ Elis.æ effigiem ad viv. pinx. Elias Brenner Stockh. à 1700."

Akvarell och gouache på pergament 2,7x2,2 oval dagermått

Ram: guld, emalj, fasettslipat glas

NMB 337

PROVENIENS: 1911 Gåva av Carl Adolph Webers arvingar

LITTERATUR: Lemberger 1912, s. 23, 221, pl. 7 (a); Stenbock 1914, s. 120; Nationalmuseum 1929, s. 8; SPA Index, vol. I, 1935, s. 125; von Malmborg 1947, avb. s. 284; Schidlof 1964, s. 109; von Malmborg 1978, s. 101, fig. 11

Elias Brenners andra hustru hette Sofia Elisabeth Weber (1659–1730). Porträttet av konstnärens dotter har förmodligen gått i arv inom familjen Weber innan det skänktes till Nationalmuseum.

◆

Karl XI (1655–1697). Ofullbordad

King Karl XI of Sweden. Uncompleted

Akvarell och gouache på pergament 3x2,7 oval dagermått

Ram: metall

NMB 344

PROVENIENS: 1913 Gåva av bokförläggare Carl Johan Fahlcrantz

LITTERATUR: Aspelin 1896, s. 181 (?); Nationalmuseum 1929, s. 9; SPA Index, vol. III, 1943, s. 312 (K XI:12b); von Malmborg 1947, s. 281

Med tanke på att donatorns familj härstammade från Elias Brenner torde denna miniatyr ha gått i arv direkt från konstnären. Enligt Brenners biograf Aspelin fanns tidigare en numera försvunnen påskrift på baksidan: "[M]aladt [E]lias Bren[er]".

Okänd man

An Unknown Man

Akvarell och gouache på pergament h: 3 oval

Ram: metall

NMB 554

PROVENIENS: 1926 Inköpt från Carl Ulrik Palms samling;
1927 Gåva av konsul Hjalmar Wicander, A.K. 707

LITTERATUR: Asplund 1929, s. 8, kat.nr 6; Nationalmuseum
1929, s. 9; Cavalli-Björkman 1981, fig. 34

Okänd man

An Unknown Man

Akvarell och gouache på pergament 2,6x2,2 oval

Ram: förgylld silverkapsel

NMB 555

PROVENIENS: 1924 Inköpt från herr Röll genom herr C.A.
Rydén; 1927 Gåva av konsul Hjalmar Wicander, A.K.
644

LITTERATUR: Asplund 1929, s. 9, kat.nr 10, pl. 6; National-
museum 1929, s. 9

Okänd man

An Unknown Man

Akvarell och gouache på pergament 2,6x2,2 oval

Ram: silverdosa med innerlock av filigran, fasettslipat
glas

NMB 558

PROVENIENS: 1920 Inköpt från bankkassör Fritz Ottergrens
samling; 1927 Gåva av konsul Hjalmar Wicander, A.K.
432

UTSTÄLLD: Stockholm 1915, kat.nr 16

LITTERATUR: Asplund 1929, s. 8, kat.nr 5; Nationalmuseum
1929, s. 9

Självporträtt

Self-Portrait

Sign: "EL. BRENNER. REG. COLL. ANT.M ASS.R
A se ipso depictus Stockholmiæ. 1696."

Penna och grått bläck, lavering i grått 12x9,3

Ram: trä

NMB 559

PROVENIENS: 1918 Inköpt från prostinnan M. Björck,
Ulricehamn (härstammade i rakt nedstigande led
från Brenner); 1927 Gåva av konsul Hjalmar
Wicander, A.K. 264

UTSTÄLLD: Stockholm 1915, kat.nr 12; Stockholm
1921, kat.nr 5; Stockholm 1987, kat.nr 39, avb. s.
59

LITTERATUR: Asplund 1916, s. 60, fig. 37; Asplund
1920, s. 27, kat.nr 8, pl. 4; Nationalmuseum
1929, s. 9; Uggla 1929, s. 56; Meinander 1931, s.
289; SPA Index, vol. I, 1935, s. 125; von Malm-
borg 1947, s. 283, avb. s. 275; Asplund 1951, s.
567; von Malmborg 1952, s. 242, avb.; Schidlof
1964, s. 109; Cavalli-Björkman 1981, fig. 38

▼

Georg Heinrich von Görtz (1668–1719), friherre von Schlitz, holsteinsk statsman och Karl XII:s rådgivare

*Georg Heinrich von Görtz, Baron von Schlitz, Statesman
of Holstein and Adviser to King Karl XII of Sweden*

Akvarell och gouache på pergament 4,1x3,3 oval

Ram: förgyllt silver med röda stenar

NMB 560

PROVENIENS: 1918 Inköpt från Carl Ulrik Palms samling;
1927 Gåva av konsul Hjalmar Wicander, A.K. 245

UTSTÄLLD: Stockholm vandringsutst. 1973, kat.nr 21;
Stockholm 1998–99: II, kat.nr 339

LITTERATUR: Asplund 1916, s. 60 (attribuerad till "anonym
mästare à la Brenner"); Asplund 1920, s. 29, kat.nr 17,
pl. 5; Nationalmuseum 1929, s. 10; SPA Index, vol. I,
1935, s. 343

Greve Jacob Ludvig von Saltza (1685–1763)
Count Jacob Ludvig von Saltza
Akvarell och gouache på pergament h: 2,4 oval
Ram: graverad originalkapsel
NMB 562
PROVENIENS: 1918 Bukowskis; 1927 Gåva av konsul Hjal-
  mar Wicander, A.K. 228
LITTERATUR: Asplund 1920, s. 28, kat.nr 9, pl. 7; National-
  museum 1929, s. 9; SPA Index, vol. II, 1939, s. 715

Okänd militär
An Unknown Military Man
Akvarell och gouache på pergament 2,9x2,5 oval
Ram: metallkapsel med graverat spegelmonogram "A L"
  under adlig krona, fasettslipat glas
NMB 563
PROVENIENS: 1927 Gåva av konsul Hjalmar Wicander, A.K.
  184
UTSTÄLLD: Stockholm 1921, kat.nr 6
LITTERATUR: Mörner 1916, s. 160, avb. s. 161 (attribuerad
  till Eric Utterhielm); Asplund 1920, s. 28, kat.nr 10, pl.
  5; Nationalmuseum 1929, s. 9

Okänd man
An Unknown Man
Akvarell och gouache på pergament 2,9x2,3 oval
Ram: metall
NMB 565
PROVENIENS: 1916 Inköpt från Carl Ulrik Palms samling;
  1927 Gåva av konsul Hjalmar Wicander, A.K. 105
UTSTÄLLD: Stockholm 1915, kat.nr 18; Stockholm 1921,
  kat.nr 7
LITTERATUR: Asplund 1920, s. 28, kat.nr 11, pl. 5; National-
  museum 1929, s. 9

Okänd man
An Unknown Man
Akvarell och gouache på pergament 3,2x2,6 oval
Ram: metallinfattning
NMB 566
PROVENIENS: 1916 Inköpt från Carl Ulrik Palms samling;
1927 Gåva av konsul Hjalmar Wicander, A.K. 104
UTSTÄLLD: Stockholm 1915, kat.nr 15; Stockholm 1921,
kat.nr 8
LITTERATUR: Asplund 1916, s. 60, fig. 39; Asplund 1920, s.
28, kat.nr 12, pl. 1; Nationalmuseum 1929, s. 9

Okänd militär
An Unknown Military Man
Akvarell och gouache på pergament 3x2,2 oval
Ram: originalkapsel med flätad metalltråd
NMB 568
PROVENIENS: Häradshövding Fredrik Sundgrens samling;
1916 Inköpt genom Semmy Josephson från Bukowskis
höstauktion nr 209, kat.nr 858; 1927 Gåva av konsul
Hjalmar Wicander, A.K. 68
UTSTÄLLD: Stockholm 1921, kat.nr 9
LITTERATUR: Asplund 1920, s. 28, kat.nr 13, pl. 5; National-
museum 1929, s. 9

Okänd officer
An Unknown Officer
Akvarell och gouache på pergament 2,8x2,2 oval
Ram: metallinfattning
NMB 569
PROVENIENS: 1916 Inköpt från Carl Ulrik Palms samling;
1927 Gåva av konsul Hjalmar Wicander, A.K. 106
LITTERATUR: Asplund 1920, s. 29, kat.nr 20, pl. 6; National-
museum 1929, s. 10

Okänd man

An Unknown Man

Akvarell och gouache på pergament 3,2x2,8 oval

Ram: förgylld silverkapsel

NMB 570

PROVENIENS: 1924 Inköpt från herr Röll genom herr C.A. Rydén; 1927 Gåva av konsul Hjalmar Wicander, A.K. 642

LITTERATUR: Asplund 1916, s. 60, fig. 40 (attribuerad till "anonym mästare à la Brenner"); Asplund 1929, s. 8 f., kat.nr 8; Nationalmuseum 1929, s. 9

Modellen har tidigare kallats Nicodemus Tessin d.y.

Okänd man

An Unknown Man

Akvarell och gouache på pergament 3,3x2,6 oval

Ram: metall

NMB 573

PROVENIENS: 1920 Inköpt från ingenjör Carl Robert Lamm på Näsby; 1927 Gåva av konsul Hjalmar Wicander, A.K. 558

LITTERATUR: Asplund 1929, s. 8, kat.nr 7; Nationalmuseum 1929, s. 10

Grevinnan Maria Aurora von Königsmarck (1662–1728), konstnär

Countess Maria Aurora von Königsmarck, Artist

Påskrift på bakstycket: "Portrait af Aurora Königsmark 50"

Akvarell och gouache på pergament h: 3,6 oval

Ram: metall

NMB 753

PROVENIENS: Brukspatron Knut Michaelsson; 1916 Inköpt genom Semmy Josephson från Bukowskis auktion nr 209, kat.nr 591 (?); 1927 Gåva av konsul Hjalmar Wicander, A.K. 80

UTSTÄLLD: Stockholm 1921, kat.nr 17

LITTERATUR: Asplund 1920, s. 35, kat.nr 38, pl. 12; Nationalmuseum 1929, s. 33; Nisser 1932, s. 288

Allegori över Karl XI

Allegory of King Karl XI of Sweden
Påskrift: "NESCIT OCCASUM"
Akvarell och gouache på pergament
  12,5x9,5
Ram: ciselerad brons
NMB 811
PROVENIENS: Hovrättssekreteraren A. Durlings
  samling; 1921 Inköpt från A.-B. Bukow-
  skis konsthandel; 1927 Gåva av konsul
  Hjalmar Wicander, A.K. 447
UTSTÄLLD: Stockholm 1915, kat.nr 33; Stock-
  holm vandringsutst. 1973, kat.nr 22;
  Stockholm 1981:II, kat.nr 36
LITTERATUR: Asplund 1929, s. 9, kat.nr 11;
  Nationalmuseum 1929, s. 10; Cavalli-
  Björkman 1981, s. 56, fig. 37

Påskriften är Nordstjärnenordens
devis och kan översättas "Den stjärnan
går aldrig ned".
  ▼

Karl XI (1655–1697)

King Karl XI of Sweden
Graverat på baksidan: "Carolus XI:us. Rex Sveciae. 1697
  Elias Brenner pinxit"
Akvarell och gouache på pergament   h: 4,8 oval
Ram: guldkapsel
NMB 2124
PROVENIENS: 1978 Överförd från SKS 589
UTSTÄLLD: Stockholm 1930, kat.nr 589
LITTERATUR: Aspelin 1896, s. 49, 181, avb. mot s. 48; Car-
  lander 1897, s. 17 (?); SPA Index, vol. III, 1943, s. 312
  (K XI:12b); Cavalli-Björkman 1981, s. 53, fig. 40

Karl (XII) (1682–1718) vid 4 års ålder

King Karl (XII) of Sweden at the Age of Four
Graverad sign. på baksidan: "Carolus, Sveciae Princ. haeredit. ac Postmodum Rex illo nomine duodecim[us]
ab Elias Brennero pictus"
Akvarell och gouache på pergament h: 2,3 oval
Ram: guldkapsel
NMB 2125
PROVENIENS: Drottningholms slott; 1978 Överförd från
SKS 597
UTSTÄLLD: Stockholm 1930, kat.nr 597
LITTERATUR: SPA Index, vol. III, 1943, s. 379 (KXII:3)

Karl (XII) (1682–1718) som kronprins

Karl (XII) as Crown Prince of Sweden
Graverat på baksidan: "CP"
Akvarell och gouache på pergament h: 2,9 oval
Ram: guldkapsel med genomdragsbyglar på baksidan
NMB 2126
PROVENIENS: 1978 Överförd från SKS 599
UTSTÄLLD: Stockholm 1930, kat.nr 599
LITTERATUR: SPA Index, vol. III, 1943, s. 379 (KXII:6b)

Greve Anders Leijonstedt (1649–1725), riksråd, vitterhetsidkare

Count Anders Leijonstedt, Councillor of the Realm,
Man of Letters
Graverat a tergo: "Anders. Leijonstedt. Comes el S: R: S"
Gouache på Pergament (?) 2,8x2,3 oval
Ram: guldkapsel
NMB 2127
PROVENIENS: 1978 Överförd från SKS 664
UTSTÄLLD: Stockholm 1930, kat.nr 664
LITTERATUR: Aspelin 1896, s. 53, 183, avb. mot s. 52 (?);
SPA Index, vol. II, 1939, s. 477

Karl XII (1682–1718)

King Karl XII of Sweden
Akvarell och gouache på pergament (?) 1,8x1,6 oval
  dagermått
Ram: guldmedaljong, på baksidan hår samt krönt spegel-
  monogram i guld under glas
NMB 2151
PROVENIENS: Drottningholms slott; 1978 Överförd från SKS
  601
UTSTÄLLD: Stockholm 1930, kat.nr 601
LITTERATUR: SPA Index, vol. III, 1943, s. 380 (KXII:13c)

Självporträtt

Self-Portrait
Graverad sign. på baksidan "Elias Brenner juvenis. a
  semetipso pictus"
Silverstift och akvarell på pergament (?) 4,2x3,3 oval
Ram: metall, fasettslipat glas
NMB 2236
PROVENIENS: 1978 Överförd från RS 5710
UTSTÄLLD: Stockholm vandringsutst. 1973, kat.nr 17, avb.;
  Stockholm 1981:II, kat.nr 12
LITTERATUR: Aspelin 1896, s. 52, 182, avb. mot titelsidan;
  Levertin 1899, s. VIII; Asplund 1916, s. 60 ("själfpor-
  trätt i grisaille"); Meinander 1931, s. 289; SPA Index,
  vol. I, 1935, s. 125; von Malmborg 1947, s. 283; Asp-
  lund 1958, s. 20, fig. 8 (uppges felaktigt vara i Sine-
  brychoffs ägo); von Malmborg 1978, s. 101, fig. 8;
  Cavalli-Björkman 1981, s. 53, 83, fig. 31

Johan Vilhelm (1658–1716), kurfurste av Pfalz-Neuburg, förmodat porträtt

*Portrait presumed to be Johan Vilhelm, Elector Palatine
of Neuburg*
Akvarell och gouache på pergament 3,2x2,7 oval
Ram: förgyllt silver, fasettslipat glas
NMB 2338
PROVENIENS: 1990 Inköpt från Christie's auktion i mars,
  kat.nr 70

Jfr porträtt föreställande Johan Vilhelm i Bayeri-
sches Nationalmuseum (inv.nr R. 4056, möjligen
av Charles Boit) samt i prinsens av Hessen sam-
ling, Schloss Fasanerie, Eichenzell (nr I. 3, okänd
konstnär).

Okänd man

An Unknown Man

Akvarell på pergament h: 2,7 oval
Ram: omonterad (endast täckglas)
NMDs 24
PROVENIENS: Generaldirektören G. Fr. Almquist (?); 1887
Inköpt från Bukowskis auktion nr 32, kat.nr 9 (?);
1894 Test. av C.F. Dahlgren

Okänd kvinna

An Unknown Woman

Akvarell på pergament h: 3 oval
Ram: förgylld mässing
NMDs 25
PROVENIENS: 1894 Test. av C.F. Dahlgren

Okänd man

An Unknown Man

Akvarell på pergament h: 2,5 oval
Ram: metallinfattning, emaljerad baksida
NMDs 56
PROVENIENS: 1894 Test. av C.F. Dahlgren

Okänd kvinna

An Unknown Woman
Gouache och akvarell på papper 2,2×2 oval
Ram: omonterad
NMDs 2263
PROVENIENS: 1894 Test. av C.F. Dahlgren

Okänd man

An Unknown Man
Akvarell och gouache på pergament h: 2,4 oval
Ram: metallinfattning
NMDs 2271
PROVENIENS: 1894 Test. av C.F. Dahlgren

Okänd man

An Unknown Man
Gouache på papper 2,2×1,7 oval
Ram: omonterad
NMDs 2497
PROVENIENS: 1894 Test. av C.F. Dahlgren

Okänd man
An Unknown Man
Gouache på elfenben 2,3x2 oval
Ram: metall, glasinfattning
NMDs 2638
PROVENIENS: 1894 Test. av C.F. Dahlgren; 2000 Omförd
från NMDs s.n.

BRENNER, Elias. Tillskriven
STORKYRO, FINLAND 1647–1717 STOCKHOLM

Okänd man
An Unknown Man
Akvarell och gouache på? h: 3,3 oval
Ram: metallinfattning
NMB 125
PROVENIENS: 1876 Inköpt från konsthandlare Henryk Bu-
kowski
LITTERATUR: Carlander 1897, s. 89; Lemberger 1912, s. 30
f.; Nationalmuseum 1929, s. 39

Okänd kvinna
An Unknown Woman
Akvarell och gouache på pergament 2,5x2 oval
Ram: metallinfattning
NMB 572
PROVENIENS: 1920 Inköpt; 1927 Gåva av konsul Hjalmar
Wicander, A.K. 140
UTSTÄLLD: Stockholm 1915, kat.nr 44
LITTERATUR: Asplund 1920, s. 29, kat.nr 18, pl. 6; National-
museum 1929, s. 10

Herr von Stahrensee

Mr von Stahrensee
Påskrift på bakstycket: "v. Stahrensee."
Akvarell och gouache på pergament h: 2 oval
Ram: förgylld mässing
NMDs 55
PROVENIENS: 1894 Test. av C.F. Dahlgren

Okänd man

An Unknown Man
Gouache och akvarell på papper 2,5x2,1 oval
Ram: omonterad
NMDs 2260
PROVENIENS: 1894 Test. av C.F. Dahlgren

BRENNER, Elias. Hans skola

STORKYRO, FINLAND 1647–1717 STOCKHOLM

Okänd man i rustning

An Unknown Man in Armour
Akvarell och gouache på pergament 3,8x3 oval
Ram: silverinfattning
NMB 1150
PROVENIENS: 1924 Inköpt från herr Röll genom C.A. Ry-
din; 1927 Gåva av konsul Hjalmar Wicander, A.K. 643

BRENNER, Elias. Hans art

STORKYRO, FINLAND 1647–1717 STOCKHOLM

Okänd man
An Unknown Man
Akvarell och gouache på pergament 3x2,5 oval
Ram: förgylld silverkapsel
NMB 556
PROVENIENS: 1923 Inköpt genom Semmy Josephson från
Bukowskis auktion nr 244, kat.nr 498 1/2; 1927 Gåva
av konsul Hjalmar Wicander, A.K. 602
LITTERATUR: Asplund 1929, s. 9, kat.nr 9; Nationalmuseum
1929, s. 9; Cavalli-Björkman 1981, s. 53, fig. 36

Okänd militär
An Unknown Military Man
Emalj 2,9x2,3 oval
Ram: mässing
NMB 575
PROVENIENS: 1918 Inköpt från Carl Ulrik Palms samling;
1927 Gåva av konsul Hjalmar Wicander, A.K. 233
LITTERATUR: Asplund 1920, s. 29, kat.nr 23, pl. 5; National-
museum 1929, s. 10; Schidlof 1964, s. 109

Okänd militär
An Unknown Military Man
Akvarell och gouache på papper 2,8x2,3 oval
Ram: silver, fasettslipat glas
NMB 577
PROVENIENS: Etatsrådet Emil Glückstadt; 1924 Inköpt från
Glückstadtska februariauktionen, Köpenhamn, kat.nr
583; 1927 Gåva av konsul Hjalmar Wicander, A.K. 632
LITTERATUR: Nationalmuseum 1929, s. 10

BROCKMAN, Gudrun
SKÖLDINGE 1898–

Albert Nestor Cedergren (1849–1921), jägmästare
Albert Nestor Cedergren, Forester
Sign: "Gudrun Brockman 1928"
Påskrift: "Albert Nestor Cedergren Jägmästare F
  1849"
Gouache på elfenben 9,2x7,3 dagermått
Ram: etui
NMGrh 3572
PROVENIENS: 1976 Gåva av grevinnan Wiwan Mörners
  dödsbo

Okänd kvinna
An Unknown Woman
Sign: "Gudrun Brockman."
Gouache på elfenben 5,5x4 oval dagermått
Ram: förgyllt trä
NMHpd 30
PROVENIENS: Konsul Hjalmar Wicander; 1953 Test. av Carl
  August Wicander

CARLSON, F.
OKÄNDA LEVNADSDATA

Anders Hansson Kallenberg (1834–1902), djurmålare
Anders Hansson Kallenberg, Animal Painter
Sign: "FC"
Sign. a tergo: "F. Carlson pinx. 1887"
Olja på trä 12,4x8,4
Ram: förgyllt trä
NMDso 438
PROVENIENS: 1894 Test. av C.F. Dahlgren
▼

CASSELLE, Herman
TROL. STRALSUND 1771–1813 STOCK-
HOLM ELLER JÖNKÖPING

Okänd kvinna
An Unknown Woman
Gouache på elfenben 4,1x3,7 oval dagermått
Ram: pastellage, mässingslist
NMB 464
PROVENIENS: 1923 Test. av fru Fanny Lönnerberg, f.
  Brändström
UTSTÄLLD: Stockholm 1981:II, kat.nr 31
LITTERATUR: Cavalli-Björkman 1981, s. 147, fig. 148

Den f.d. officeren och spelkortsfabrikören
Herman Casselle, som kom från Svenska
Pommern, arbetade i tyskt punktmanér. Trots
att de flesta av hans arbeten inte är signerade
är de ändå lätta att känna igen på grund av
sin torra och repetitiva karaktär, i de flesta fall
profilporträtt som påminner om fysionotrace-
tekniken.

Okänd man

An Unknown Man

Sign: "H. Casselle"
Gouache på elfenben 5,5x4,4 oval dagermått
Ram: mässing
NMB 884
PROVENIENS: 1923 Inköpt från Carl Ulrik Palms samling;
1927 Gåva av konsul Hjalmar Wicander, A.K. 598
LITTERATUR: Asplund 1929, s. 39, kat.nr 112, pl. 42; Natio-
nalmuseum 1929, s. 10; SKL, vol. I, 1952, s. 290;
Schidlof 1964, s. 133

Okänd man

An Unknown Man

På reversen damporträtt i svart silhuett på guldgrund
Gouache på elfenben 4x3,4 oval
Ram: guld
NMB 885
PROVENIENS: 1919 Inköpt från H. Bukowskis konsthandel;
1927 Gåva av konsul Hjalmar Wicander, A.K. 345
UTSTÄLLD: Stockholm 1921, kat.nr 91 (attribuerad till
Johan Magnus Härstedt)
LITTERATUR: Asplund 1920, s. 96, kat.nr 221, pl. 42; Natio-
nalmuseum 1929, s. 23; SKL, vol. III, 1957, s. 220;
Schidlof 1964, s. 325

Okänd kvinna

An Unknown Woman

Sign: "H: Casselle 1805"
På reversen monogram: "IMH"
Gouache på elfenben 4,8x3,8 oval
Ram: guld
NMB 1802
PROVENIENS: 1894 Test. av C.F. Dahlgren; 1960 Omförd
från NMDs 1710
◆

Okänd kvinna
An Unknown Woman
Gouache på elfenben h: 3,8 oval
Ram: metallamulett
NMDs 178
PROVENIENS: 1894 Test. av C.F. Dahlgren

Okänd man
An Unknown Man
Gouache på elfenben 6,1x4,6 oval
Ram: trä, metallist
NMDs 499
PROVENIENS: 1894 Test. av C.F. Dahlgren

Okänd kvinna
An Unknown Woman
Pendang till NMDs 958
3,8x2,9 oktagonal
Ram: metall, kupigt glas
NMDs 957
PROVENIENS: 1894 Test. av C.F. Dahlgren

Okänd kvinna
An Unknown Woman
Pendang till NMDs 957
3,7x2,9 oval
Ram: kupigt glas
NMDs 958
PROVENIENS: 1894 Test. av C.F. Dahlgren

NMDs 958 ej avbildad.

Okänd kvinna

An Unknown Woman
Oval
Ram: metall
NMDs 959
PROVENIENS: 1894 Test. av C.F. Dahlgren

Okänd man

An Unknown Man
Gouache på elfenben diam: 6
Ram: trä
NMDs 1057
PROVENIENS: 1894 Test. av C.F. Dahlgren
LITTERATUR: Olausson 1999, s. 242, not 7

Okänd man

An Unknown Man
Gouache på elfenben 4x3,3 oval
Ram: metall
NMDs 1077
PROVENIENS: 1894 Test. av C.F. Dahlgren

Okänd präst
An Unknown Clergyman
Gouache på elfenben 4,3×3,4 oval
Ram: omonterad
NMDs 1095
PROVENIENS: 1894 Test. av C.F. Dahlgren

Okänd man
An Unknown Man
Gouache på elfenben 3,2×2,6 oval
Ram: mässing
NMDs 1132
PROVENIENS: 1894 Test. av C.F. Dahlgren

Okänd man
An Unknown Man
Gouache på elfenben diam: 6
Ram: mässing
NMDs 1306
PROVENIENS: 1894 Test. av C.F. Dahlgren
LITTERATUR: Olausson 1999, s. 242, not 7, avb.

Okänd man

An Unknown Man
Akvarell och gouache på papper 4,2x3,4 oval
Ram: metall
NMDs 1307
PROVENIENS: 1894 Test. av C.F. Dahlgren

Okänd man

An Unknown Man
Akvarell och gouache på elfenben 5,8x5,2 oval
Ram: metall
NMDs 1502
PROVENIENS: 1894 Test. av C.F. Dahlgren

Okänd man

An Unknown Man
Påskrift a tergo: "Aftagen vid dess 27 års ålder"
Gouache och akvarell på elfenben 6,8x5,2 oval
Ram: trä, metallist
NMDs 2098
PROVENIENS: 1894 Test. av C.F. Dahlgren

167   CASSELLE

Vänskapsaltare

Altar of Friendship

Påskrift: "Trohet och Beständighet"
Akvarell och gouache på elfenben 7x5,2 oval
Ram: trä, metallist
NMDsä 169
PROVENIENS: 1894 Test. av C.F. Dahlgren

Anna Maria Malmstedt (1754–1817), g. Lenngren, författare

Anna Maria Malmstedt, m. Lenngren, Author

A tergo: scen ur Tassos *La Gerusalemme Liberata*
Gouache på elfenben 6,2x4,7 oval dagermått
Ram: guld
NMGrh 2426
PROVENIENS: Anna Maria Lenngren; Hedvig Charlotta
    Lenngren; Maria Charlotta Åhlström, g. af Lehnberg;
    1830 Hilma af Lehnberg, g. Egge; 1878 Inköpt från
    Hilma Egges sterbhus; 1952 Omförd från NMB 145
UTSTÄLLD: Stockholm 1993–94
LITTERATUR: Carlander 1897, s. 120 (upphovsmannen kal-
    lad okänd svensk konstnär); Stockholm 1915, s. 32;
    Asplund 1916, s. 82; Asplund 1920, s. 96; Asplund
    1929, s. 39; SPA Index, vol. II, 1939, s. 537; Olausson
    1999, avb. s. 241

Det framgår av nämndhandlingarna i samband
med Nationalmusei inköp att figurscenen på por-
trättets baksida återger en episod ur Tassos drama
La Gerusalemme Liberata. Detta epos blev mycket
populärt i Sverige under Gustav III:s tid. Kungen
själv byggde handlingen i sitt karusellspel *L'Entre-
prise de la Forêt Enchantée* (1785) på Tassos arbete.
Huruvida Anna Maria Lenngren varit involverad i
översättningsarbetet eller inte har emellertid inte
kunnat bekräftas.

**Lorens Åström (död efter 1824), källarmästare
i Stockholm**

Lorens Åström, Restaurant Keeper in Stockholm
Påskrift a tergo med blyerts: "Källarmästar Åström"
Gouache på elfenben 5,5x4,3 oval
Ram: läderklätt trä, förgylld passepartout
NMGrh 2940
PROVENIENS: 1894 Test. av C.F. Dahlgren; 1962 Omförd
    från NMDs 1084
LITTERATUR: von Malmborg 1968, s. 74; Olausson 1999, s.
    242, avb. s. 241

CEDERSTRÖM, Minna (Maria),
f. Poppius
STOCKHOLM 1883–1984 ROM

Blomsterflickan
The Flower Girl
Sign: "Minna Cederström"
Akvarell på elfenben diam: 10
Ram: ciselerad mässing
NMB 2289
PROVENIENS: 1983 Gåva av konstnären
UTSTÄLLD: Stockholm 1935, kat.nr 30;
    Karlskrona 1938; Malmö 1938 (?)

CRONHIORT, Carl Gustaf
KALMAR 1694–1777 KLÄCKEBERGA

Okänd kvinna
An Unknown Woman
Sign: "C G- Cronhiort"
Akvarell och gouache på pergament 4,1x3,3 oval
Ram: metall
NMB 578
PROVENIENS: 1917 Inköpt från bankir Erik O. Severins sam-
    ling; 1927 Gåva av konsul Hjalmar Wicander, A.K. 163
LITTERATUR: Asplund 1916, s. 67, fig. 51; Mörner 1916, s.
    160; Asplund 1920, s. 41, kat.nr 56, pl. 16; National-
    museum 1929, s. 11; Schidlof 1964, s. 173

Den avbildade har tidigare kallats drottning Ulri-
ka Eleonora d.y.

**Lantgreve Vilhelm VII (1682–1760) av
Hessen-Kassel**
Landgrave Vilhelm VII of Hesse-Cassel
Graverat på baksidan: "Wilhelm Printz zu Hessen Cassel
    des Land graf Caroli 1. Sechster Sohn. fecit. Carl Gus-
    taf Cronhiort 1720."
Akvarell och gouache på elfenben (?) 3,6x3 oval
Ram: metallkapsel, fasettslipat glas
NMB 2128
PROVENIENS: Drottningholms slott;1978 Överförd från
    SKS 587
LITTERATUR: Lemberger 1912, s. 51

Fredrik I (1676–1751)

King Fredrik I of Sweden

Sign: "C G Cronhiort. Fecit Ao 1724."

Påskrift a tergo: "Friedericuss Rex Suetiae Prince Aette
   edica […] Hessen Cassel, Lantgraff Carls arf […]"

Gouache på pergament 22,9×14,3

Ram: förgyllt trä

NMGrh 2419

PROVENIENS: 1952 Omförd från NMB 34

LITTERATUR: Carlander 1897, s. 20; Levertin 1899, s. 9 (?);
   Lemberger 1912, s. 51; Asplund 1916, s. 67, not 6;
   Nationalmuseum 1929, s. 10; SKL, vol. I, 1952,
   s. 323; Schidlof 1964, s. 173; von Malmborg 1978,
   s. 147, avb. s. 148

▼

Drottning Ulrika Eleonora d.y. (1688–1741)

Queen Ulrika Eleonora the Younger of Sweden

Sign: "C.G. Cronhiort fecit Ao 1724."

Påskrift a tergo: "Drot. Ulrica. Eleonorha. Kung. Carl.
   den XI. Siuente. Barn, och andra Dåtter."

Gouache på pergament 22,7×14,3

Ram: förgyllt trä

NMGrh 2420

PROVENIENS: 1952 Omförd från NMB 35

LITTERATUR: Carlander 1897, s. 20; Levertin 1899, s. 9 (?);
   Lemberger 1912, s. 51, pl. 14; Asplund 1916, s. 67,
   not 6; Nationalmuseum 1929, s. 11; SKL, vol. I, 1952,
   s. 323; Schidlof 1964, s. 173, 937, fig. 267, pl. 143;
   von Malmborg 1978, s. 147

▼

CUMLIEN, Johan Peter
STOCKHOLM 1764–1820 STOCKHOLM

Två miniatyrer av bergshantering
Two Miniatures of Mining
Penna, bläck, lavering i grått, akvarell på papper
 diam: 7,2
Ram: elfenbensdosa
NMK BS 2654
PROVENIENS: 1877 Gåva av greve Axel Bielke
UTSTÄLLD: Stockholm 1990–91, kat.nr 223

Tillskrivningen av de bägge motiven hämtade
från svensk bergshantering bygger på en jäm-
förelse med identiska och tillika signerade ar-
beten i privat ägo.

CZAPEK, Elisabeth
GÖTEBORG 1860–1928 GÖTEBORG

George I (1660–1727), kung av England
King George I of England
Gouache och akvarell på papper h: 4,8 oval
Ram: trä
NMDs 292
PROVENIENS: 1894 Test. av C.F. Dahlgren

**Jean Paul Marat (1744–1793), fransk
revolutionsman**
Jean Paul Marat, French Revolutionary
Sign: "E. Czapek"
Akvarell och gouache på papp 6,2x4,9 oval
Ram: svart trä
NMDs 1580
PROVENIENS: 1894 Test. av C.F. Dahlgren

**Greve Honoré Gabriel Riqueti de Mirabeau
(1749–1791), fransk revolutionsman**
*Count Honoré Gabriel Riqueti de Mirabeau, French
Revolutionary*
Sign: "E. Czapek"
Gouache och akvarell på papper 5,8x4,7 oval
Ram: trä, metall
NMDs 1599
PROVENIENS: 1894 Test. av C.F. Dahlgren

Modellen ansågs tidigare föreställa Gustav III.

Okänd kvinna
An Unknown Woman
Sign: "L. C."
Påskrift a tergo i svart bläck: "Czapek"
Gouache på papp 14,3x9,4
Ram: omonterad
NMDs 1716
PROVENIENS: 1894 Test. av C.F. Dahlgren
▼

Erik XIV (1533–1577)
King Erik XIV of Sweden
Gouache på papper 5x4,1 oval
Ram: trä, metall
NMDs 2239
PROVENIENS: 1894 Test. av C.F. Dahlgren

Gustav II Adolf (1594–1632)
King Gustav II Adolf of Sweden
Gouache och akvarell på papper 6x4,5 oval
Ram: trä, metall
NMDs 2249
PROVENIENS: 1894 Test. av C.F. Dahlgren

Greve Axel Oxenstierna (1583–1654), rikskansler
Count Axel Oxenstierna, Chancellor
Sign: "E Czapek"
Akvarell och gouache på elfenben h: 4,7 oval
Ram: omonterad
NMDs 2250
PROVENIENS: 1894 Test. av C.F. Dahlgren

Drottning Kristina (1626–1689)
Kopia efter Sébastien Bourdon
Queen Kristina of Sweden
Copy after Sébastien Bourdon
Gouache på elfenben 5x4,1 oval
Ram: trä, metall
NMDs 2634
PROVENIENS: 1894 Test. av C.F. Dahlgren; 2000 Omförd
    från NMDs s.n.

CZAPEK, Elisabeth. Tillskriven
GÖTEBORG 1860–1928 GÖTEBORG

Gustav II Adolf (1594–1632)
King Gustav II Adolf of Sweden
Akvarell och gouache på papp 7,8x6,8
Ram: förgylld metall
NMDs 1231
PROVENIENS: 1894 Test. av C.F. Dahlgren

DARELL, Carl Fredrik
GÖTEBORG 1813–EFTER 1839

Magnus Jakob Crusenstolpe (1795–1865), assessor, redaktör, skriftställare
Magnus Jakob Crusenstolpe, Assessor, Editor, Author
Påskrift: "[…] hvil […] Crusenstolp […] † 18 […]"
Akvarellerad blyertsteckning på papp 13x10,2 oval
Ram: vit passepartout
NMGrh 2402
PROVENIENS: 1897 Test. av fröken Katarina Charlotta Crusenstolpe; 1952 Omförd från NMB 248
LITTERATUR: Lemberger 1912, s. 98; SPA Index, vol. I, 1935, s. 176; von Malmborg 1968, s. 47

Enligt testamentet är porträttet utfört i stadshäktet i Stockholm 1838 och är förmodligen en skiss till Darells akvarellporträtt av Crusenstople, vilket spreds i två litografiska reproduktioner. Modellen var gift med Sofia Palmstruch (NMGrh 2403).
▼

Sofia Palmstruch (1807–1865),
g. Crusenstolpe

Sofia Palmstruch, m. Crusenstolpe
Akvarellerad blyertsteckning på papp 12,5x9,9 oval
Ram: vit passepartout
NMGrh 2403
PROVENIENS: 1897 Test. av fröken Katarina Charlotta
Crusenstolpe; 1952 Omförd från NMB 249
LITTERATUR: Lemberger 1912, s. 98; SPA Index, vol.
II, 1939, s. 616; von Malmborg 1968, s. 47

Enligt testamentet är porträttet utfört på Vax-
holms fästning 1839. Modellen var gift med
Magnus Jakob Crusenstolpe (NMGrh 2402).
▼

DARELL, Carl Fredrik. Tillskriven
GÖTEBORG 1813–EFTER 1839

Fredrik Gustaf Kinmansson (1787–1852),
skådespelare, operasångare

Fredrik Gustaf Kinmansson, Actor, Opera Singer
Påskrift a tergo: "Farbror Fredrik Kinnmansson
Farbror Fredrik Kinnmansson [sic!]"
Gouache och akvarell på papper 10,2x8,1 oval
Ram: trä, metall
NMDs 1607
PROVENIENS: 1894 Test. av C.F. Dahlgren
LITTERATUR: Carlander 1897, s. 22; Lemberger 1912,
s. 97; SPA Index, vol. I, 1935, s. 429

Endast en känd miniatyr av Carl Fredrik Da-
rell omtalas i Carlanders *Miniatyrmålare i Sve-*
rige, ett porträtt föreställande operasångaren
Fredrik Kinmansson som (enligt en tidigare
påskrift på baksidan) utfördes 1838. Porträt-
tet av Kinmansson från den Dahlgrenska
donationen har hittills inte kunnat attribueras
till någon namngiven konstnär, men då Carlan-
ders beskrivning av Darells miniatyr mycket väl
överensstämmer med ovanstående porträtt är
de sannolikt identiska.   ▼

DERKERT, Siri, g. 1) Rosenberg, 2) Lybeck
STOCKHOLM 1888–1973 STOCKHOLM

Liv Derkert (1918–1938) som barn, sedermera konstnär
Liv Derkert as a Child, later Artist
Gouache på elfenben h: 4,7 oval
Ram: emalj, metall
NMB 2268
PROVENIENS: 1981 Inköpt från Carlo Derkert
UTSTÄLLD: Stockholm 1981:II, kat.nr 42, avb.
LITTERATUR: Cavalli-Björkman 1981, s. 154, fig. 158

Siri Derkert målade sin första miniatyr på 1920-talet. Fram till 1930-talet arbetade hon i traditionell miniatyrteknik såtillvida att porträtten utfördes med en noggrann petighet med många små streck. Ramarna till miniatyrerna föreställande dottern Liv och sonen Carlo komponerades av konstnären i samarbete med hovjuvelerare Sven Carlman. Porträtten anknyter därmed till den tidiga miniatyrkonstens nära samhörighet med juvelerarkonsten. Siri Derkerts senare miniatyrporträtt (se NMGrh 2889) har en mycket friare penselföring och elfenbenets yta lämnas till stora delar bar.

Carlo Derkert (1915–1994) som barn, sedermera konstpedagog,
Carlo Derkert as a Child, later Art Education Officer
Sign: "S. DERKERT"
Gouache på elfenben h: 5,1 oval
Ram: emalj, trä, silver
NMB 2269
PROVENIENS: 1981 Inköpt från Carlo Derkert
UTSTÄLLD: Stockholm 1981:II, kat.nr 43
LITTERATUR: Cavalli-Björkman 1981, s. 154, fig. 159

**Honorine Hermelin (1886–1977), rektor, g. m.
professor Vilhelm Grönbech**
*Honorine Hermelin, College Principal, Married to
Professor Vilhelm Grönbech*
Akvarell och gouache på elfenben 7,7x6,5
Ram: silver
NMGrh 2889
PROVENIENS: 1961 Inköpt från konstnären
UTSTÄLLD: Göteborg 1975; Stockholm 1976; Malmö 1976;
    Gripsholm 1990, kat.nr 3
LITTERATUR: von Malmborg 1968, s. 71; von Malmborg
    1978, s. 357
◆

DESMARÉES, Georg
ÖSTERBY BRUK 1697–1776 MÜNCHEN

**Clemens Frantz von Paula (1722–1770), prins
av Bayern**
Clemens Frantz von Paula, Prince of Bavaria
Gouache på elfenben h: 6,3 oval
Ram: metall
NMGrh 1794
PROVENIENS: 1894 Test. av C.F. Dahlgren; 1904 Omförd
    från NMDs 128
LITTERATUR: Hernmarck 1933, s. 222, kat.nr 3, pl. LV;
    von Malmborg 1951, s. 238; von Malmborg 1978,
    s. 144, avb. s. 146, fig. 4; Olausson & Söderlind 1994,
    s. 110, fig. 80

DRAKE AF HAGELSRUM, Arvid Erik Elis
FÖLLINGSÖ 1822–1863 STOCKHOLM

Okänd kvinna
An Unknown Woman
Sign: "Arvid Drake fec. Upsala 1846"
Gouache på papper 7,3x5,3 oval
Ram: förgyllt trä
NMB 1905
PROVENIENS: 1894 Test. av C.F. Dahlgren; 1964 Omförd
  från NMDs 922

DREIJER, Georg Leonard
HARBURG, TYSKLAND 1793–1879
STOCKHOLM

Manndorf, överstelöjtnant, förmodat porträtt
Portrait presumed to be Manndorf, Lieutenant Colonel
Sign: "D" inom en triangel
Påskrift på baksidan: "Tros vara Manndorf hvilken seder-
  mera blef öfverstelöjtnant målad af Dreÿer intygas af E.
  Ma[…]"
Papper 8,5x7 oval
Ram: förgylld brons
NMDs 1223
PROVENIENS: 1881 Inköpt från Bukowski, kat.nr 55 (?);
  1894 Test. av C.F. Dahlgren

NMDs 1223 ej avbildad. Porträttet utfördes under
1800-talets förra del.

Nils Almlöf (1799–1875), skådespelare
Nils Almlöf, Actor
Sign på bakstycket: "G.H. Dreijer. px:"
Påskrift på bakstycket: "Nils Vilh. Almlöf."
Akvarell på papper 15,4x11,2
Ram: trä
NMGrh 2498
PROVENIENS: 1894 Test. av C.F. Dahlgren; 1954 Omförd
  från NMDs 1611
LITTERATUR: von Malmborg 1968, s. 50
▼

von DÜBEN, Gustav
STOCKHOLM 1777–1833

Sjölandskap med ruin
Seascape with a Ruin
Sign: "Gust: v Düben 1824"
Akvarell på papper 22,2x22
Ram: förgyllt trä
NMB 1843
PROVENIENS: 1894 Test. av C.F.
  Dahlgren; 1961 Omförd från
  NMDsä 343
▼

EHRENBORG, Anna Beata.
Se af KLEEN, Anna Beata

EHRENPREUS, Carl Didrik
ÖREBRO 1692–1760 STOCKHOLM

Fredrik I (1676–1751)
King Fredrik I of Sweden
Påskrift på bakstycket: "Kung Friedrich den förste til
  Swerige Landgraf [...] Ehrenpreus målat"; med
  senare stil: "Egenhändigt skrifvit af Drottning Ulrica
  Eleonora"
Gouache på pergament 13,8x9,4
Ram: trä, mässing, sköldpadd
NMGrh 1325
LITTERATUR: Carlander 1897, s. 24; Lemberger 1912, s.
  46; von Malmborg 1951, s. 183; SKL, vol. II, 1953, s.
  81, avb.; von Malmborg 1978, s. 148
▼

EHRENSTRAHL, David Klöcker.
Tillskriven
HAMBURG 1629–1698 STOCKHOLM

Karl XI (1655–1697)
King Karl XI of Sweden
Påskrift a tergo: "C.R.S. Ao 1664"
Olja på koppar 14x11
Ram: förgyllt trä, med kunglig krona som överstycke
NMGrh 1729
PROVENIENS: Livrustkammaren; Överförd till National-
museum; 1885 Utgallrad från Måleriavdelningen,
NM 924; 1887 Omförd till NMGrh 1729
LITTERATUR: von Malmborg 1951, s. 230
▼

Drottning Hedvig Eleonora (1636–1715)
Queen Hedvig Eleonora of Sweden
Påskrift a tergo: "H.E.R.S. Ao 1664"
Olja på koppar 14,3x10,9
Ram: förgyllt trä, kunglig krona och palmkvistar som
överstycke
NMGrh 1730
PROVENIENS: Livrustkammaren; Överförd till National-
museum; 1885 Utgallrad från Måleriavdelningen
NM 925; 1887 Omförd till NMGrh 1730
LITTERATUR: von Malmborg 1951, s. 230
▼

EUGÉNIE, PRINSESSA AV SVERIGE

STOCKHOLM 1830–1889 STOCKHOLM

Ängel

Kopia efter Rafael
Angel
Copy after Rafael
Sign: "Eugénie"
Påskrift på baksidan: "måladt egenhändigt och skänkt
   af Prinsessan Eugénie till Fjeldstedtska Bazaren
   1878."
Gouache på papper (?) 5,6x7,4 liggande oval dager-
   mått
Ram: sammetsklätt trä
NMB 2347
PROVENIENS: 1990 Gåva av Thomas Lagerman

FAGERLIN, Ferdinand Julius

STOCKHOLM 1825–1907 DÜSSELDORF

Självporträtt

Self-Portrait
Sign: "[F. Fn] 60."
Påskrift a tergo: "F. Fagerlin självportr."
Olja på papp 7,8x7
Ram: trä
NMHpd 41
PROVENIENS: 1921 Inköpt genom Semmy Josephson från
   Bukowskis auktion nr 230, kat.nr 619; Konsul Hjalmar
   Wicander; 1953 Test. av Carl August Wicander

FAHLCRANTZ, Carl Robert

SKARPÖ 1778–1833 STOCKHOLM

Karl XIII (1748–1818)

King Karl XIII of Sweden
Sign: "C R Fahlcrantz f"
Akvarell på elfenben 3,5x4,5 oval
Ram: förgylld mässing
NMB 68
PROVENIENS: 1873 Test. av Carl XV, nr 427
LITTERATUR: Upmark 1882, s. 77 f.; Carlander 1897, s. 26;
Lemberger 1912, s. 93; Nationalmuseum 1929, s. 11;
SKL, vol. II, 1953, s. 180; Schidlof 1964, s. 244, 952,
fig. 385, pl. 202

Okänd militär

An Unknown Military Man
Sign: "Fz"
Akvarell och gouache på elfenben 6,1x4,8 oval
Ram: metall, på baksidan emalj samt monogram "ESR"
mot hårflätning
NMB 579
PROVENIENS: 1919 Inköpt i H. Bukowskis konsthandel;
1927 Gåva av konsul Hjalmar Wicander, A.K. 326
LITTERATUR: Asplund 1920, s. 92, kat.nr 213, pl. 75; Natio-
nalmuseum 1929, s. 11; SKL, vol. II, 1953, s. 180;
Schidlof 1964, s. 244
◆

Johan Fahlcrantz, handlande

Johan Fahlcrantz, Tradesman
Påskrift på papperslapp på baksidan: "Handl. Joh. Fahl-
crantz. Målat av Carl Robert Fahlcrantz 1788–1833."
Gouache på elfenben 5,2x4,2 oval
Ram: metall, på baksidan hårlock mot siden
NMB 2493
PROVENIENS: V. Längstadius, Stockholm; 1971 (?) Stiftelsen
Blomsterfonden; 2000 Inköpt från Hans Göran Sjö-
ström AB

Okänd man

An Unknown Man

Akvarell och gouache på elfenben och papper 5,2x4,1 oval

Ram: mässing

NMDs 1123

PROVENIENS: 1894 Test. av C.F. Dahlgren

Okänd man

An Unknown Man

Lavering/akvarell på papper 4,5x3,7 oval

Ram: trä, metall

NMDs 1373

PROVENIENS: 1894 Test. av C.F. Dahlgren

Karl XIV Johan (1763–1844)

King Karl XIV Johan of Sweden

Sign: "C R F 1816"

Påskrift på lapp på bakstycket: "Se bilden af den Store
   man, som skänkt åt Sverge bättre öden. Och hvilken
   skydds Gud, om ej Han, förmått att rädda oss ur nö-
   den? Med denna Kung, med verksam Lag, och bröd,
   som efter äran törsta, skall Odens hembygd än en dag
   ibland Nationer bli den första"

Sekundär påskrift på bakstycket: "Miniatyr av Carl Johan
   som Kronprins Sign. C.R.F. (Fahlcrantz) 1816 Ang.
   miniatyren i övrigt se Carl Johan För[...] dels i
   Uppsala handlingar år 1958–1963"

Blyerts på? 2,4x1,9 oval dagermått

Ram: förgyllt trä, pärlstav på skugglisten, guldfärgad
   passepartout

NMGrh 4110

PROVENIENS: 1994 Inköpt från Bukowskis, Stockholm

Ett snarlikt porträtt av Karl XIV Johan finns i
Sinebrychoffs konstmuseum, Helsingfors (SPA
1954: 409).

FAHLCRANTZ, Carl Robert. Hans skola
SKARPÖ 1778–1833 STOCKHOLM

Okänd man
An Unknown Man
Gouache på elfenben 6x4,5 oval dagermått
Ram: guld
NMDs 618
PROVENIENS: 1894 Test. av C.F. Dahlgren

Okänd man
An Unknown Man
Akvarell och gouache på elfenben h: 5,3 oval
Ram: trä, metall
NMDs 1488
PROVENIENS: 1894 Test. av C.F. Dahlgren

FALKNER, Fanny
KARLSHAMN 1890–1963 KÖPENHAMN

Robert Edelfelt (1868–1933), direktör
Robert Edelfelt, Director
Sign: "Fanny Falkner."
Gouache på elfenben 7x5,7 oval
Ram: metall
NMHpd 42
PROVENIENS: Konsul Hjalmar Wicander; 1953 Test. av Carl
    August Wicander
LITTERATUR: Bing 1994, s. 36, 112; Bing 2000, s. 338

Porträttet är utfört 1924.

Alma Lund (1894–1980), g. Ransby,
konstnärens svägerska
Alma Lund, m. Ransby, the Artist's Sister-in-Law
Sign: "Fanny Falkner 1923"
Påskrift på lapp på bakstycket: "Fröken Alma Lund må-
lad av Fanny Falkner Köpenhamn 1923"
Gouache på elfenben 5,3x4,3 oval dagermått
Ram: ciselerad gul metall, överst rosett, passepartout
NMHpd 43
PROVENIENS: Konsul Hjalmar Wicander; 1953 Test. av Carl
August Wicander
UTSTÄLLD: Stockholm 1923; Stockholm 1925; Stockholm
1929
LITTERATUR: Asplund 1925; Bonniers Veckotidning 1929,
avb.; Eriksson & Bäckström 1987, avb. s. 29; Bing
1994, s. 32, 38 ff., 109; Bing 2000, s. 330 f., 346

FIELLMAN
OKÄNDA LEVNADSDATA

Vy av Uppsala
View of Uppsala
Påskrift: "den 26 November 1789 – Ritadt af Fiellman"
Papper 22,5x30
Ram: brunt trä
NMDsä 345
PROVENIENS: 1894 Test. av C.F. Dahlgren

NMDsä 345 ej avbildad.

FREDRIKSSON, C. E.
OKÄNDA LEVNADSDATA

Gustav (III) (1746–1792) som barn
Kopia efter Jean Eric Rehn
King Gustav (III) of Sweden as a Child
Copy after Jean Eric Rehn
Sign: "Till G. af E. Borg. copierat af C E Fre[dri?]kson"
Akvarell på papper 19,5x13 dagermått
Ram: förgyllt trä
NMDs 355
PROVENIENS: 1894 Test. av C.F. Dahlgren
▼

FURUTRÄD, Carl Christian
HALMSTAD 1766–1808 STOCKHOLM

Okänd man
An Unknown Man
Sign: "C. C. Furuträd pinx 1803"
Gouache och akvarell på elfenben diam: 6,5
Ram: metall
NMDs 2155
PROVENIENS: 1887 Inköpt på Bukowskis auktion nr 32,
    kat.nr 64; 1894 Test. av C.F. Dahlgren
LITTERATUR: Carlander 1897, s. 27; Lemberger 1912, s. 70

GIERS, Margareta Christina
STOCKHOLM 1731–1796 STOCKHOLM

Den helige Hieronymus i landskap
Kopia efter Jan Bruegel d.ä.
St Jerome in a Landscape
Copy after Jan Bruegel the Elder
Sign: "fait par [...]iers 1747"
Påskrift på baksidan: "M: C: Giers fecit An 1747"
Gouache på papper 11,6x15,5
Ram: förgyllt trä
NMB 1901
PROVENIENS: 1894 Test. av C.F. Dahlgren; 1963 Omförd
    från NMDsä 450
▼

GILLBERG, Carl Gustaf
MALMA 1774–1855 STOCKHOLM

Gustaf III (1746–1792)
Kopia efter Jakob Axel Gillberg
King Gustav III of Sweden
Copy after Jakob Axel Gillberg
Sign: "C·G·Gillberg 1790" samt svagt "C Gillberg [...]"
Akvarell och gouache på elfenben 5,9x4,7 oval
Ram: metall
NMB 162
PROVENIENS: 1883 Gåva av framlidne hovrättsrådet Fr. Järta
genom friherre Hochschild
UTSTÄLLD: Stockholm 1946, kat.nr 99
LITTERATUR: Carlander 1897, s. 27; Lemberger 1912, s. 87;
Nationalmuseum 1929, s. 11; SKL, vol. II, 1953, s. 291;
Schidlof 1964, s. 292, 962, fig. 469, pl. 239

**Maria Wilhelmina Ekebom (1747–1820),
g. Krafft**
Kopia efter Per Krafft d.ä. (NM 2242)
Maria Wilhelmina Ekebom, m. Krafft
Copy after Per Krafft the Elder (NM 2242)
Sign: "C.G. Gillberg 1790"
Gouache på elfenben 6,1x4,9 oval
Ram: omonterad (endast täckglas)
NMGrh 2486
PROVENIENS: 1894 Test. av C.F. Dahlgren; 1954 Omförd
från NMDs 674

Modellen var gift med Per Krafft d.ä. och mor till
konstnärerna Per Krafft d.y. och Wilhelmina
Krafft, g. Noréus.

GILLBERG, Carl Gustaf. Tillskriven
MALMA 1774–1855 STOCKHOLM

Peter Paul Rubens (1577–1640), målare
Kopia efter äldre porträtt
Peter Paul Rubens, Painter
Copy after an Earlier Portrait
Gouache på elfenben 5,1x4,1 oval
Ram: metall
NMB 807
PROVENIENS: Carl Ulrik Palms samling; 1921 Inköpt genom
Semmy Josephson från Bukowskis auktion nr 229, kat.nr
530; 1927 Gåva av konsul Hjalmar Wicander, A.K. 532
LITTERATUR: Nationalmuseum 1929, s. 39

Peter Adolf Hall (1739–1793), konstnär

Kopia efter Peter Adolf Hall (NMB 123)
Peter Adolf Hall, Artist
Copy after Peter Adolf Hall (NMB 123)
Akvarell och gouache på elfenben 6,2x4,5 oval
Ram: metall
NMB 2239
PROVENIENS: Grosshandlare August Michaelson; 1880 In-
köpt från Bukowskis auktion i maj, kat.nr 50; 1894
Test. av C.F. Dahlgren; 1978 Omförd från NMDs 106
UTSTÄLLD: Gripsholm 1993, kat.nr 54, s. 25 (attribuerad
till Peter Adolf Hall)
LITTERATUR: Plinval de Guillebon 2000, s. 104, kat.nr 4,
avb. (attribuerad till Peter Adolf Hall)

Miniatyren utfördes efter det självporträtt av Peter
Adolf Hall som fanns i Sergels ägo (NMB 123).

Anthony Triest (1578–1657), biskop av Gent

Kopia efter Peter Adolf Hall (NMB 611)
Anthony Triest, Bishop of Gent
Copy after Peter Adolf Hall (NMB 611)
Akvarell och gouache på elfenben 4,8x4,1 oval
Ram: trä, metallist
NMDs 2264
PROVENIENS: 1894 Test. av C.F. Dahlgren

Den miniatyr av Peter Adolf Hall (NMB 611) som
tjänade som förlaga för miniatyren, är i sin tur en
kopia efter Anthonis van Dyck.

Johan Gottlob Brusell (1756–1829),
dekorationsmålare vid Kungl. Teatern

Kopia efter Peter Adolf Hall
Johan Gottlob Brusell, Scene Painter at the Royal Theatre
Copy after Peter Adolf Hall
Gouache på elfenben 5,9x4,3 oval
Ram: metall
NMGrh 2518
PROVENIENS: 1954 Inköpt från Tage Hansens antikvitets-
handel, Köpenhamn

Originalet av Peter Adolf Hall finns i Sinebry-
choffs konstmuseum i Helsingfors (inv.nr 424).

GILLBERG, Jakob Axel
1769–1845 STOCKHOLM

Karl (XIII) (1748–1818), hertig av Södermanland

King Karl (XIII) of Sweden, when Duke of Södermanland

Påskrift på bakstycket: "Hertig Carl af Söderman-
land år 1794. af Gillberg"
Akvarell och gouache på elfenben h: 7,7 oval
Ram: förgylld mässing
NMB 69
PROVENIENS: 1873 Test. av Carl XV, nr 428
UTSTÄLLD: Stockholm vandringsutst. 1973, kat.nr 66
LITTERATUR: Upmark 1882, s. 78; Carlander 1897, s.
   28; Lemberger 1912, s. 87, 230, pl. 45; National-
   museum 1929, s. 11; Sjöblom 1935, s. 115; Ek-
   hammar 1962, s. 13 f., 25, fig. 9

Karl (XIII) (1748–1818), hertig av Södermanland

King Karl (XIII) of Sweden, when Duke of Södermanland

Sign: "Gillberg f 1797"
Akvarell och gouache på elfenben h: 7,2 oval
Ram: mässing
NMB 70
PROVENIENS: 1873 Test. av Carl XV, nr 429
UTSTÄLLD: Stockholm vandringsutst. 1952, kat.nr 5
LITTERATUR: Upmark 1882, s. 78; Carlander 1897, s. 28;
   Nationalmuseum 1929, s. 12; Cavalli-Björkman
   1981, s. 135, fig. 134; Lundström 1999, s. 217,
   fig. 114

Okänd kvinna

An Unknown Woman
Sign: "Gillberg 1838"
Gouache på elfenben 14x11
Ram: metall
NMB 71
PROVENIENS: 1873 Test. av Carl XV, nr 430
LITTERATUR: Upmark 1882, s. 78; Carlander
  1897, s. 29 (modellen kallad Emilie Hög-
  qvist i föregående källor); Nationalmuseum
  1929, s. 14; Ekhammar 1962, s. 16
▼

Pieter Stevens (omkr. 1567–efter 1624), landskapsmålare, hovmålare hos Rudolf II

Kopia efter Anthonis van Dyck
Pieter Stevens, Landscapist, Court Painter to Rudolf II
Copy after Anthonis van Dyck
Sign: "Gillberg fec: 1793"
Akvarell och gouache på elfenben(?) h: 7,1
  oval dagermått
Ram: metall
NMB 72
PROVENIENS: 1873 Test. av Carl XV, nr 431
LITTERATUR: Upmark 1882, s. 78; Carlander
  1897, s. 28 (modellen kallad Sheffield i fö-
  regående källor); Nationalmuseum 1929,
  s. 11; Sjöblom 1935, s. 115; Colding 1947,
  s. 24, 52; Ekhammar 1962, s. 12, fig. 7;
  Cavalli-Björkman 1981, s. 135, fig. 135

Omkring 1790 fick Jakob Axel Gillberg
ett resestipendium från Konstakademi-
en vilket möjliggjorde en studieresa till
Nederländerna, Belgien, England och
Frankrike. Under ett längre uppehåll i
Haag kopierade han Anthonis van
Dycks porträtt av Pieter Stevens målat
1627. Denna miniatyr tjänade i sin tur
som förlaga för en studiekopia utförd
av drottning Hedvig Elisabet Charlotta
(nu i samlingarna på Löfstads slott, Ös-
tergötland).

Magnus af Lehnberg (1758–1808), biskop

Magnus af Lehnberg, Bishop
Sign: "Gillberg 1806"
Silverstift och lavering på papper h: 7,7 oval
Ram: metall
NMB 142
PROVENIENS: 1878 Gåva av modellens sondotter
   änkefru Hilma Egges, f. af Lehnberg,
   sterbhus
LITTERATUR: Carlander 1897, s. 30; National-
   museum 1929, s. 12; SPA Index, vol. II,
   1939, s. 471; Ekhammar 1962, s. 18,
   fig. 19

Charlotta Sofia af Apelblad (1775–1818), g. af Lehnberg, biskopinna

Charlotta Sofia af Apelblad, m. af Lehnberg,
Bishop's Wife
Sign: "Gillberg del: 1806"
Silverstift och lavering på papper h: 7,6 oval
Ram: metall
NMB 143
PROVENIENS: 1878 Gåva av modellens sondotter änke-
   fru Hilma Egges, f. af Lehnberg, sterbhus
UTSTÄLLD: Stockholm 1981:II, kat.nr 30
LITTERATUR: Carlander 1897, s. 29; Nationalmu-
   seum 1929, s. 12; SPA Index, vol. I, 1935,
   s. 25

Anna Elisabeth Martineau (1730–1795), g. af Apelblad, prinsessan Sofia Albertinas lärarinna

Anna Elisabeth Martineau, m. af Apelblad, Governess to Princess Sofia Albertina
Sign: "[…]llberg […]806"
Påskrift på bakstycket: "Fru Anna E. M. Apelblad. f. Martinson. af Gillberg –"
Gouache och silverstift på pergament 7,8x5,8 oval
Ram: ciselerad metall
NMB 144
PROVENIENS: 1878 Gåva efter änkefru Hilma Egges, f. af Lehnberg, sterbhus
LITTERATUR: Carlander 1897, s. 30; Nationalmuseum 1929, s. 13

Okänd kvinna

An Unknown Woman
Sign: "Gillberg 1816."
Silverstift och akvarell på papper h: 6,1 oval dagermått
Ram: guld
NMB 200
PROVENIENS: 1886 Inköpt från kapten J. Hagdahl
LITTERATUR: Carlander 1897, s. 30; Nationalmuseum 1929, s. 14

Greve Johan August Sandels (1764–1831), fältmarskalk

Count Johan August Sandels, Field Marshal
Sign: "Gillberg. 1809."
Påskrift på lapp på bakstycket: "Joh Aug Sandels Grefve, Fältmarskalk f. 31/8 1764, d. 22/1 1831."
Gouache på elfenben 6x5 oval dagermått
Ram: guld
NMB 203
PROVENIENS: 1887 Gåva av generallöjtnanten greve F. Sandels
LITTERATUR: Carlander 1897, s. 30; Nationalmuseum 1929, s. 13; SPA Index, vol. II, 1939, s. 717

Carl Peter Elg (1768–1827), segelmakar-ålderman i Stockholm

Carl Peter Elg, Alderman of the Guild of Sailmakers in Stockholm
Sign: "Gillberg. Pinxit 1805."
Akvarell och gouache på elfenben diam: 6,2
Ram: förgylld metall
NMB 214
PROVENIENS: 1889 Inköpt från herr K.F. Wennström
LITTERATUR: Carlander 1897, s. 29; Nationalmuseum 1929,
  s. 12; SPA Index, vol. I, 1935, s. 243

Eva Katarina Svedenstjerna (1754–1836), g. Gahn

Eva Katarina Svedenstjerna, m. Gahn
Monterad i samma medaljong som NMB 286a
Blyerts och akvarell på papper h: 7 oval
Ram: medaljong av förgylld metall
NMB 286b
PROVENIENS: 1901 Gåva av brukspatron Ernst Nisser genom
  fru Ellen Nisser
UTSTÄLLD: Stockholm 1908
LITTERATUR: Nationalmuseum 1929, s. 14; SPA Index, vol.
  II, 1939, s. 829

Kopierad i blyerts & sedermera graverad av A.U.
Berndes (NMH s.n.).

Greve Wrangel

Count Wrangel
Sign: "Gillberg f 1809."
Akvarell, gouache och silverstift på papper h: 6,1 oval
Ram: metall
NMB 366
PROVENIENS: 1915 Test. av greve Fredrik Wrangel
LITTERATUR: Nationalmuseum 1929, s. 13; Cavalli-
  Björkman 1981, fig. 136

Modellen antogs tidigare föreställa greve Otto
Reinhold Wrangel. Gillberg gjorde däremot ett
s.k. "historiseradt" porträtt av brodern Tönnes
Wrangel, som stupade vid Säfvar i augusti 1809,
utställt på akademien följande år.

B.G. Bergenholtz (1767–1817), häradshövding
B.G. Bergenholtz, District Court Judge
Sign: "Gillberg f."
Påskrift på bakstycket: "Att skänkas till museum"
Akvarell och gouache på elfenben 5,8x5 oval dagermått
Ram: lackat trä
NMB 374
PROVENIENS: 1916 Gåva av fröken E. Ålander
LITTERATUR: Nationalmuseum 1929, s. 15; SPA Index, vol.
I, 1935, s. 65

**Samuel Fredrik Koschell (1750–1796),
grosshandlare, superkargör**
Samuel Fredrik Koschell, Wholesaler, Supercargo
Sign: "Gillberg. f. 1798."
Akvarell och gouache på elfenben diam: 7,3
Ram: metall
NMB 429
PROVENIENS: 1921 Test. av herr Ossian W. Koschell
UTSTÄLLD: Stockholm 1799, kat.nr 32
LITTERATUR: Carlander ms, fol. 30; Nationalmu-
seum 1929, s. 12; SPA Index, vol. I, 1935, s. 441

Okänd riddare av Svärdsorden
An Unknown Knight of the Royal Order of the Sword
Silverstift och gouache på papper 4,7x3,2 oval
Ram: metall
NMB 452
PROVENIENS: 1894 Test. av C.F. Dahlgren; 1922 Omförd
från NMDs 2176
LITTERATUR: Nationalmuseum 1929, s. 15

Okänd man

An Unknown Man

Sign: "Gillberg 1808."

Silverstift och gouache på papper 6,4x5,4 oval

Ram: mässing

NMB 453

PROVENIENS: 1894 Test. av C.F. Dahlgren; 1922 Omförd
    från NMDs 2177

LITTERATUR: Nationalmuseum 1929, s. 13

Gustav IV Adolf (1778–1837)

King Gustav IV Adolf of Sweden

Sign: "Gillberg 1801"

Gouache på papper 3,5x2,8 oval

Ram: förgylld brons

NMB 454

PROVENIENS: 1894 Test. av C.F. Dahlgren; 1922 Omförd
    från NMDs 2182

UTSTÄLLD: Gripsholm 2000, kat.nr 41

LITTERATUR: Nationalmuseum 1929, s. 12

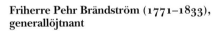

**Friherre Pehr Brändström (1771–1833),
generallöjtnant**

Baron Pehr Brändström, Lieutenant General

Silverstift och gouache på papper h: 8,1 oval
    dagermått

Ram: trä, metall

NMB 462

PROVENIENS: 1923 Test. av Fanny Lönnerberg, f.
    Brändström

LITTERATUR: Nationalmuseum 1929, s. 15; SPA Index, vol.
    I, 1935, s. 132

Catharina Charlotta Strömbäck (1786–1861), g. Brändström

Catharina Charlotta Strömbäck, m. Brändström
Sign: "Gillberg f 1808."
Silverstift och gouache på papper h: 6,2 oval
Ram: metall
NMB 463
PROVENIENS: 1923 Test. av Fanny Lönnerberg, f. Brändström
LITTERATUR: Nationalmuseum 1929, s. 13; SPA Index, vol. II, 1939, s. 814

Okänd kvinna

An Unknown Woman
Sign: "Gillberg. 1788."
Akvarell och gouache på elfenben h: 4 oval
Ram: metall
NMB 580
PROVENIENS: Carl Ulrik Palms samling; 1923 Inköpt genom Semmy Josephson från Bukowskis auktion nr 244, kat.nr 499; 1927 Gåva av konsul Hjalmar Wicander, A.K. 603
LITTERATUR: Asplund 1929, s. 36, kat.nr 100, pl. 39; Nationalmuseum 1929, s. 11; Colding 1947, s. 51

Okänd man

An Unknown Man
Sign: "Gillberg 1793"
Akvarell och gouache på elfenben 7,3x5,7 oval
Ram: silver
NMB 581
PROVENIENS: 1927 Gåva av konsul Hjalmar Wicander, A.K. 25
LITTERATUR: Asplund 1920, s. 90, kat.nr 197, pl. 70; Nationalmuseum 1929, s. 11; Sjöblom 1935, s. 115

Okänd man

An Unknown Man

Sign: "Gillberg. f 1795."

Akvarell och gouache på elfenben 7,2x5,5 oval

Ram: metall

NMB 582

PROVENIENS: 1918 Inköpt från H. Bukowskis konsthandel;
1927 Gåva av konsul Hjalmar Wicander, A.K. 257

UTSTÄLLD: Stockholm 1921, kat.nr 87; Köpenhamn 1921,
kat.nr 346

LITTERATUR: Asplund 1920, s. 90, kat.nr 198, pl. 70; Natio-
nalmuseum 1929, s. 11; Sjöblom 1935, s. 115

Gustav IV Adolf (1778–1837)

King Gustav IV Adolf of Sweden

Sign: "Gillberg. f. 1796"

Akvarell och gouache på elfenben 7,8x6,2 oval dager-
mått

Ram: brons

NMB 583

PROVENIENS: 1916 Inköpt från fru C. Leffler, Göteborg;
1917 Inköpt från Carl Ulrik Palm; 1927 Gåva av kon-
sul Hjalmar Wicander, A.K. 149

UTSTÄLLD: Stockholm 1915, kat.nr 350; Stockholm
1921, kat.nr 88; Köpenhamn 1921, kat.nr 347;
Gripsholm 2000, kat.nr 34

LITTERATUR: Asplund 1916, s. 92, fig. 98; Asplund 1920,
s. 90, kat.nr 199, pl. 62; Nationalmuseum 1929, s.
11, avb. i bildbilaga; Asplund 1951, s. 566, avb. s.
566; SKL, vol. II, 1953, avb. mot s. 292; Asplund
1958, fig. 7; Ekhammar 1962, s. 13 f., 25, fig. 10;
Schidlof 1964, s. 962, fig. 470, pl. 239; Cavalli-Björk-
man 1981, s. 135, fig. 133

Det framgår av överintendenten C.F. Fredenheims
diarier (Kungl. Bibliotekets handskriftsavdelning)
att Gillberg inför Gustav IV Adolfs resa till S:t Pe-
tersburg i augusti 1796 utförde miniatyrporträtt
av kungen, vilka även visades upp för majestätet
på Stockholms slott.

Friherre Johan Magnus af Nordin
(1746–1823), landshövding
Baron Johan Magnus af Nordin, County Governor
Sign: "Gillberg. Pinxit 1802"
Akvarell och gouache på elfenben diam: 6,3
Ram: guld, hårflätning på baksidan
NMB 584
PROVENIENS: 1920 Inköpt från ingenjör Carl Robert Lamm
  på Näsby; 1927 Gåva av konsul Hjalmar Wicander,
  A.K. 507
LITTERATUR: Asplund 1929, kat.nr 101, s. 37, pl. 40; Natio-
  nalmuseum 1929, s. 12; SPA Index, vol. II, 1939, s.
  588; Ekhammar 1962, s. 24 f., fig. 27 (felvänd)

Magdalene (Malla) Montgomery (1782–1861),
g. Silfverstolpe, författare
Magdalene (Malla) Montgomery, m. Silfverstolpe, Author
Sign: "Gillberg dn 1805"
Silverstift och lavering på papper 7,5x6,3 oval
  Ram: metall
  NMB 585
    PROVENIENS: Fru Helena Strandberg, Stockholm; 1920
    Inköpt från ingenjör Carl Robert Lamm på Näsby;
    1927 Gåva av konsul Hjalmar Wicander, A.K. 519
    LITTERATUR: Asplund 1929, s. 37, kat.nr 102, pl. 40;
    Nationalmuseum 1929, s. 12

Okänd man

An Unknown Man
Sign: "Gillberg f. 1807."
Silverstift och gouache på papp 6,8x5,7 oval
Ram: guld, med hårlock på baksidan
NMB 586
PROVENIENS: 1927 Gåva av konsul Hjalmar Wicander, A.K.
24
UTSTÄLLD: Stockholm 1921, kat.nr 89
LITTERATUR: Asplund 1920, s. 91, kat.nr 202, pl. 72; Natio-
nalmuseum 1929, s. 13

Okänd man

An Unknown Man
Sign: "Gillberg 1808."
Akvarell och gouache på elfenben h: 6,2 oval
Ram: mässing, med hårlock på baksidan
NMB 587
PROVENIENS: 1927 Gåva av konsul Hjalmar Wicander, A.K.
72
LITTERATUR: Asplund 1920, s. 91, kat.nr 203, pl. 69; Natio-
nalmuseum 1929, s. 13

Georg Jacob Londicers (1769–1840) systrar, förmodat porträtt

Portrait presumed to be Georg Jacob Londicer's Sisters
Sign: "Gillberg f 1808."
Silverstift och akvarell på elfenben h: 6,9 oval
Ram: metall
NMB 588
PROVENIENS: 1917 Inköpt från Bukowskis auktion nr 214,
kat.nr 630; 1927 Gåva av konsul Hjalmar Wicander,
A.K. 224
UTSTÄLLD: Stockholm vandringsutst. 1973, kat.nr 63, avb.
LITTERATUR: Asplund 1920, s. 91, kat.nr 204, pl. 71; Natio-
nalmuseum 1929, s. 13; SPA Index, vol. II, 1939, s.
519; Cavalli-Björkman 1981, fig. 136

Okänd präst

An Unknown Clergyman
Sign: "Gillberg. f 1809"
Silverstift, akvarell och gouache på papper 6,1x5,2 oval
Ram: silver
NMB 589
PROVENIENS: Greve Robert De la Gardie; 1916 Inköpt ge-
nom Semmy Josephson från Bukowskis julauktion nr
210, kat.nr 856; 1917 Gåva av konsul Hjalmar Wican-
der, A.K. 96
UTSTÄLLD: Stockholm 1921, kat.nr 90
LITTERATUR: Asplund 1920, kat.nr 205, pl. 73; Nationalmu-
seum 1929, s. 13

Georg Jacob Londicer (1769–1840), bankokommissarie

Georg Jacob Londicer, Head of Division at the Bank of Sweden
Sign: "Gillberg 1810."
Silverstift och akvarell på papper h: 5,8 oval
Ram: guld
NMB 590
PROVENIENS: 1918 Inköpt genom Semmy Josephson från
Bukowskis julauktion nr 219, kat.nr 735; 1927 Gåva av
konsul Hjalmar Wicander, A.K. 334
LITTERATUR: Asplund 1920, s. 91, kat.nr 206, pl. 73; Natio-
nalmuseum 1929, s. 13; SPA Index, vol. II, 1939, s.
519

Maria Fredrika Hallberg (1788–1824), g. Hedbom

Maria Fredrika Hallberg, m. Hedbom
Sign: "Gillberg 1811."
Silverstift och gouache på papper h: 5,7 oval
Ram: metall
NMB 591
PROVENIENS: 1916 Inköpt i G. Alyhrs konsthandel; 1927
Gåva av konsul Hjalmar Wicander, A.K. 74
UTSTÄLLD: Stockholm vandringsutst. 1949–50, kat.nr 93
LITTERATUR: Asplund 1920, s. 91, kat.nr 207, pl. 73; Natio-
nalmuseum 1929, s. 14; SPA Index, vol. I, 1935, s. 365

Fru Hedbom var gift med grosshandlare Johan
Petter Hedbom (NMB 547, J.E. Bolinder), men
levde frånskild de sista åren av sitt liv i Stockholm.
Uppgiften lämnad av fil.kand Roger de Robelin.

Okänd man

An Unknown Man
Sign: "Gillberg 1812."
Gouache på papper 5,2x4,3 oval
Ram: plånbok av rött saffianskinn
NMB 592
PROVENIENS: 1918 Inköpt från H. Bukowskis konsthandel;
    1927 Gåva av konsul Hjalmar Wicander, A.K. 258
LITTERATUR: Asplund 1920, s. 91 f., kat.nr 208, pl. 72; Na-
    tionalmuseum 1929, s. 14

Okänd man

An Unknown Man
Sign: "Gillberg 1812."
Silverstift och akvarell på papper 5,8x4,9 oval dagermått
Ram: metall, sammet
NMB 593
PROVENIENS: 1913 Källarmästare August Hallners samling;
    1920 Inköpt från ingenjör Carl Robert Lamm på Näs-
    by; 1927 Gåva av konsul Hjalmar Wicander, A.K. 506
LITTERATUR: Asplund 1929, s. 37, kat.nr 104, pl. 39; Natio-
    nalmuseum 1929, s. 14

Okänd präst

An Unknown Clergyman
Sign: "Gillberg 1814"
Akvarell och gouache på elfenben h: 6,3 oval
Ram: ciselerad och förgylld brons
NMB 594
PROVENIENS: 1911 Svenska konstsamlareföreningen; 1920
    Inköpt från ingenjör Carl Robert Lamm på Näsby;
    1927 Gåva av konsul Hjalmar Wicander, A.K. 505
LITTERATUR: Asplund 1929, s. 37, kat.nr 105, pl. 39; Natio-
    nalmuseum 1929, s. 14; Ekhammar 1962, s. 26, fig. 29

Okänd kvinna

An Unknown Woman
Sign: "Gillberg. 1831"
Akvarell och gouache på elfenben h: 6,7 oval
Ram: guldram i locket av svart sköldpaddsdosa
NMB 595
PROVENIENS: 1927 Gåva av konsul Hjalmar Wicander, A.K.
206
LITTERATUR: Asplund 1920, s. 92, kat.nr 210, pl. 74; Natio-
nalmuseum 1929, s. 14

Fredrik Pontus Schenson (1774–1828), stallmästare, stuterichef på Strömsholm

Fredrik Pontus Schenson, Stable Master, Manager of the
Stud at Strömsholm
Sign: "Gillberg 180[…]"
Akvarell och gouache på elfenben 6,2x5 oval
Ram: metall
NMB 596
PROVENIENS: 1927 Gåva av konsul Hjalmar Wicander, A.K. 50
LITTERATUR: Asplund 1920, s. 92, kat.nr 211, pl. 69; Natio-
nalmuseum 1929, s. 15; SPA Index, vol. II, 1939, s.
725

Okänd man

An Unknown Man
Sign: "Gillberg [otydligt årtal]"
Akvarell och gouache på elfenben h: 5 oval
Ram: guld
NMB 597
PROVENIENS: 1927 Gåva av konsul Hjalmar Wicander, A.K. 81
LITTERATUR: Asplund 1920, s. 92, kat.nr 212, pl. 69; Natio-
nalmuseum 1929, s. 15

Okänd man

An Unknown Man
Sign: "Gillberg."
Akvarell och gouache på elfenben 4,7x3,8 oval
Ram: förgylld metall
NMB 598
PROVENIENS: 1927 Gåva av konsul Hjalmar Wicander, A.K.
129
LITTERATUR: Asplund 1920, s. 90, kat.nr 195, pl. 69; Natio-
nalmuseum 1929, s. 15

Okänd kvinna

An Unknown Woman
Sign: "J A G"
Akvarell och gouache på elfenben 5,1x4,3 oval
Ram: guld
NMB 599
PROVENIENS: 1918 Inköpt från H. Bukowskis konsthandel;
1927 Gåva av konsul Hjalmar Wicander, A.K. 266
UTSTÄLLD: Stockholm 1921, kat.nr 86
LITTERATUR: Asplund 1920, s. 90, kat.nr 194, pl. 69; Natio-
nalmuseum 1929, s. 15; Colding 1947, s. 51 f.; Schid-
lof 1964, s. 293

Grevinnan Eva Sofia von Fersen (1757– 1816), g. Piper, hovmästarinna hos drottning Hedvig Elisabet Charlotta

*Countess Eva Sofia von Fersen, m. Piper, Lady of the
Bedchamber to Queen Hedvig Elisabet Charlotta*
Monterad tillsammans med NMB 722
Sign: "Gillberg"
Silverstift och lavering på papper 6,3x5,5 oval dagermått
Ram: metall
NMB 600
PROVENIENS: Grevinnan Louise Rappe, f. Sparre; 1914 Frö-
ken Åhrman, St. Mellösa (?); 1920 Inköpt från inge-
njör Carl Robert Lamm på Näsby; 1927 Gåva av Hjal-
mar Wicander, A.K. 465
LITTERATUR: Asplund 1929, s. 38, kat.nr 109, pl. 16; Natio-
nalmuseum 1929, s. 15; SPA Index, vol. I, 1935, s. 269

Oscar (I) (1799–1856) som kronprins
Kopia efter Joseph Stieler
Oscar (I) as Crown Prince of Sweden
Copy after Joseph Stieler
Sign: "G."
Akvarell och gouache på elfenben 3,6x2,7 oval
Ram: metall
NMB 601
PROVENIENS: 1919 S. Sundborgs konsthandel; 1920 Inköpt
från ingenjör Carl Robert Lamm på Näsby; 1927 Gåva
av konsul Hjalmar Wicander, A.K. 522
UTSTÄLLD: Stockholm vandringsutst. 1973, kat.nr 64
LITTERATUR: Asplund 1929, s. 38, kat.nr 107, pl. 41; Natio-
nalmuseum 1929, s. 15; Ekhammar 1962, s. 27, fig. 30
(felvänd); Schidlof 1964, s. 293

Josefina (1807–1876) som kronprinsessa
Kopia efter Fredrik Westin
Josefina as Crown Princess of Sweden
Copy after Fredrik Westin
Sign: "G."
Gouache på elfenben 2,7x2,2 oval
Ram: metall
NMB 602
PROVENIENS: 1920 Inköpt från ingenjör Carl Robert Lamm
på Näsby; 1927 Gåva av konsul Hjalmar Wicander,
A.K. 523
UTSTÄLLD: Stockholm vandringsutst. 1973, kat.nr 65
LITTERATUR: Asplund 1929, s. 38, kat.nr 108, pl. 41; Natio-
nalmuseum 1929, s. 15; Ekhammar 1962, s. 27 f., fig.
32 (felvänd); Schidlof 1964, s. 293

Karl XIV Johan (1763–1844)
Kopia efter François Gérard
King Karl XIV Johan of Sweden
Copy after François Gérard
Akvarell och gouache på elfenben h: 6 oval
Ram: guld
NMB 603
PROVENIENS: 1927 Gåva av konsul Hjalmar Wicander, A.K.
26
UTSTÄLLD: Stockholm 1924, kat.nr 11 (?); Stockholm
1949–50, kat.nr 91; Paris 1963, kat.nr 21
LITTERATUR: Asplund 1920, s. 92, kat.nr 209, pl. 74; Natio-
nalmuseum 1929, s. 15; Ekhammar 1962, s. 19, fig. 24

Gustav IV Adolf (1778–1837)

King Gustav IV Adolf of Sweden
Akvarell och gouache på elfenben 3,7x3 oval
Ram: metall
NMB 604
PROVENIENS: 1927 Gåva av konsul Hjalmar Wicander, A.K.
  27
UTSTÄLLD: Stockholm 1799, nr 29 (?)
LITTERATUR: Asplund 1920, s. 90, kat.nr 200, pl. 40; Natio-
  nalmuseum 1929, s. 15

Axel Adlersparre (1763–1838), landshövding

Axel Adlersparre, County Governor
Sign: "Gillberg del 1805"
Silverstift och akvarell på papper 7x6,2 oval
  dagermått
Ram: brons
NMB 605
PROVENIENS: Släkten Adlersparre; 1917 Inköpt
  genom Semmy Josephson från Bukowskis
  vårauktion, nr 211, kat.nr 436; 1927 Gåva av
  konsul Hjalmar Wicander, A.K. 128
LITTERATUR: Asplund 1920, s. 90 f., kat.nr 201, pl.
  71; Nationalmuseum 1929, s. 12; SPA Index,
  vol. I, 1935, s. 7; Ekhammar 1962, s. 18, fig. 18

Okänd sjöofficer

An Unknown Naval Officer
Akvarell och gouache på elfenben 5,8x4,8 oval
Ram: mässing
NMB 606
PROVENIENS: 1920 Inköpt från H. Bukowskis konsthandel;
  1927 Gåva av konsul Hjalmar Wicander, A.K. 403
LITTERATUR: Asplund 1920, s. 90, kat.nr 196, pl. 40; Natio-
  nalmuseum 1929, s. 15

Brita Maria Frögdman (1787–1875), guvernant i excellensen Dues familj

Brita Maria Frögdman, Governess to the Due Family
Påskrift på baksidan (enligt uppgift): "Brita Maria Frögd-
man Mål. af J.A. Gillberg"
Silverstift och akvarell på papper 4x3,1 oval
Ram: metall
NMB 607
PROVENIENS: Christoffer Eichhorn (?); 1890 Bukowskis
auktion nr 61, kat.nr 366 (?); Handlanden Frans Eu-
gène Morssing (?); 1913 Källarmästare August Hall-
ners samling; 1920 Inköpt från ingenjör Carl Robert
Lamm på Näsby; 1927 Gåva av konsul Hjalmar Wican-
der, A.K. 504
LITTERATUR: Carlander 1890, s. 30 (?); Asplund 1929,
s. 38, kat.nr 110, pl. 39; Nationalmuseum 1929, s. 16;
SPA Index, vol. I, 1935, s. 293

Magdalene (Malla) Montgomery (1782–1861), g. Silfverstolpe, författare

Magdalene (Malla) Montgomery, m. Silfverstolpe, Author
Silverstift och akvarell på elfenben 6,5x5,5 oval
Ram: metall
NMB 608
PROVENIENS: 1913 Källarmästare August Hallners samling;
1920 Inköpt från ingenjör Carl Robert Lamm på Näs-
by; 1927 Gåva av konsul Hjalmar Wicander, A.K. 508
LITTERATUR: Asplund 1929, s. 37, kat.nr 103, pl. 40; Natio-
nalmuseum 1929, s. 16; Ekhammar 1962, s. 18 f., fig.
17; Cavalli-Björkman 1981, fig. 136; Lundström 1999,
s. 220, fig. 116

Karl XIV Johan (1763–1844)

Kopia efter François Gérard
King Karl XIV Johan of Sweden
Copy after François Gérard
Monterad i samma ram som NMB 1003
Akvarell och gouache på elfenben 4,6x3 oval
Ram: förgylld brons
NMB 609
PROVENIENS: Enligt uppgift förärad av konungen till amira-
len friherre Cederström; 1920 Inköpt från ingenjör
Carl Robert Lamm på Näsby; 1927 Gåva av konsul
Hjalmar Wicander, A.K. 520
LITTERATUR: Asplund 1929, s. 38, kat.nr 106, pl. 41; Natio-
nalmuseum 1929, s. 16

Originalmålningen av François Gérard finns på
Kungliga Slottet i Stockholm.

Gustav III (1746–1792)
Kopia efter Peter Adolf Hall
King Gustav III of Sweden
Copy after Peter Adolf Hall
Akvarell och gouache på elfenben 6,4x5,6
Ram: metall
NMB 649
PROVENIENS: Inköpt från Marcus konsthandel, Köpen-
hamn; 1920 Inköpt från ingenjör Carl Robert Lamm
på Näsby; 1927 Gåva av konsul Hjalmar Wicander,
A.K. 485
UTSTÄLLD: Stockholm 1915, kat.nr 148; Stockholm 1946,
kat.nr 107
LITTERATUR: Asplund 1929, s. 25, kat.nr 54, pl. 20; Natio-
nalmuseum 1929, s. 19; Colding 1947, s. 53; Lofgren
1976, s. 191, kat.nr B52; Plinval de Guillebon 2000, s.
81, 116, kat.nr 85, avb.

Porträttypen graverad av J.F. Bolt, Berlin, 1793. Jfr
NMB 2364.

Okänd man
An Unknown Man
Sign: "Gillberg Pinxit 1800"
Akvarell och gouache på elfenben diam: 6,2
Ram: metall
NMB 1178
PROVENIENS: 1894 Test. av C.F. Dahlgren; 1929 Omförd
från NMDs 2172
LITTERATUR: Nationalmuseum 1929, s. 12

Okänd man

An Unknown Man

Sign: "Gillberg del 1806"

Silverstift och gouache på papp 7,2x6,2 oval

Ram: metall

NMB 1179

PROVENIENS: 1894 Test. av C.F. Dahlgren; 1929 Omförd
från NMDs 2168

LITTERATUR: Nationalmuseum 1929, s. 12

Okänd man

An Unknown Man

Sign: "Gillberg Pinxit 1806"

Akvarell och gouache på elfenben diam: 5,9

Ram: metall

NMB 1180

PROVENIENS: Häradshövding Josef Palm; 1883 Inköpt från
auktion i Hotel Kung Carl, Göteborg, kat.nr 34; 1894
Test. av C.F. Dahlgren; 1929 Omförd från NMDs 2171

LITTERATUR: Carlander 1897, s. 29; Nationalmuseum 1929,
s. 13

Okänd man

An Unknown Man

Sign: "Gillberg Pinxit 1807."

Akvarell och gouache på elfenben 5,8x5 oval dagermått

Ram: mässing

NMB 1181

PROVENIENS: 1894 Test. av C.F. Dahlgren; 1929 Omförd
från NMDs 2170

LITTERATUR: Nationalmuseum 1929, s. 13

Gustav IV Adolf (1778–1837)

King Gustav IV Adolf of Sweden
Sign: "Gillberg 1806."
Akvarell och gouache på papper 7,8x5,9
Ram: mässing
NMB 1182
PROVENIENS: 1894 Test. av C.F. Dahlgren; 1929 Omförd
    från NMDs 2183
LITTERATUR: Nationalmuseum 1929, s. 12

Okänd löjtnant i Svea Livgarde

An Unknown Lieutenant of the Royal Svea Life Guards
Sign: "Gillberg 1808."
Akvarell och gouache på papper 6,2x5,3 oval
Ram: omonterad
NMB 1183
PROVENIENS: 1894 Test. av C.F. Dahlgren; 1929 Omförd
    från NMDs 443
LITTERATUR: Nationalmuseum 1929, s. 13

Okänd fänrik i Svea Livgarde

*An Unknown Second Lieutenant of the Royal Svea Life
Guards*
Sign: "Gillberg f 1808."
Gouache på elfenben 6,3x5,3 oval
Ram: förgylld brons
NMB 1184
PROVENIENS: 1894 Test. av C.F. Dahlgren; 1929 Omförd
    från NMDs 2178
UTSTÄLLD: Stockholm 1981:II, kat.nr 29
LITTERATUR: Nationalmuseum 1929, s. 13; Cavalli-
    Björkman 1981, s. 138, fig. 136

Okänd kvinna
An Unknown Woman
Sign: "Gillberg 1810."
Silverstift, akvarell och gouache på papper 6x5 oval
Ram: omonterad
NMB 1185
PROVENIENS: 1894 Test. av C.F. Dahlgren; 1929 Omförd
   från NMDs 2195
LITTERATUR: Nationalmuseum 1929, s. 14

Okänd man
An Unknown Man
Sign: "Gillberg. 1810."
Silverstift, akvarell och gouache på papper 6x5 oval
Ram: metall
NMB 1186
PROVENIENS: 1894 Test. av C.F. Dahlgren; 1929 Omförd
   från NMDs 2179
LITTERATUR: Nationalmuseum 1929, s. 14

Okänd man
An Unknown Man
Sign: "Gillberg 1810."
Silverstift, akvarell och gouache på papper 6x5,5 oval
Ram: metall
NMB 1187
PROVENIENS: 1894 Test. av C.F. Dahlgren; 1929 Omförd
   från NMDs 2167
LITTERATUR: Nationalmuseum 1929, s. 14

Okänd riddare av Svärdsorden

An Unknown Knight of the Royal Order of the Sword
Sign: "Gillberg 1801"
Gouache på papper 6x5 oval
Ram: metall, trä
NMB 1188
PROVENIENS: 1894 Test. av C.F. Dahlgren; 1929
   Omförd från NMDs 2174
LITTERATUR: Nationalmuseum 1929, s. 14

Modellen bär Svensksunds- eller Fredrikshamns-
medaljen, adjutantbeteckning.

Okänd man

An Unknown Man
Sign: "Gillberg 1812"
Gouache på elfenben 6x4,8 oval
Ram: omonterad (endast täckglas)
NMB 1189
PROVENIENS: 1894 Test. av C.F. Dahlgren; 1929
   Omförd från NMDs 2223
LITTERATUR: Nationalmuseum 1929, s. 14

Okänd man

An Unknown Man
Sign: "Gillberg 1812."
Silverstift och gouache på papper 5,8x4,6 oval
Ram: metall, trä
NMB 1190
PROVENIENS: 1894 Test. av C.F. Dahlgren; 1929 Omförd
   från NMDs 2169
LITTERATUR: Nationalmuseum 1929, s. 14

Hertig Karl August av Augustenborg
(1768–1810), kronprins av Sverige

Duke Karl August of Augustenborg, Crown Prince of
Sweden
Sign: "Gillberg."
Akvarell och gouache på elfenben 6,2x5,7 oval
Ram: mässing
NMB 1191
PROVENIENS: 1894 Test. av C.F. Dahlgren; 1929 Omförd
    från NMDs 2156
LITTERATUR: Nationalmuseum 1929, s. 15; Lundström
    1999, s. 220, fig. 115

Friherre Carl Henrik Posse af Säby
(1770–1824), major

Baron Carl Henrik Posse af Säby, Major
Sign: "Gillberg. Pinxit 1801."
Akvarell och gouache på elfenben diam: 6,1
Ram: förgylld metall, sammet
NMB 1201
PROVENIENS: 1929 Test. av biskopinnan Anna Lövgren, f.
    Posse (modellens sondotter)
LITTERATUR: Nationalmuseum 1929, s. 12; SPA Index, vol.
    II, 1939, s. 644

C.M. Carlander (ms, fol. 31) nämner en miniatyr
föreställande friherre Carl Henrik Posse signerad
av Gillberg 1801. Den av Carlander omtalade
miniatyren var då i Sigrid Gustava Reinholdina
(Dina) Rudbecks, g. friherrinna Hierta, ägo.
Huruvida den omtalade miniatyren är identisk
med NMB 1201 är omöjligt att avgöra.

**Grevinnan Marie Crescentie von
Hohenzollern-Siegmaringen (1766–
1844), g. m. greve Fischler von
Treuberg, Tyskland**

*The Countess Marie Crescentie von
Hohenzollern-Siegmaringen, m. to Count
Fischler von Treuberg, Germany*
Sign: "Gillberg Pinx. 1794."
Akvarell och gouache på elfenben
    h: 13,7 oval
Ram: lackerat trä, metall
NMB 1275
PROVENIENS: 1933 Inköpt från Ryssland
LITTERATUR: Sjöblom 1935, s. 114 f., fig.
    67; SKL, vol. II, 1953, avb. mot s. 292;
    Ekhammar 1962, s. 15 f., fig. 15
▼

Sivert Roland Öberg (1766–1851), major

Sivert Roland Öberg, Major
Sign: "Gillberg f 1809."
Påskrift på bakstycket: "Majoren S. [R.] Öberg Ståndak-
    tig † [...] Ano 1851"
Akvarell och gouache på papper h: 6,2 oval
Ram: metall, papp
NMB 1285
PROVENIENS: 1934 Omförd från NM förråd

På grund av en felläsning av påskriften på baksi-
dan kallades den avbildade tidigare major S.
Åberg. Någon sjöofficer med namnet Åberg exis-
terar dock inte. Fil.kand Roger de Robelin har
däremot kunnat konstatera att modellen är iden-
tisk med Sivert Roland Öberg, kapten i arméns
flotta. Öberg tilldelades Fredrikshamnsmedaljen i
guld 1791 och blev riddare av Svärdsorden 1808,
vilket också framgår av Gillbergs porträtt.

Okänd officer

An Unknown Officer
Sign: "Gillberg 1798"
Akvarell och gouache på elfenben diam: 7,3
Ram: metall
NMB 1286
PROVENIENS: 1934 Omförd från NM förråd

Carl Johan Ingelotz (1783–1830), överste-löjtnant

Carl Johan Ingelotz, Lieutenant Colonel
Sign: "Gillberg f [otydligt årtal]"
Gouache på elfenben 6,3x5,2 oval
Ram: guld
NMB 1370
PROVENIENS: 1937 Inköpt från konsthandlare Åmell, Stock-
holm
LITTERATUR: Sjöblom 1937, s. 108

Mathilda Dorothea Pettersén (1812–1871), g. m. kryddkramhandlaren Kahn i Stockholm

*Mathilda Dorothea Pettersén, Married to the Stockholm
Grocer Kahn*
Sign: "Gillberg. 1834."
Akvarell och gouache på elfenben h: 6 oval
Ram: metall
NMB 1381
PROVENIENS: 1939 Test. av kamrer Hugo Henning
UTSTÄLLD: Stockholm vandringsutst. 1973, kat.nr 68

Okänd man

An Unknown Man

Sign: "Gillberg. Pinxit. 1800."
Akvarell och gouache på elfenben diam: 6,2
Ram: trä
NMB 1451
PROVENIENS: 1942 Test. av fröken Zelma Lovisa Kjellberg
LITTERATUR: Sjöblom 1944:I, s. 147

**Magnus Heerman (1773–1850), hovrättsråd,
riddare av Nordstjärneorden**

*Magnus Heerman, Judge of Appeal, Knight of the Royal
Order of the Polar Star*

Sign: "Gillberg Pinxit 1804."
Akvarell och gouache på elfenben diam: 6,2
Ram: förgylld metall
NMB 1604
PROVENIENS: 1949 Gåva av fru Jane Meyer, Stockholm
LITTERATUR: Nordenfalk 1952, s. 76

Okänd man

An Unknown Man

Sign: "Gillberg 1808."
Silverstift och gouache på papper h: 6,4 oval
Ram: metall
NMB 1806
PROVENIENS: 1894 Test. C.F. Dahlgren; 1960 Omförd från
NMDs 1521

Okänd kvinna
An Unknown Woman
Sign: "Gillberg 1807."
Silverstift och gouache på papper 7x6 oval
Ram: lackerat trä, förgylld och ciselerad metallist
NMB 1807
PROVENIENS: 1894 Test. av C.F. Dahlgren; 1960 Om-
förd från NMDs 2181

Okänd man
An Unknown Man
Sign: "Gillberg d. 1804"
Silverstift, akvarell och lavering på elfenben h: 6,3
oval
Ram: metall, trä
NMB 1822
PROVENIENS: 1894 Test. av C.F. Dahlgren; 1960 Om-
förd från NMDs 1361

Okänd kvinna

An Unknown Woman

Sign: "Gillberg 1806"

Påskrift på baksidan: "M. Renner. Stadsgården
   8° 24 3 trap up"

Gouache och blyerts på papper 10x7,8 oval

Ram: metall, trä

NMB 2244

PROVENIENS: 1894 Test. av C.F. Dahlgren; 1980
   Omförd från NMDs 2194

▼

Okänd kvinna

An Unknown Woman

Sign: "Gillberg 1814"

Gouache och blyerts på papper 6x4,3 oval

Ram: metall, trä

NMB 2245

PROVENIENS: 1894 Test. av C.F. Dahlgren; 1980 Omförd
   från NMDs 2201

Friherre Knut Axel Leijonhufvud
(1775–1833)
Baron Knut Axel Leijonhufvud
Sign: "Gillberg 1805"
Gouache och förhöjning i vitt på papper 7,3x6,3
oval
Ram: trä, brons, krönt med ornament med bl.a.
ankare
NMB 2246
PROVENIENS: 1894 Test. av C.F. Dahlgren; 1980 Om-
förd från NMDs 2173

Greve Gustaf Fredrik Wirsén
(1779–1827), ämbetsman, förmodat
porträtt
Portrait presumed to be Count Gustaf Fredrik
Wirsén, Civil Servant
Sign: "Gillberg 1814"
Gouache på elfenben 6x5 oval
Ram: trä, brons
NMB 2247
PROVENIENS: 1894 Test. av C.F. Dahlgren; 1980 Om-
förd från NMDs 1153

Självporträtt
Self-Portrait
Akvarell och gouache på elfenben h: 6,2 oval
Ram: förgylld metall
NMB 2472
PROVENIENS: 1998 Inköpt från Bukowskis auktion nr 510,
kat.nr 812
LITTERATUR: Art Bulletin of NM, 1998, s. 32, fig. 3; Lund-
ström 1999, s. 218, fig. 113

Porträttet är utfört ca 1788.

◆

Självporträtt
Self-Portrait
Gouache på elfenben 3,7x2,9 oval
Ram: metallkapsel
NMB 2480
PROVENIENS: Grosshandlare August Michaelson; 1880 In-
köpt från Bukowskis auktion i maj, kat.nr 48; Christof-
fer Eichhorn; 1890 Bukowskis auktion nr 61, kat.nr
367; Handlanden Frans Morssing; 1911 Bukowskis
auktion nr 192, kat.nr 601; Advokat Ivar Morssing;
2000 Inköpt från Hans Göran Sjöström AB
UTSTÄLLD: Stockholm 1915, kat.nr 375
LITTERATUR: Carlander 1897, s. 29 f.; Asplund 1916,
fig. 103

◆

Gustav III (1746–1792)
Kopia efter Peter Adolf Hall
King Gustav III of Sweden
Copy after Peter Adolf Hall
Sign: "Gillberg P: [1]786"
Gouache på elfenben diam: 3
Ram: guld
NMB 2484
PROVENIENS: 2000 Inköpt från Skajs Konst och Antikhandel

Gillberg blev redan i unga år, blott sjutton år gam-
mal, anlitad av det kungliga hovet för att måla mi-
niatyrporträtt av Gustav III. Som förlaga utgick
konstnären från den grundtyp i svensk dräkt som
Peter Adolf Hall målat i samband med kungens
besök i Paris sommaren 1784 och som ställdes ut
på Salongen följande år. Av de kända varianterna
utmärker sig särskilt en version i Gripsholmssam-
lingen, signerad samma år 1786 (NMGrh 1473).

Okänd kvinna

An Unknown Woman
Sign: "Gillberg 1790."
Gouache på elfenben 4,8x3,6 oval
Ram: brons
NMDs 105
PROVENIENS: 1894 Test. av C.F. Dahlgren

Paul Bjure (1760–1819), förste expeditions-sekreterare

Paul Bjure, Deputy Principal Secretary
Sign: "Gillberg"
Gouache på elfenben 4,5x3,2 oval
Ram: metall
NMDs 113
PROVENIENS: 1894 Test. av C.F. Dahlgren

Paul Bjure blev kanslist i Inrikes Civilexpeditionen
1788, senare Kongl. Sekreterare och Kommissarie
på Riksgäldskontoret. Fr.o.m. 1792 Protokollse-
kreterare n.h.o.v.d.

Elsa Fougt (1779–1812), g. Suell

Elsa Fougt, m. Suell
Sign. a tergo: "Jakob Axel Gillberg Pinx:1806"
Påskrift a tergo: "Fru Elsa Suell född Fougt"
Sepia och förhöjning i vitt på papp 7,4x6,5 oval
Ram: förgylld bronslist i rött etui
NMDs 1911
PROVENIENS: 1894 Test. av C.F. Dahlgren

Jakob Axel Gillbergs porträtt av Elsa Fougt är san-
nolikt utfört inför hennes giftermål 1806 med
överkrigskommissarien Sven Suell (1776–1818) i
Göteborg. Makarna fick tillsammans dottern
Emma Nathalia, troligen född 1808. Enligt upp-
gift i Bukowskis auktionskatalog nr 140 (1901),
avled Elsa Fougt fyra år senare.

Okänd kvinna

An Unknown Woman
Sign: "Gillberg del 1807"
Gouache och lavering på papper diam: 5,3
Ram: trä
NMDs 2024
<small>PROVENIENS:</small> 1894 Test. av C.F. Dahlgren

Georg Christian de Frese (1751–1807), konteramiral

Georg Christian de Frese, Rear Admiral
Sign: "Gillberg del 1806"
Silverstift och gouache på papper 6,3x5,5 oval
Ram: trä
NMDs 2175
<small>PROVENIENS:</small> 1894 Test. av C.F. Dahlgren

Enligt uppgift av fil.kand Roger de Robelin fanns
det vid tiden för porträttets utförande bara två
personer med de ordensdekorationer modellen
bär, riddare med storkors och kommendör av
Svärdsorden samt riddare av franska Meritorden,
nämligen Otto Henrik Nordenskjöld och Georg
Christian de Frese. Den avbildade kunde identi-
fieras med hjälp av jämförande studier av andra
porträtt (bl.a. SPA 1921:1590).

Okänd kvinna

An Unknown Woman
Sign: "Gillberg Pinxit 1803"
Gouache på elfenben diam: 6,5
Ram: trä, glas, metall
NMDs 2190
<small>PROVENIENS:</small> 1894 Test. av C.F. Dahlgren

Okänd kvinna
An Unknown Woman
Sign: "Gillberg 1808 [?]"
Gouache och akvarell på elfenben 3,8x2,8
    oktagonal
Ram: metall
NMDs 2207
PROVENIENS: 1894 Test. av C.F. Dahlgren

Caritas Romana
Caritas Romana
Sign: "Gillberg f.[ecit 17]93"
Påskrift a tergo: "Har tillhört [...] Adlersparre på
    Gustafsvik"
Akvarell och gouache på elfenben 7,2x6,3 oval
Ram: förgylld brons
NMDsä 227
PROVENIENS: Georg Adlersparre, Gustafsvik; 1894
    Test. av C.F. Dahlgren

I den Wicanderska donationen finns en mi-
niatyr med en liknande komposition utförd
av prinsessan Fredrika Vilhelmina av Preus-
sen (NMB 28).

Två barn i landskap
Two Children in a Landscape
Sign: "Gillberg 1839"
Påskrift på lapp på bakstycket: "No 108
   Deux jeunes filles"
Gouache och akvarell på elfenben
   17,7×14,5
Ram: förgyllt trä
NMDsä 365
PROVENIENS: Drottning Desiderias sam-
   ling; 1894 Test. av C.F. Dahlgren
▼

Gustav III (1746–1792)
Kopia efter Peter Adolf Hall
King Gustav III of Sweden
Copy after Peter Adolf Hall
Sign: "Gillberg pinx. 1786."
Gouache på elfenben 8,3×6,8 oval
Ram: förgyllt trä
NMGrh 1473
PROVENIENS: 1855 Gåva av greve Gustaf Göran Gabriel
   Oxenstierna
LITTERATUR: Colding 1947, s. 53; von Malmborg 1951,
   s. 202

Greve Mårten Bunge (1764–1815), över-hovjägmästare

Count Mårten Bunge, Master of the Buckhounds
Sign: "Gillberg del 1806"
Påskrift med blyerts a tergo: "Grefve Mårten Bunge †
   1813 [sic!]"
Gouache och silverstift på elfenben 7,2x6,3 oval dager-
   mått
Ram: metall, trä
NMGrh 2036
PROVENIENS: Anförvant till Bunge (enl. uppgift av herr Carl
   Martin); 1932 Inköpt från herr Carl Martins Antikvi-
   tetshandel, Stockholm
LITTERATUR: SPA Index, vol. I, 1935, s. 133; von Malmborg
   1951, s. 259

Okänd man, möjligen medlem av släkten Ulff eller Geijer

*An Unknown Man, possibly a Member of the Ulff or
Geijer Family*
Monterad tillsammans med NMGrh 2079
Sign: "Gillberg pin 1809."
Gouache och silverstift på papper 5,6x4,7 oval dager-
   mått
Ram: guld
NMGrh 2078
PROVENIENS: 1940 Gåva av dr Fredrik Clason, Uppsala
LITTERATUR: von Malmborg 1951, s. 266

Okänd kvinna, möjligen medlem av släkten Ulff eller Geijer

*An Unknown Woman, possibly a Member of the Ulff or
Geijer Family*
Monterad tillsammans med NMGrh 2078
Sign: "Gillberg f 1809."
Gouache på papper diam: 4,5
Ram: guld, hårfläta
NMGrh 2079
PROVENIENS: 1940 Gåva av dr Fredrik Clason, Uppsala
LITTERATUR: von Malmborg 1952, s. 266

Fredrik Westin (1782–1862), målare, professor, direktör vid Konstakademien, hovintendent

Fredrik Westin, Painter, Professor, Director of the Royal Academy of Fine Arts, Surveyor to the King's Household
Påskrift på baksidan: "Fredric Westin målat af Gillberg intygas T. Lundh"
Gouache på elfenben 7x5,6 oval
Ram: metall
NMGrh 2411
PROVENIENS: 1911 Gåva av bankir Carl Adolph Webers arvingar; 1952 Omförd från NMB 329
UTSTÄLLD: Stockholm 1949–50, kat.nr 92
LITTERATUR: Nationalmuseum 1929, s. 14; SPA Index, vol. II, 1939, s. 918; von Malmborg 1968, s. 47

Självporträtt

Self-Portrait
Sign: "Gillberg 1829"
Gouache på papp 17,3x14
Ram: förgylld metall
NMGrh 2495
PROVENIENS: 1894 Test. av C.F. Dahlgren; 1954 Omförd från NMDs 2180
LITTERATUR: Lemberger 1912, s. 87, 230, pl. 44; von Malmborg 1956, s. 125, avb. s. 125; Upmark 1956, s. 125, avb.; Ekhammar 1962, s. 29, fig. 34; von Malmborg 1968, s. 50

▼

Johan Samuel Rosensvärd (1782–1818), överstelöjtnant i flottans generalstab

Johan Samuel Rosensvärd, Lieutenant Colonel of the Navy General Staff
Sign: "Gillberg 1814."
Påskrift å baksidan: "Johan Samuel Rosensvärd F. 1782, D. 1818."
Gouache på papper 6,1x4,9 oval
Ram: metall
NMGrh 3040
PROVENIENS: Long, Värmland; 1965 Test. av fröken Elsa Rosensvärd, Djursholm
LITTERATUR: SPA Index, vol. II, 1939, s. 691; von Malmborg 1968, s. 85

Hedvig Eva Rålamb (1747–1816), g. De la Gardie

Hedvig Eva Rålamb, m. De la Gardie
Gouache på papper 7,6x6,2 oval
Ram: metall
NMGrh 3449
PROVENIENS: Gåva enligt greve Axel och grevinnan Malwina De la Gardies testamente 1874/83, genom greve Pontus De la Gardies dödsbo 1973

GILLBERG, Jakob Axel. Tillskriven

1769–1845 STOCKHOLM

Okänd kvinna

An Unknown Woman

Akvarell och gouache på elfenben 6,7x5,4 oval

Ram: metall

NMB 610

PROVENIENS: Carl Ulrik Palms samling; 1923 Inköpt genom
Semmy Josephson från Bukowskis auktion nr 244, kat.nr
500; 1927 Gåva av konsul Hjalmar Wicander, A.K. 604

LITTERATUR: Nationalmuseum 1929, s. 16; Colding 1947,
s. 52

Okänd militär

An Unknown Military Man

Akvarell och gouache på papper/pergament (?) med
infälld elfenbensplatta diam: 9,5

Ram: metall

NMB 1117

PROVENIENS: 1917 Carl Ulrik Palms samling; 1927 Gåva av
konsul Hjalmar Wicander, A.K. 158

UTSTÄLLD: Brüssel 1912, nr 1325 a; 1952 Stockholm
vandringsutst., kat.nr 6

LITTERATUR: Asplund 1920, s. 144, kat.nr 301, pl. 115;
Nationalmuseum 1929, s. 84

Okänd man

An Unknown Man

Akvarell och gouache på elfenben h: 2,6 oval

Ram: silver, rosenstenar

NMB 1149

PROVENIENS: Etatsrådet Emil Glückstadt; 1924 Inköpt från
Glückstadtska februariauktionen, Köpenhamn, nr
710; 1927 Gåva av konsul Hjalmar Wicander, A.K. 639

LITTERATUR: Nationalmuseum 1929, s. 87

**Magdalena Rudenschöld (1766–1823),
hovdam**

Magdalena Rudenschöld, Lady in Waiting

Gouache på elfenben diam: 5,1

Ram: metall

NMDs 115

PROVENIENS: Grosshandlare August Michaelson; 1880
Inköpt från Bukowskis auktion i maj, kat.nr 78; 1894
Test. av C.F. Dahlgren

Okänd kvinna

An Unknown Woman

Gouache på elfenben 3,3x2,1 oval

Ram: metall

NMDs 2047

PROVENIENS: 1894 Test. av C.F. Dahlgren

Josefina (1807–1876) som kronprinsessa
Kopia efter Fredrik Westin
Josefina of Sweden as Crown Princess
Copy after Fredrik Westin
Gouache och akvarell på elfenben 3,8x2,9 oval
Ram: omonterad
NMDs 2357
PROVENIENS: 1894 Test. av C.F. Dahlgren

Okänd man
An Unknown Man
Gouache på elfenben 8x5,6 oval
Ram: mässing, trä
NMHpd 50
PROVENIENS: Konsul Hjalmar Wicander; 1953 Test. av
    Carl August Wicander

GILLBERG, Jakob Axel. Hans skola
1769–1845 STOCKHOLM

Fredrika Charlotta (Lolotte) Forsberg (1766–1840), g. grevinna Stenbock
Fredrika Charlotta (Lolotte) Forsberg, m. Countess Stenbock
Akvarell och gouache på? 4,2x3,5 oval
Ram: sköldpaddsetui med guldchanér, ornamentrad i
    pärlstavar och akantusmönster
NMB 1157
PROVENIENS: Friherrinnan Emilia Uggla i Helsingborg;
    1920 Inköpt från ingenjör Carl Robert Lamm på Näs-
    by; 1927 Gåva av konsul Hjalmar Wicander, A.K. 477
UTSTÄLLD: Stockholm 1981:II, kat.nr 25
LITTERATUR: Asplund 1929, s. 31, kat.nr 78, pl. 28; Natio-
    nalmuseum 1929, s. 88; SPA Index, vol. I, 1935, s. 284

Fredrika Charlotta (Lolotte) Forsberg var vid sitt
giftermål med greve G.H. Stenbock 1799 kam-
marfru hos prinsessan Sofia Albertina. Modellen
blev senare dennas överhovmästarinna.

HAGELBERG, Niklas Danielsson
1767–1818 VITTARYD

Andreas Widerberg (1766–1810), premiäraktör
Andreas Widerberg, Principal Actor
Sign: "Hagelberg 1802"
Akvarell och gouache på elfenben diam: 5,2
Ram: läderetui
NMB 297
PROVENIENS: 1878 Gåva till Kungliga Biblioteket av härads-
    hövding Ljungbergs sterbhus; 1904 Överförd till Sta-
    tens konstsamlingar från Kungliga Biblioteket
LITTERATUR: Lemberger 1912, s. 70; Nationalmuseum
    1929, s. 16; SPA Index, vol. II, 1939, s. 925, SKL, vol.
    II, 1953, s. 355; Schidlof 1964, s. 325, 967, fig. 506, pl.
    257

Andreas Widerberg (1766–1810), premiäraktör
Andreas Widerberg, Principal Actor
Gouache på elfenben 5,4x4,6 oval
Ram: metall, på baksidan "W" i metall mot grönt siden
NMB 2483
PROVENIENS: Byggmästare Edvard Alfred Bomans samling;
    Oldenburgs samling; Advokat Ivar Morssings samling;
    2000 Inköpt från Hans Göran Sjöström AB

Okänd man

An Unknown Man
Sign: "Hagelberg målat 1801"
Gouache och akvarell på elfenben diam: 5
Ram: omonterad
NMDs 1293
PROVENIENS: 1894 Test. av C.F. Dahlgren

HALL, Peter Adolf
BORÅS 1739–1793 LIÈGE

Okänd man

An Unknown Man
Sign: "Hall."
Gouache på elfenben 4,6x3,9 oval
NMB 60
PROVENIENS: 1871 Inköpt från konsthandlare Bukowski
UTSTÄLLD: Stockholm 1943, kat.nr 201
LITTERATUR: Carlander 1897, s. 32; Nationalmuseum 1929,
    s. 17 (modellen kallad "grefven af Artois?" i föregåen-
    de källor); Lofgren 1976, s. 141, kat.nr A105

Gustav II Adolf (1594–1632)
Kopia efter Anthonis van Dyck och Paulus Pontius
kopparstick
King Gustav II Adolf of Sweden
Copy after Anthonis van Dyck and Engraving by
Paulus Pontius
Pendang till NMB 74
På baksidan: "Gustave Adolphe Roy de Suède. Copié par
    Hall Suédois á Paris 1786"
Gouache på elfenben 8x6,5 oval
Ram: förgyllt trä
NMB 73
PROVENIENS: 1873 Test. av Carl XV, nr 432
UTSTÄLLD: Stockholm 1894, kat.nr 60; Köpenhamn 1921,
    kat.nr 205; Stockholm 1943, kat.nr 197
LITTERATUR: Upmark 1882, s. 78 f.; Carlander 1897, s. 32;
    Levertin 1899, s. 58 f.; Williamson 1904, s. 94, pl.
    XCVI, fig. 2; Asplund 1916, s. 76; Asplund 1923, s.
    194; Nationalmuseum 1929, s. 16; SPA Index, vol. III,
    1943, s. 183; Colding 1953, s. 158; Lofgren 1976, s. 54
    ff., 141, kat.nr A106

Enligt Upmark upptagen i Karl XIII:s bouppteck-
ning 1818 samt i fru Halls förteckning över av
Hall utförda arbeten.

Greve Axel Oxenstierna (1583–1654), rikskansler

Kopia efter Michiel Janszoon van Mierevelt
Count Axel Oxenstierna, Chancellor
Copy after Michiel Janszoon van Mierevelt
Pendang till NMB 73
Påskrift på baksidan: "Kopierad efter Mierewelt."
På baksidan graverad inskription: "COPIÉ PAR HALL
    SUEDOIS À PARIS 1786"
Akvarell och gouache på elfenben h: 8 oval dagermått
Ram: metall
NMB 74
PROVENIENS: 1873 Test. av Carl XV, nr 433
UTSTÄLLD: Stockholm 1894, kat.nr 61; Köpenhamn 1921,
    kat.nr 204; Stockholm 1943, kat.nr 198; Stockholm
    vandringsutst. 1973, kat.nr 49; Gripsholm 1993,
    kat.nr 49

LITTERATUR: Upmark 1882, s. 79; Carlander 1897, s. 32;
    Levertin 1899, s. 58 f.; Williamson 1904, s. 94, pl.
    XCVI, fig. 3; Asplund 1916, s. 76; Asplund 1923, s.
    194; Nationalmuseum 1929, s. 17; SPA Index, vol. II,
    1939, s. 607; Colding 1953, s. 158; Lofgren 1976, s. 54
    ff., 141f., kat.nr 107; Plinval de Guillebon 2000, s. 81,
    s. 109, kat.nr 33, avb.

Enligt Upmark upptagen i fru Halls förteckning
(1786:240 L) samt sannolikt i Karl XIII:s boupp-
teckning fast under namnet Henrik IV.

Johan Tobias Sergel (1740–1814), bildhuggare, professor, hovintendent

Johan Tobias Sergel, Sculptor, Professor, Surveyor to the King's Household

Akvarell och gouache på elfenben h: 8 oval

Ram: metall

NMB 121

PROVENIENS: 1876 Inköpt från Johan Tobias Sergels arvingar genom friherre Ernst von Vegesack

UTSTÄLLD: Köpenhamn 1921, kat.nr 209; Stockholm 1943, kat.nr 222; Stockholm 1945, kat.nr 129; Stockholm 1984, kat.nr 55, s. 8 f., 24

LITTERATUR: Carlander 1897, s. 32; Levertin 1899, s. 59; Lemberger 1912, s. 62, pl. 17; Asplund 1916, s. 74; Nationalmuseum 1929, s. 18; Asplund 1939, s. 81, fig. 39; SPA Index, vol. II, 1939, s. 745; Asplund 1944, s. 266, avb. mot s. 272; SKL, vol. III, 1957, s. 22, avb. s. 21 (felaktigt kallat självporträtt); Lofgren 1976, s. 97 f., 142, kat.nr A108, fig. 36; von Malmborg 1978, s. 176; Cavalli-Björkman 1981, s. 89, fig. 73; Gripsholm 1993, s. 25; Plinval de Guillebon 2000, s. 61, 111 f., kat.nr 50, avb.

Peter Adolf Halls porträtt av Johan Tobias Sergel utfördes sannolikt 1778–79 då de båda konstnärsvännerna samtidigt vistades i Paris.

Självporträtt

Self-Portrait

Pendang till NMB 121

Akvarell och gouache på elfenben h: 8,1 oval dagermått

Ram: metall

NMB 123

PROVENIENS: 1876 Inköpt från Johan Tobias Sergels arvingar genom friherre Ernst von Vegesack

UTSTÄLLD: Stockholm 1841; Köpenhamn 1921, kat.nr 208; Stockholm 1943, kat.nr 223; Stockholm 1945, kat.nr 130; Paris 1947

LITTERATUR: Carlander 1897, s. 32; Carlander ms, fol. 32; Levertin 1899, s. 59, avb. s. 57; Williamson 1904, vol. II, pl. XCVI, 1; Lemberger 1912, s. 34, 224, pl. 15; Asplund 1916, s. 74, fig. 64; Nationalmuseum 1929, s. 18; SPA Index, vol. I, 1935, s. 350; Asplund 1939, s. 63, fig. 25; Asplund 1944, s. 273 ff., fig. 126; Asplund 1955, s. 88, avb. mot s. 16; SKL, vol. III, 1957, s. 22; Fleuriot de Langle 1964, avb.; Lofgren 1976, s. 100 ff., 142, kat.nr A109, fig. 39; Cavalli-Björkman 1981, s. 89; Plinval de Guillebon 2000, s. 104, kat.nr 2, avb.

Carl Gustaf Gillberg utförde åtminstone en kopia (NMB 2239) efter Halls självporträtt, vilket också tjänade som förlaga för litografier av Johan Elias Cardon och Warner Silfversparre. ◆

Sophie Séptimanie de Vignerod du Plessis (1740–1773), hertiginna de Richelieu, g. grevinna d'Egmont

Sophie Séptimanie de Vignerod du Plessis, Duchess de Richelieu, m. Countess d'Egmont

Sign: "Hall Suédois 1773"
Påskrift på baksidan: "JEANNE LOUISE ARMANDE ELI-
SABET SOPHIE SEPTIMANIE DE RICHELIEU COM-
TESSE D'EGMONT, FILLE DE LOUIS FRANCOIS
ARMAND DUPLESIS DUC DE RICHELIEU MARE-
CHAL DE FRANCE. &. ET D'ELISABET SOPHIE DE
LORAINE. Peint à Paris par Hall Suedois. Peintre du
Roy et des Enfans de France ce 1.er Juillet 1773."
Akvarell och gouache på elfenben 8x6,3 oval dagermått
Ram: metall
NMB 158

PROVENIENS: 1773 Gåva till Gustav III av grevinnan d'Eg-
mont; 1851 I änkefru Louise Aspelins ägo; 1870 I gre-
ve Ludvig Manderströms ägo; 1883 Gåva av framlidne
hovrättsrådet Fr. Järta genom friherre Hochschild
UTSTÄLLD: Köpenhamn 1921, kat.nr 207; Paris 1929,
kat.nr 59; Stockholm 1943, kat.nr 194; Stockholm
1945, kat.nr 131; Paris 1947, kat.nr 539; Amsterdam
1961, kat.nr 9; Stockholm 1972–73, kat.nr 72, avb. s.
34; Stockholm & Paris 1993–94, kat.nr 829 (701), avb.
LITTERATUR: Geoffroy 1867 (?); Sander, vol. II, 1873, s.
135, nr 585; Aftonbladet 1883; Stockholms Dagblad
1883; Nordisk Tidskrift 1890; Carlander 1897, s. 32;
Carlander ms, fol. 32; Levertin 1899, s. 44, 59, avb. s.
55; Williamson 1904, vol. II, pl. XCVI, 4; Williamson
1907, vol. III, s. 127–132, pl. CLXII; Lemberger 1912,
s. 59, 62, 224 f., pl. 16; Asplund 1916, s. 74, fig. 67;
Asplund 1917, s. 91; Asplund 1923, s. 194; Lespin-
asse 1929:I, s. 113; Lespinasse 1929:II, nr 158; Na-
tionalmuseum 1929, s. 16, avb. i bildbilaga; Gran-
berg 1931, s. 27; Asplund 1939, s. 76, fig. 38; Asp-
lund 1944, s. 273, 279, fig. 124; Sjöblom 1944:II,
s. 293, fig. 124; Strömbom 1949, s. 258, pl.
113a; Asplund 1955, s. 28; SKL, vol. III, 1957,
s. 22, avb. mot s. 19; Fleuriot de Langle 1964,
avb.; Schidlof 1964, s. 327 f.; Lofgren 1976,
s. 72 ff., 143, kat.nr A110, fig. 20; von Malm-
borg 1978, s. 176, avb. s. 175; Cavalli-Björkman
1981, s. 88, fig. 72; Plinval de Guillebon 2000,
s. 62 f., 79, avb. s. 63, 79, fpl. s. 56

Okänd kvinna

An Unknown Woman

Sign: "Hall"
Akvarell och gouache på elfenben h: 6,2 oval
Ram: metall
NMB 159
PROVENIENS: 1883 Gåva av framlidne hovrättsrådet Fr. Jär-
ta genom friherre Hochschild
UTSTÄLLD: Köpenhamn 1921, kat.nr 206; Stockholm
1943, kat.nr 202
LITTERATUR: Carlander 1897, s. 32; Nationalmuseum 1929,
s. 17; Lofgren 1976, s. 143, kat.nr A111

Anthony Triest (1578–1657), biskop av Gent

Kopia efter Anthonis van Dyck
Anthony Triest, the Bishop of Gent
Copy after Anthonis van Dyck
Sign på baksidan: "hall Suedois à Paris 1775 d'apres le
    Divin Van Dyk."
Emalj h: 5 oval
Ram: metall
NMB 611
PROVENIENS: 1916 Inköpt H. Bukowskis Konsthandel; 1927
    Gåva av konsul Hjalmar Wicander, A.K. 65
UTSTÄLLD: Paris 1777, nr 158 (?) ("Portrait d'après Van-
    dick, en émail"); Stockholm 1921, kat.nr 57, pl. 4;
    Köpenhamn 1921, kat.nr 218; Stockholm 1943, kat.nr
    195
LITTERATUR: Levertin 1899, s. 155; Asplund 1917, s. 83, fig.
    24; Asplund 1920, s. 65, kat.nr 109, pl. 39; Clouzot
    1928, s. 145; Nationalmuseum 1929, s. 16; Uggla
    1929, s. 52, fig. 34; Asplund 1939, s. 72 f., fig. 37; Asp-
    lund 1944, s. 269, 272, fig. 121; Sjöblom 1944:II, s.
    296; Sjöblom 1947, s. 138 f.; Asplund 1951, s. 563,
    avb. s. 562; Colding 1953, 159 f.; Asplund 1955, s. 26;
    SKL, vol. III, 1957, s. 23; Asplund 1958, s. 20, fig. 5;
    Lofgren 1976, s. 29, 48 f., 51, 77, 144, kat.nr A114,
    fig. 12; Cavalli-Björkman 1981, s. 96 f., fig. 81; Plinval
    de Guillebon 2000, s. 80, 85, 131, kat.nr 187, avb. s. 80

Halls kopia efter Anthonis van Dyck tjänade i sin
tur som förlaga för en miniatyr av Carl Gustaf Gill-
berg (NMDs 2264).

Pavel Sergejevitj Potemkin, generallöjtnant, förmodat porträtt

Portrait presumed to be Pavel Sergeevich Potemkin,
Lieutenant-General
Sign: "hall 1789"
Akvarell och gouache på elfenben 5,4x4,3 oval
Ram: gulddosa med guldpärlor
NMB 612
PROVENIENS: 1918 Inköpt från rysk privat ägare; 1927 Gåva
    av konsul Hjalmar Wicander, A.K. 313
UTSTÄLLD: Stockholm 1943, kat.nr 199
LITTERATUR: Asplund 1920, s. 63, kat.nr 102, pl. 37; Natio-
    nalmuseum 1929, s. 17; Lofgren 1976, s. 59, 145,
    kat.nr A115

Modellen är identifierad av intendent Sergey
Letin, Statliga Eremitaget, S:t Petersburg. Potem-
kin bär Alexander Nevsky-orden och S:t Georg-
orden av andra graden.

Okänd kvinna

An Unknown Woman
Sign: "hall 69"
Akvarell och gouache på elfenben diam: 4,8
Ram: metall
NMB 613
PROVENIENS: Inköpt från Carl Ulrik Palms samling; 1927
Gåva av konsul Hjalmar Wicander, A.K. 7
UTSTÄLLD: Stockholm 1915, kat.nr 136; Stockholm 1943,
kat.nr 193
LITTERATUR: Asplund 1920, s. 62, kat.nr 94, pl. 36; Natio-
nalmuseum 1929, s. 16; Lofgren 1976, s. 69 ff., 145,
kat.nr A116, fig. 19

Okänd man

An Unknown Man
Sign: "hall."
Akvarell och gouache på elfenben 3,2x2,5 oval
Ram: brons med rosettöverstycke
NMB 614
PROVENIENS: 1917 Inköpt från Nordiska Kompaniets konst-
handel; 1927 Gåva av konsul Hjalmar Wicander, A.K. 6
UTSTÄLLD: Stockholm 1943, kat.nr 203
LITTERATUR: Asplund 1920, s. 62, kat.nr 95, pl. 37; Natio-
nalmuseum 1929, s. 17; Asplund 1939, fig. 48; Lof-
gren 1976, s. 146, kat.nr A117

Ung kvinna tillhörande släkten Fouache
eller Begouen

*A Young Woman, Belonging to the Family Fouache or
the Family Begouen*
Sign: "hall."
Gouache på elfenben 5,8x4,7 oval
Ram: förgylld metall
NMB 615
PROVENIENS: Inköpt från Carl Ulrik Palms samling; 1927
Gåva av konsul Hjalmar Wicander, A.K. 2
UTSTÄLLD: Stockholm 1915, kat.nr 140; Stockholm 1921,
kat.nr 52; Stockholm 1943, kat.nr 204
LITTERATUR: Asplund 1920, s. 63, kat.nr 98, pl. 35; Natio-
nalmuseum 1929, s. 17; Asplund 1939, fig. 50; Lof-
gren 1976, s. 146, kat.nr A118

Okänd man

An Unknown Man
Sign: "hall" på två ställen
Påskrift på baksidan: "Severin"
Akvarell och gouache på elfenben h: 4,3 oval
Ram: originalmedaljong av ciselerat guld
NMB 616
PROVENIENS: 1917 Inköpt från bankir Erik O. Severins samling; 1927 Gåva av konsul Hjalmar Wicander, A.K. 167
UTSTÄLLD: Stockholm 1915, kat.nr 141; Stockholm 1943, kat.nr 205
LITTERATUR: Mörner 1916, s. 162, avb. s. 161; Asplund 1920, s. 63, kat.nr 101, pl. 37; Nationalmuseum 1929, s. 17; Lofgren 1976, s. 146 f., kat.nr A119

Den avbildade har tidigare kallats Johan Gabriel Oxenstierna (1750–1818).

Ulrika Eleonora von Berchner (1739–1809), g. Örnskiöld

Ulrika Eleonora von Berchner, m. Örnskiöld
Sign: "hall"
Akvarell och gouache på elfenben 5,3x4,3 oval
Ram: förgylld metall
NMB 617
PROVENIENS: 1917 Inköpt från generaldirektör Alfred Lagerheims samling; 1927 Gåva av konsul Hjalmar Wicander, A.K. 212
UTSTÄLLD: Stockholm 1915, kat.nr 138; Stockholm 1921, kat.nr 49; Stockholm 1943, kat.nr 206
LITTERATUR: Asplund 1916, s. 74, fig. 62; Asplund 1920, s. 62, kat.nr 92, pl. 34; Nationalmuseum 1929, s. 17; SPA Index, vol. I 1935, s. 62; Asplund 1939, s. 88, fig. 46; Asplund 1944, s. 273 f., fig. 125 (felaktigt angivet inv.nr "NMB 158"); Asplund 1951, s. 561; Colding 1953, s. 157; Lofgren 1976, s. 71 f., 147 f., kat.nr A120; Plinval de Guillebon 2000, s. 125, kat.nr 146

Louis Charles Auguste Le Tonnelier (1730–1807), baron de Breteuil, diplomat

Louis Charles Auguste Le Tonnelier, Baron de Breteuil, Diplomat
Sign: "hall."
Akvarell och gouache på elfenben diam: 5,1
Ram: förgylld metall
NMB 618
PROVENIENS: 1918 Inköpt från ingenjör Carl Robert Lamm på Näsby; 1927 Gåva av konsul Hjalmar Wicander, A.K. 280
UTSTÄLLD: Stockholm 1915, kat.nr 139; Stockholm 1921, kat.nr 55; Köpenhamn 1921, kat.nr 215; Stockholm 1943, kat.nr 207
LITTERATUR: Asplund 1920, s. 63 f., kat.nr 103, pl. 34; Nationalmuseum 1929, s. 17; Lofgren 1976, s. 148, kat.nr A121; Plinval de Guillebon 2000, s. 116, kat.nr 84

Okänd man

An Unknown Man
Sign: "hall"
Akvarell och gouache på elfenben 3,3x2,6 oval
Ram: guld
NMB 620
PROVENIENS: 1920 Inköpt från ingenjör Carl Robert Lamm
 på Näsby; 1927 Gåva av konsul Hjalmar Wicander,
 A.K. 496
UTSTÄLLD: Stockholm 1915, kat.nr 133; Stockholm 1943,
 kat.nr 209
LITTERATUR: Asplund 1929, s. 27, kat.nr 62, pl. 23; Natio-
 nalmuseum 1929, s. 17; Lofgren 1976, s. 149, kat.nr
 A123

Miniatyren är restaurerad av Fanny Hjelm.

Okänd kvinna

An Unknown Woman
Sign: "hall"
På baksidan gammal inskription: "par hall"
Akvarell och gouache på elfenben 6x4,8 oval da-
 germått
Ram: ciselerad och förgylld brons
NMB 621
PROVENIENS: Inköpt från Paris; 1920 Inköpt från inge-
 njör Carl Robert Lamm på Näsby; 1927 Gåva av
 konsul Hjalmar Wicander, A.K. 500
UTSTÄLLD: Stockholm 1915, kat.nr 143; Stockholm 1943,
 kat.nr 210
LITTERATUR: Asplund 1929, s. 26 f., kat.nr 60, pl. 22; Natio-
 nalmuseum 1929, s. 17; Lofgren 1976, s. 149, kat.nr
 A124

Okänd kvinna

An Unknown Woman
Monterad tillsammans med NMB 648
Sign. på trädstammen: "hall"
Akvarell och gouache på elfenben 6,8x5,2 oval
Ram: fattad mot hårflätning i locket av en
 gulddosa
NMB 622
PROVENIENS: 1927 Gåva av konsul Hjalmar Wi-
 cander, A.K. 308
UTSTÄLLD: Stockholm 1943, kat.nr 211
LITTERATUR: Asplund 1920, s. 64, kat.nr 106, pl.
 38; Nationalmuseum 1929, s. 17; Lofgren
 1976, s. 94, 150, kat.nr A125; Plinval de Guille-
 bon 2000, s. 119, kat.nr 105, avb., fpl. s. 57

Okänd kvinna

An Unknown Woman
Sign: "hall"
Akvarell och gouache på elfenben 4,8x3,7 oval dager-
  mått
Ram: metall
NMB 623
PROVENIENS: Collection Doblin; Enligt uppgift från Collec-
  tion Doblin omkring 1861 donerad till Louvren, men
  enligt speciell paragraf i donationsbrevet återtagen av
  testamentsexekutorn Mr. Lessaigneur; 1919 Marcus
  Konsthandel, Köpenhamn; 1927 Gåva av konsul Hjal-
  mar Wicander, A.K. 353
UTSTÄLLD: Stockholm 1943, kat.nr 212
LITTERATUR: Asplund 1920, s. 65, kat.nr 108, pl. 32; Natio-
  nalmuseum 1929, s. 18, avb. i bildbilaga; Uggla 1929,
  fig. 33; Schidlof 1964, s. 328; Lofgren 1976, 77 f., 150,
  kat.nr A126, fig. 22

Den avbildade kallades tidigare Marie Thérèse
Louise de Savoie-Carignan, Princesse de Lamballe
(1748–1792).

Christoffer Jürgen Müller (1748–1831), kommerseråd

*Christoffer Jürgen Müller, Head of Division at the Board
of Trade*
Sign: "hall"
Akvarell och gouache på elfenben 2,6x2 oval
Ram: bergkristaller inom dubbel pärlram infattade i för-
  gyllt silver
NMB 624
PROVENIENS: Etatsrådet Emil Glückstadt; 1924 Inköpt från
  Glückstadtska auktionen, Köpenhamn, kat.nr 268;
  1927 Gåva av konsul Hjalmar Wicander, A.K. 653
UTSTÄLLD: Stockholm 1943, kat.nr 213
LITTERATUR: Asplund 1929, s. 26, kat.nr 58, pl. 19; Natio-
  nalmuseum 1929, s. 18; SPA Index, vol. II, 1939, s.
  567; Asplund 1951, s. 578; Lofgren 1976, s. 150 f.,
  kat.nr A127; Plinval de Guillebon 2000, s. 110, kat.nr
  43

Christoffer Jürgen Müller var gift med Johanna
Elisabeth Hollström (se NMB 704, porträtt av Ni-
clas Lafrensen d.y.).

Okänd man

An Unknown Man
Sign: "hall"
Akvarell och gouache på elfenben 3,8x2,9 oval
Ram: sköldpaddsdosa med inkrusteringar av guld och
    pärlemor
NMB 625
PROVENIENS: Warneckska samlingen, Wien; 1924 Inköpt
    från Leo R. Schidlofs konstauktion, Wien; 1927 Gåva
    av konsul Hjalmar Wicander, A.K. 688
UTSTÄLLD: Stockholm 1943, kat.nr 214
LITTERATUR: Uggla 1929, fig. 33; Asplund 1929, s. 27,
    kat.nr 63, pl. 24; Nationalmuseum 1929, s. 18; Lof-
    gren 1976, s. 151, kat.nr A128

Okänd kvinna

An Unknown Woman
Sign: "hall"
Akvarell och gouache på elfenben h: 4 oval
Ram: guld
NMB 626
PROVENIENS: 1926 Inköpt från Carl Ulrik Palms samling;
    1927 Gåva av konsul Hjalmar Wicander, A.K. 706
UTSTÄLLD: Stockholm 1943, kat.nr 215
LITTERATUR: Asplund 1929, s. 27, kat.nr 61, pl. 19; Natio-
    nalmuseum 1929, s. 18; Lofgren 1976, s. 151, kat.nr
    A129

Greve Axel von Fersen d.y. (1755–1810), riksmarskalk

Count Axel von Fersen the Younger, Marshal of the Realm
Sign: "hall"
Emalj 3,7x3 oval
Ram: dosa
NMB 627
PROVENIENS: Warneckska samlingen, Wien; 1926 In-
    köpt från Leo R. Schidlofs konstauktion, Wien,
    kat.nr 23; 1927 Gåva av konsul Hjalmar Wican-
    der, A.K. 711
UTSTÄLLD: Paris 1925; Paris u.å.; Stockholm 1943,
    kat.nr 216; Stockholm vandringsutst. 1973,
    kat.nr 54
LITTERATUR: Clouzot 1924, s. 93; Asplund 1929, s. 27,
    kat.nr 64, pl. 25; Nationalmuseum 1929, s. 18; SPA
    Index, vol. I, 1935, s. 270; Asplund 1944, s. 272; Sjö-
    blom 1944:II, s. 296; Sjöblom 1947, s. 138 f.; Asplund
    1951, s. 563 f., 577 f.; Barrington 1952, avb. 194; Lof-
    gren 1976, s. 51 ff., 151 f., kat.nr A130; Cavalli-Björk-
    man 1981, s. 96; Plinval de Guillebon 2000, s. 85, 130,
    kat.nr 182

Självporträtt

Self-Portrait

Gouache på elfenben 14,3x11,2 oval
Ram: ciselerad och förgylld brons
NMB 628

PROVENIENS: Lucie Halls ättlingar, familjen Le Lièvre de La
Grange; 1920 Inköpt från Paris genom H. Bukowskis
Konsthandel; 1927 Gåva av konsul Hjalmar Wicander,
A.K. 414

UTSTÄLLD: Paris 1775 (?); Stockholm 1921, kat.nr 46, pl.
3; Köpenhman 1921, kat.nr 211; Paris 1925; Paris
1929, kat.nr 57; Stockholm 1943, kat.nr 224, pl.
XXVI; Stockholm 1945, kat.nr 132; Amsterdam 1961,
kat.nr 13, avb.; Paris 1963, kat.nr 81; Stockholm vand-
ringsutst. 1991, kat.nr 20, s. 21, avb.; Stockholm &
Paris 1993–94, kat.nr 831 (703), avb.

LITTERATUR: Asplund 1920, s. 61, kat.nr 89, pl. 31; Asp-
lund 1923, s. 194, avb. s. 191; Gunne 1929, avb. s. 72;
Lespinasse 1929:I, nr 628; Nationalmuseum 1929, s.
18, avb. i bildbilaga; Uggla 1929, s. 53; SPA Index, vol.
I, 1935, s. 350, fig. 437; Asplund 1939, s. 45, fig. 14;
Asplund 1944, s. 273 ff., fig. 127; Strömbom 1949, s.
258, pl. 113b; Asplund 1951, s. 564, avb. s. 563; Col-
ding 1953, s. 158, fig. 195; Asplund 1955, avb. mot s.
3; SKL, vol. III, 1957, s. 23, avb. mot s. 19; Asplund
1958, s. 19, fig. 2; Asplund 1962, avb. mot s. 196;
Fleuriot de Langle 1964, avb.; Schidlof 1964, s. 328,
967, fig. 509, pl. 260; Cornell 1966, vol. II, s. 250, fig.
93; Lofgren 1976, s. 100 ff., 152 f., kat.nr A131, avb.
s. ii; von Malmborg 1978, s. 176, avb. s. 175; Cavalli-
Björkman 1981, s. 89, pl. III; Plinval de Guillebon
2000, s. 104, kat.nr 1, avb., fpl. s. 33

Porträttet är målat i Paris omkring 1790. ▼

Augustin Pajou (1730–1809), bildhuggare

Augustin Pajou, Sculptor
Akvarell och gouache på elfenben 8x6,4 oval dagermått
Ram: ciselerad och förgylld brons
NMB 629
PROVENIENS: Inköpt från Paris genom Carl Ulrik Palm;
    1920 Inköpt från ingenjör Carl Robert Lamm på Näs-
    by; 1927 Gåva av konsul Hjalmar Wicander, A.K. 501
UTSTÄLLD: Stockholm 1915, kat.nr 131; Stockholm 1921,
    kat.nr 58; Köpenhamn 1921, kat.nr 217; Paris 1929,
    kat.nr 58; Stockholm 1943, kat.nr 225; Amsterdam
    1961, kat.nr 11, fig. 10; Paris 1963, kat.nr 80; Stock-
    holm 1972–73, kat.nr 48; Stockholm vandringsutst.
    1973, kat.nr 48; Stockholm & Paris 1993–94, kat.nr
    832 (704)
LITTERATUR: Asplund 1916, s. 74, fig. 61; Asplund 1923, s.
    194; Asplund 1924, avb.; Asplund 1929, s. 26, kat.nr
    57, pl. 21; Lespinasse 1929:I, repr. IV; Nationalmu-
    seum 1929, s. 18, avb. i bildbilaga; Uggla 1929, s. 53,
    fig. 31; Asplund 1939, s. 69, fig. 32; Asplund 1944, s.
    266, 275, fig. 119; Asplund 1951, s. 577, avb.; Colding
    1953, s. 158, fig. 191; SKL, vol. III, 1957, s. 23; Asp-
    lund 1962, s. 186; Fleuriot de Langle 1964, avb.;
    Schidlof 1964, s. 328; Lofgren 1976, s. 96 f., 153 f.,
    kat.nr A132, fig. 35; von Malmborg 1978, s. 176, avb.
    s. 175; Cavalli-Björkman 1981, s. 89, fig. 74; Grips-
    holm 1993, s. 25; Plinval de Guillebon 2000, s. 61, 113
    f., kat.nr 63, avb.

Okänd ung man

An Unknown Young Man
Gouache på elfenben 5,7x4,6 oval
Ram: förgylld metall
NMB 631
PROVENIENS: Inköpt från Carl Ulrik Palms samling; 1927
    Gåva av konsul Hjalmar Wicander, A.K. 4
UTSTÄLLD: Stockholm 1915, kat.nr 150; Stockholm 1921,
    kat.nr 51; Stockholm 1943, kat.nr 227, pl. XXV
LITTERATUR: Asplund 1920, s. 63, kat.nr 97, pl. 37; Natio-
    nalmuseum 1929, s. 18; Lofgren 1976, s. 154, kat.nr
    A134

Charles Léoffry de Saint Yves (1717–1804), kallad markisen av Saint-Yves

Charles Léoffry de Saint Yves, called the Marquis de Saint-Yves

Akvarell och gouache på elfenben 9x7,5 oval dagermått
Ram: brons
NMB 634
PROVENIENS: Collection Wildenstein; 1916 Inköpt från H. Bukowskis Konsthandel; 1927 Gåva av konsul Hjalmar Wicander, A.K. 47
UTSTÄLLD: Bryssel 1911–12, kat.nr 816; Stockholm 1921, kat.nr 50 (modellen kallad "Le Marquis de S:t Yver"); Köpenhamn 1921, kat.nr 214; Paris 1929, kat.nr 55; Stockholm 1943, kat.nr 228
LITTERATUR: Villot 1867, s. 89; Jeannerat 1912, pl. 187; L'- Exposition de la miniature 1913, kat.nr 122, pl. XXVII; Asplund 1920, s. 62, kat.nr 93, pl. 35; Nationalmuseum 1929, s. 18; Asplund 1939, s. 84, fig. 42; Asplund 1944, s. 275, fig. 128; Sjöblom 1944:II, s. 295, fig. 128; Asplund 1951, s. 562, avb. s. 561; Fleuriot de Langle 1964, avb.; Lofgren 1976, s. 154 f., kat.nr A135; Plinval de Guillebon 2000, s. 70 f., 77, avb. s. 70

Porträttet är antagligen utfört 1789.

Okänd man

An Unknown Man

Akvarell och gouache på elfenben 3,2x2,6 oval
Ram: metall, pärlor
NMB 637
PROVENIENS: 1927 Gåva av konsul Hjalmar Wicander, A.K. 157
UTSTÄLLD: Stockholm 1921, kat.nr 53; Stockholm 1943, kat.nr 229
LITTERATUR: Asplund 1920, s. 63, kat.nr 99, pl. 36; Nationalmuseum 1929, s. 18; Lofgren 1976, s. 155 f., kat.nr A137

**Friherre Erik Magnus Staël von
Holstein (1749–1802), svensk
ambassadör i Paris**

*Baron Erik Magnus Staël von
Holstein, Swedish Ambassador
in Paris*
Akvarell och gouache på elfen-
ben diam: 6,9 dagermått
Ram: brons
NMB 638
PROVENIENS: 1917 Inköpt
  från H. Bukowskis Konst-
  handel; 1927 Gåva av
  konsul Hjalmar Wican-
  der, A.K. 186
UTSTÄLLD: Stockholm 1921,
  kat.nr 49; Köpenhamn
  1921, kat.nr 213; Stock-
  holm 1943, kat.nr 230;
  Turin 1951; Stockholm
  vandringsutst. 1973, kat.nr
  50; Gripsholm 1993, kat.nr
  51
LITTERATUR: Asplund 1920, s. 62,
  kat.nr 91, pl. 33; Nationalmuseum
  1929, s. 18; Asplund 1939, s. 68, fig.
  30; Asplund 1951, s. 562 f.; Lofgren 1976,
  s. 56 ff., 156, kat.nr A138, fig. 16; Plinval de
  Guillebon 2000, s. 62, 112, kat.nr 52, avb.

Modellen har tidigare kallats såväl Axel Oxenstier-
na af Eka och Lindö som friherre Carl Sparre.

**Lucie Hall (1774–1819), g. 1) Garnier, 2)
Michaux, konstnärens dotter vid 17 års ålder**

*Lucie Hall, m. 1) Garnier, 2) Michaux, the Artist's
Daughter at the Age of Seventeen*
Akvarell och gouache på elfenben diam: 7,1
Ram: metall
NMB 639
PROVENIENS: 1918 Inköpt från herr Hasse
  Ekegårdh i Paris; 1927 Gåva av kon-
  sul Hjalmar Wicander, A.K. 262
UTSTÄLLD: Stockholm 1921, kat.nr 47;
  Stockholm 1943, kat.nr 231;
  Stockholm vandringsutst. 1952,
  kat.nr 7; Amsterdam 1961, kat.nr
  14
LITTERATUR: Asplund 1920, s. 61,
  kat.nr 90, pl. 32; Nationalmu-
  seum 1929, s. 19; SPA Index, vol. I,
  1935, s. 350; Asplund 1951, s. 563;
  Asplund 1955, avb. mot s. 112; Fleu-
  riot de Langle 1964, avb.; Lofgren
  1976, s. 84, 156 f., kat.nr A139, fig. 25;
  Plinval de Guillebon 2000, s. 104, kat.nr
  10, avb.

Okänd kvinna

An Unknown Woman

Akvarell och gouache på elfenben h: 4,6 oval

Ram: metall

NMB 640

PROVENIENS: 1921 Inköpt; 1927 Gåva av konsul Hjalmar
Wicander, A.K. 448

UTSTÄLLD: Stockholm 1943, kat.nr 232

LITTERATUR: de Bourgoing 1928; Asplund 1929, s. 28,
kat.nr 68, pl. 20; Nationalmuseum 1929, s. 19; Lof-
gren 1976, s. 157, kat.nr A140

Okänd flicka

An Unknown Girl

Akvarell och gouache på elfenben 2,2x1,7 oktagonal

Ram: guldkapsel

NMB 641

PROVENIENS: Halls familj enligt uppgift; 1921 Inköpt; 1927
Gåva av konsul Hjalmar Wicander, A.K. 449

UTSTÄLLD: Stockholm 1943, kat.nr 233

LITTERATUR: Asplund 1929, s. 25, kat.nr 56, pl. 20; Natio-
nalmuseum 1929, s. 19; Lofgren 1976, s. 190, kat.nr
B49

Den avbildade skulle möjligen kunna vara konst-
närens dotter Adolphine Hall (1777–1852).

Grevinnan Jeanne Bécu Dubarry (1743–1793), förmodat porträtt

*Portrait presumed to be the Countess Jeanne Bécu
Dubarry*

Akvarell och gouache på elfenben diam: 6,5

Ram: sköldpaddsdosa med blomsterrankor i ciselerat
guld

NMB 642

PROVENIENS: 1920 Inköpt från ingenjör Carl Robert Lamm
på Näsby; 1927 Gåva av konsul Hjalmar Wicander,
A.K. 478

UTSTÄLLD: Stockholm 1915, kat.nr 146

LITTERATUR: Asplund 1916, s. 75, fig. 66; Asplund 1929, s.
28 f., kat.nr 69, pl. 24; Nationalmuseum 1929, s. 19;
Asplund 1951, s. 576 f.; Lofgren 1976, s. 157, kat.nr
A141

Miniatyren är restaurerad av Fanny Hjelm.

Okänd kvinna

An Unknown Woman
Akvarell och gouache på elfenben h: 6,9 oval
Ram: metall
NMB 643
PROVENIENS: F. Muller & C:o, Amsterdam; Carl Ulrik Palm;
1912 H. Buskowskis konsthandel; 1920 Inköpt från in-
genjör Carl Robert Lamm på Näsby; 1927 Gåva av
konsul Hjalmar Wicander, A.K. 491
UTSTÄLLD: Bryssel 1911–12; Stockholm 1915, kat.nr 145;
Stockholm 1943, kat.nr 234; Gripsholm 1993, kat.nr
52
LITTERATUR: Asplund 1916, s. 74, fig. 65; Asplund 1929, s.
25, kat.nr 55, pl. 19; Nationalmuseum 1929, s. 19;
Uggla 1929, s. 53 (?); Sjöblom 1944:II, s. 293 f., fig.
135; Asplund 1951, s. 577; Lofgren 1976, s. 83, 158,
kat.nr A142

Den avbildade har tidigare kallats såväl Lucie
(1774–1819) som Adelaide (1772–1844) Hall,
bägge döttrar till konstnären.

Okänd riddare av St Esprit

An Unknown Knight of St Esprit
Akvarell och gouache på elfenben 3x2,4 oval
Ram: guld
NMB 644
PROVENIENS: Inköpt från Paris; 1920 Inköpt från ingenjör
Carl Robert Lamm på Näsby; 1927 Gåva av konsul
Hjalmar Wicander, A.K. 492
UTSTÄLLD: Stockholm 1915, kat.nr 147; Stockholm 1943,
kat.nr 235
LITTERATUR: Asplund 1929, s. 28, kat.nr 67, pl. 20; Natio-
nalmuseum 1929, s. 19; Lofgren 1976, s. 45, 158,
kat.nr A143, fig. 10

Miniatyren är restaurerad av Fanny Hjelm. Model-
len kallades tidigare greven av Artois.

Okänd kvinna

An Unknown Woman
Akvarell och gouache på elfenben 4,4x3,5 oval
Ram: metall
NMB 647
PROVENIENS: 1915 Inköpt från Paris; 1920 Inköpt från in-
genjör Carl Robert Lamm på Näsby; 1927 Gåva av
konsul Hjalmar Wicander, A.K. 499
UTSTÄLLD: Stockholm 1943, kat.nr 236, pl. XXV
LITTERATUR: Asplund 1929, s. 28, kat.nr 66, pl. 23; Natio-
nalmuseum 1929, s. 19; Sjöblom 1944:II, s. 295, fig.
136; Lofgren 1976, s. 159, kat.nr A144; Plinval de Gu-
illebon 2000, s. 128, kat.nr 170, avb.

Pappas födelsedag, två gossar kallade Halls söner

Father's Birthday, Two Boys traditionally identified as Hall's Sons
Påskrift: "PAPA", "JLSM"
Monterad tillsammans med NMB 622
Akvarell och gouache på elfenben 6,4x4,8
oval
Ram: fattad mot hårflätning i botten av
gulddosa
NMB 648
PROVENIENS: 1918 Inköpt från Paris genom H.
Bukowskis Konsthandel; 1927 Gåva av konsul Hjalmar Wicander, A.K. 309
UTSTÄLLD: Stockholm 1943, kat.nr 237; Stockholm vandringsutst. 1973, kat.nr 55; Gripsholm 1993, kat.nr 53
LITTERATUR: Asplund 1920, s. 64 f., kat.nr 107, pl. 38; Nationalmuseum 1929, s. 19; Lofgren 1976, s. 94, 159, kat.nr A145

Okänd kvinna

An Unknown Woman
Akvarell och gouache på elfenben diam: 5,8
Ram: vernis martin-dosa med chanier i ciselerat guld
NMB 650
PROVENIENS: Warneckska samlingen, Wien;
1924 Inköpt från Leo R. Schidlofs konstauktion, Wien, kat.nr 66; 1927 Gåva av konsul Hjalmar Wicander, A.K. 689
UTSTÄLLD: Wien 1924; Stockholm 1943, kat.nr 238; Stockholm vandringsutst. 1973, kat.nr 53, avb.
LITTERATUR: Schidlof 1911, pl. 5; Asplund 1929, s. 28, kat.nr 65, pl. 25; Nationalmuseum 1929, s. 19; Asplund 1951, s. 578; Schidlof 1964, s. 327 f.; Lofgren 1976, s. 159 f., kat.nr A146; Cavalli-Björkman 1981, pl. IV

Friherre Erik Magnus Staël von Holstein
(1749–1802), svensk ambassadör i Paris
Baron Erik Magnus Staël von Holstein, Swedish
Ambassador in Paris
Akvarell och gouache på elfenben 4,1x3,3 oval
Ram: ciselerad och förgylld brons
NMB 651
PROVENIENS: 1926 Inköpt från Carl Ulrik Palms samling;
1927 Gåva av konsul Hjalmar Wicander, A.K. 695
UTSTÄLLD: Stockholm 1943, kat.nr 239, pl. XXV
LITTERATUR: Asplund 1929, s. 26, kat.nr 59, pl. 22; Natio-
nalmuseum 1929, s. 19; Asplund 1939, fig. 31; SPA In-
dex, vol. II, 1939, s. 786; Ekhammar 1962, s. 11, fig. 5;
Lofgren 1976, s. 160, kat.nr A147; Ullman 1985, avb.
s. 8; Plinval de Guillebon 2000, s. 117, kat.nr 91, avb.

Okänd kvinna
An Unknown Woman
Sign: "hall Suédois pinx. à Paris 1775 d'apres nature."
Emalj h: 3 oval
Ram: metall
NMB 1374
PROVENIENS: 1937 Inköpt från firma E. Bury, Philadelphia
LITTERATUR: Sjöblom 1939, s. 144, fig. 79; Sjöblom
1944:II, s. 296; Lofgren 1976, s. 76 f., 160, kat.nr
A148; Cavalli-Björkman 1981, s. 96; Olausson 1999, s.
243, not 13; Plinval de Guillebon 2000, s. 85, 132,
kat.nr 190, avb.

Okänd kvinna
An Unknown Woman
Sign: "hall"
Akvarell och gouache på elfenben diam: 7,3
Ram: förgylld metall
NMB 1448
PROVENIENS: Konsul Hjalmar Wicander; 1942 Gåva
av Carl August Wicander
UTSTÄLLD: Turin 1951
LITTERATUR: Sjöblom 1944:I, s. 147, fig. 51; Lofgren
1976, s. 161, kat.nr A149

Okänd man

An Unknown Man
Gouache 4x3,3 oval
NMB 1449
PROVENIENS: Konsul Hjalmar Wicander; 1942 Gåva av Carl
August Wicander
LITTERATUR: Sjöblom 1944:I, s. 147, fig. 52; Lofgren 1976,
s. 161, kat.nr A150

Okänd man

An Unknown Man
Sign: "P hall 1767"
Akvarell och gouache på elfenben 4,1x3,3 oval
Ram: metall
NMB 1488
PROVENIENS: 1943 Inköpt genom Bukowskis Konsthandel
UTSTÄLLD: Stockholm 1943, s. 55, kat.nr 192
LITTERATUR: Sjöblom 1944:II, s. 291 f., fig. 134; Colding
1953, s. 157, fig. 185; SKL, vol. III, 1957, s. 22; Lof-
gren 1976, s. 39 f., 161, kat.nr A151; Cavalli-Björkman
1981, s. 85, fig. 67; Plinval de Guillebon 2000, s. 114,
kat.nr 69

Henrik IV (1553–1610), kung av Frankrike

Kopia efter Paul Peter Rubens Maria Medici-svit
i Louvren
King Henri IV of France
Copy after Peter Paul Rubens' Maria Medici-Suite in the
Louvre
Sign: "hall"
På baksidan: "hall Suedois 1781."
Emalj h: 4,8 oval
Ram: metall
NMB 1528
PROVENIENS: 1946 Inköpt från Nachemsohns Konsthandel
AB skandinavisk konst
UTSTÄLLD: Paris 1947, kat.nr 541 (?)
LITTERATUR: Sjöblom 1947, s. 138 f., fig. 90; Lofgren 1976,
s. 49 ff., 162, kat.nr A152, fig. 13; Cavalli-Björkman
1981, s. 96, fig. 80; Plinval de Guillebon 2000, s. 85,
131, kat.nr 188, avb.

Det finns ytterligare ett liknande exemplar av
Halls profilporträtt föreställande Henrik IV, en
cirkelrund miniatyr som visades på miniatyrutställ-
ningen i Stockholm 1915 (kat.nr 153). Miniaty-
ren, som tidigare ingått i såväl Carl Ulrik Palms
som Jean Jahnssons samling, inköptes på Bukow-
skis höstauktion 1944 (kat.nr 546) av en fröken
Holst och befinner sig fortfarande i privat ägo.

Ludvig XVI (1754–1793), kung av Frankrike

King Louis XVI of France
Sign: "hall Suédois 1777[?]"
Akvarell och gouache på papper 9,5x8 oval da-
germått
Ram: guld (ursprungligen med förgylld sil-
verram i filigran med diamanter)
NMB 1758
PROVENIENS: Heine Collection; Pierpont
Morgan; 1935 Christie's, London, Pier-
pont Morgan's auktion, kat.nr 551;
1958 Inköpt från Kunsthaus Math.
Lempertz auktion, kat.nr 450, nr 1154
UTSTÄLLD: London 1935, s. 196, kat.nr
551; Amsterdam 1961, kat.nr 7; Paris
1963, kat.nr 78; Stockholm & Paris
1993–94, kat.nr 828 (700), avb.
LITTERATUR: Diderot 1875, 11:450, nr 200;
Williamson 1906–07, vol. III, nr 489,
pl. CLXIV; Asplund 1939, s. 69, fig. 33;
Asplund 1944, s. 273, fig. 122; Norden-
falk 1945, s. 21, fig. 22; Fleuriot de Langle
1964, avb.; Lofgren 1976, s. 27, 40– 44, 60 f.,
69, 91, 162, kat.nr A153, fig. 5; Plinval de Guil-
lebon 2000, s. 107, kat.nr 19, avb. fpl. s. 44

Marie Victoire Gobin (f. 1753), g. grevinna de la Serre

Marie Victoire Gobin, m. Countess de la Serre
Sign: "hall."
Akvarell och gouache på elfenben h: 8 oval
Ram: metall, baksidan klädd med blått, vattrat
siden och 1800-talstext med guldbokstä-
ver: "HALL Comtesse de la Serre Bel-
le-Sœur de peintre"
NMB 2087
PROVENIENS: 1846 Auktion Saint, nr
340; Collection Vincent; 1975
Inköpt från Palais Galliera,
Paris, kat.nr 86, pl. III (Ader-
Picard-Tajan)
UTSTÄLLD: Paris 1883; Paris
1906, kat.nr 207; Stockholm
1981:II, kat.nr 15, avb.;
Stockholm & Paris
1993–94, kat.nr 835 (707),
avb. s. 453 (felaktigt
benämnd NMB 634 i kata-
logen)
LITTERATUR: Cavalli-Björkman
1981, s. 94 f., fig. 77; Plinval
de Guillebon 2000, s. 106,
kat.nr 17

Grevinnan de la Serre var Peter
Adolf Halls svägerska. Porträttet
målades i Paris omkring 1790.

Okänd kvinna

An Unknown Woman
Akvarell och gouache på elfenben h: 4,9 oval
Ram: innerst förgylld mässing, omkring detta ramverk i
silver besatt med bergkristaller
NMB 2088
PROVENIENS: 1975 Inköpt från Palais Galliera, Paris, kat.nr
91 (Ader-Picard-Tajan)
LITTERATUR: Plinval de Guillebon 2000, s. 126, kat.nr 152,
avb., fpl. s. 68

Okänd kvinna

An Unknown Woman
Tusch och akvarell på elfenben (?) 6x4,8 oval dagermått
Ram: förgylld metall
NMB 2090
PROVENIENS: 1975 Inköpt från professor Karl Asplund,
Stockholm
LITTERATUR: Cavalli-Björkman 1981, s. 128, fig. 122

Stenparti från Spa

Stony Area from Spa
Sign: "hall à Spa 1791"
Påskrift på baksidan: "Ce tableau est de Hall (Suedois) =
1791 – aquarelle de la Source de Spa. Il provient de
ma Grand Mère, Vicomtesse de Lambel – née de Neu-
chatelle qui le tenait de sa grand mère Son petit fils:
Comte E d'Estampes, Janvier 1937."
Akvarell på papper 18,5x13
Ram: förgyllt och ornerat trä
NMB 2270
PROVENIENS: Lucie Hall; Vicomtesse de Lambels mormor
(enl. påskrift); Vicomtesse de Lambel; Greve E. d'Es-
tampes; 1981 Inköpt från Bukowskis Konsthandel
LITTERATUR: Cavalli-Björkman 1981, s. 97 f., fig. 82; Grips-
holm 1993, s. 25; Nationalmuseum 1995, s. 183; Plin-
val de Guillebon 2000, s. 88, 136, kat.nr 210, avb.

P.g.a. oroligheterna i Paris reste Hall till Belgien i
maj 1791. Under sommaren vistades han i Spa
där han bl.a. utförde ovanstående verk samt ett
antal porträttbeställningar.
▼

Landskap
Landscape
Påskrift på baksidan: "Collection du cte d'Estampes Aqu-
arelle Suedois attribuée à l'Ecole de Hall"
Akvarell på papper 13x18,5
Ram: förgyllt och ornerat trä
NMB 2272
PROVENIENS: Lucie Hall; Vicomtesse de Lambels mormor (?);
Vicomtesse de Lambel (?); Greve d'Estampes (enligt
påskrift); 1981 Inköpt från Bukowskis Konsthandel
LITTERATUR: Cavalli-Björkman 1981, s. 97; Gripsholm
1993, s. 25; Nationalmuseum 1995, s. 183; Plinval de
Guillebon 2000, s. 136, kat.nr 211, avb.
▼

Gustav III (1746–1792)

King Gustav III of Sweden
Akvarell och gouache på elfenben 3,5x3 oval
Ram: infattad i locket av en gulddosa (deux couleurs)
  med fältindelade sidor med kulformade förhöjningar
  och guillocherade band, utförd av Friedrich Fyrwald,
  Stockholm, stämplad 1794
NMB 2364
PROVENIENS: 1964 Borås Drätselkammare; 1984 Sotheby's
  Genève 17 maj, kat.nr 412; Olof Pettersson, Stock-
  holm; 1994 Inköpt från Olof Pettersson, Stockholm
UTSTÄLLD: Stockholm 1998–99, kat.nr 569, avb. s. 549; S:t
  Petersburg 1999, kat.nr 232 (bd 4)
LITTERATUR: Bramsen 1965, pl. 772; Snowman 1990, s.
  673; Plinval de Guillebon 2000, s. 116

Porträttet går troligen tillbaka på en version ut-
förd i samband med Gustav III:s besök i Paris som-
maren 1784 och som ställdes ut på Salongen föl-
jande år.

Markis René Louis de Girardin (1735–1808), förmodat porträtt

Portrait presumed to be René Louis de Girardin, Marquis
Gouache på elfenben h: 7,8 oval
Ram: guldbrons
NMB 2461
PROVENIENS: 1997 Inköpt från Christie's , London 15 april,
  kat.nr 74, avb.
LITTERATUR: Plinval de Guillebon 2000, s. 80, 112, kat.nr
  51, avb., fpl. s. 46

HALL, Peter Adolf. Hans art

BORÅS 1739–1818 LIÈGE

Okänd man

An Unknown Man
Akvarell och gouache på elfenben 4,3x3,8 oval
Ram: metall
NMB 630
PROVENIENS: Carl Ulrik Palms samling; 1927 Gåva av kon-
  sul Hjalmar Wicander, A.K. 5
UTSTÄLLD: Stockholm 1915, kat.nr 151; Stockholm 1943,
  kat.nr 226
LITTERATUR: Asplund 1920, s. 62 f., kat.nr 96, pl. 37; Natio-
  nalmuseum 1929, s. 18; Lofgren 1976, s. 154, kat.nr
  A133

Ludvig XV:s döttrar

The Daughters of King Louis XV of France
Gouache på elfenben diam: 7,2
Ram: infattning av rosenstenar, fattade i silver i form av
	bladornament, överst fransk lilja
NMB 633
PROVENIENS: 1916 Inköpt från H. Bukowskis Konsthandel;
	1927 Gåva av konsul Hjalmar Wicander, A.K. 1
LITTERATUR: Asplund 1920, s. 65, kat.nr 110, pl. 39;
	Nationalmuseum 1929, s. 20; Asplund 1951, s.
	569; Martin 1981, fig. 59

Okänd kvinna

An Unknown Woman
Akvarell och gouache på elfenben diam: 5,5
Ram: bronskapsel
NMB 635
PROVENIENS: Collection Michael Heine; 1905 Ge-
	orge Petits auktion, Paris; 1916 Inköpt från
	H. Bukowskis Konsthandel; 1927 Gåva av konsul
	Hjalmar Wicander, A.K. 52
UTSTÄLLD: Stockholm 1921, kat.nr 106; Gripsholm
	1993, kat.nr 50
LITTERATUR: Asplund 1920, s. 130, kat.nr 268, pl. 33;
	Nationalmuseum 1929, s. 20

Okänd man, tidigare kallad Francisco Goya
An Unknown Man, formerly identified as Francisco Goya
Sign: "hall"
Akvarell och gouache på elfenben 3,7x2,9 oval
Ram: metall
NMB 636
PROVENIENS: 1927 Gåva av konsul Hjalmar Wicander, A.K. 144
UTSTÄLLD: Stockholm 1921, kat.nr 54; Stockholm 1943, kat.nr 217
LITTERATUR: Asplund 1920, s. 63, kat.nr 100, pl. 36; Nationalmuseum 1929, s. 18; Lofgren 1976, s. 155, kat.nr A136

HALLBERG, Lars Christian
SKÖVDE 1797–1833 STOCKHOLM

Okänd kvinna
An Unknown Woman
Sign: "L C Hallberg 1820 [?] pt"
Gouache och akvarell på elfenben 4,9x4,2 oval
Ram: trä, metall
NMDs 2041
PROVENIENS: 1894 Test. av C.F. Dahlgren

HALLBERG, Lars Christian.
Tillskriven
SKÖVDE 1797–1833 STOCKHOLM

Okänd kvinna
An Unknown Woman
Akvarell på elfenben h: 4,6 oval
Ram: omonterad
NMDs 1777
PROVENIENS: 1894 Test. av C.F. Dahlgren

Okänd kvinna

An Unknown Woman
Akvarell och gouache på elfenben 5,4x4,5 oval
Ram: svart trä, bronslist
NMDs 1988
PROVENIENS: 1894 Test. av C.F. Dahlgren

HALLMAN, Gustaf
UPPSALA 1800–1865 STOCKHOLM

Fritz von Dardel (1817–1901), konstnär, överintendent

Fritz von Dardel, Artist, Director of Public Works
Gouache på elfenben diam: 4,7
Ram: guld, sidenbakstycke med hårlock
NMB 2495
PROVENIENS: 1969 (?) Inköpt från antikhandel i Stock-
holm; 2000 Inköpt från Roger de Robelin, Stockholm
◆

HANSSON, Anders Johan
SKÅNE 1769–1833 STOCKHOLM

Petter Winblad (1775–1843), skräddarmästare, stadsmajor

Petter Winblad, Master Tailor, Town Major
Sign: "A. Hansson Px 1811."
Påskrift på bakstycket: "skräddarmästaren stadsmajoren
Winblad" samt "Hansson pin. 1811 signerad"
Gouache på elfenben 5,8x4,5 oval
Ram: guld
NMB 652
PROVENIENS: Hovjuvelerare Christian Hammer (?); 1893
Auktion i Köln, "Museum Christian Hammer in Stock-
holm", kat.nr 403 (?); 1893 Bukowskis auktion nr 86,
kat.nr 13 (?); Henryk Bukowski; 1906 Bukowskis auk-
tion nr 168, kat.nr 622; 1920 Inköpt från bankkassör
Fritz Ottergrens samling; 1927 Gåva av konsul Hjalmar
Wicander, A.K. 428
UTSTÄLLD: Stockholm 1915, kat.nr 379
LITTERATUR: Asplund 1929, s. 40, kat.nr 113, pl. 43; Natio-
nalmuseum 1929, s. 20; SPA Index, vol. II, 1939, s.
929; SKL, vol. III, 1957, s. 50; Schidlof 1964, s. 331

Okänd man
An Unknown Man
Sign: "A:J: Hansson. 1801."
Gouache på elfenben 5,8x4,8 oval dagermått
Ram: guld, hårfläta a tergo
NMB 1412
PROVENIENS: 1940 Inköp
LITTERATUR: Sjöblom 1941, s. 86; Schidlof 1964, s. 968, fig.
   518, pl. 262; von Malmborg 1978, s. 234, fig. 3

Okänd man
An Unknown Man
Sign: "A J Hansson"
Gouache på elfenben 6,2x5,2 oval
Ram: trä, metallist
NMDs 1070
PROVENIENS: 1894 Test. av C.F. Dahlgren
◆

HANSSON, Anders Johan. Tillskriven
SKÅNE 1769–1833 STOCKHOLM

**Johan Herman Schützercrantz (1762–1821),
konteramiral**
Johan Herman Schützercrantz, Rear Admiral
Gouache på elfenben (?) 5x4,2 oval
Ram: guld (?)
NMB 309
PROVENIENS: 1908 Gåva av syskonen Schützercrantz genom
   revisor Johan Vilhelm Schützercrantz
LITTERATUR: SPA Index, vol. II, 1939, s. 739

Okänd man

An Unknown Man
Gouache på elfenben diam: 5,6
Ram: metall
NMB 767
PROVENIENS: 1917 Inköpt från Bukowskis auktion nr
214, kat.nr 631 (tillskriven Samuel Hofling); 1927
Gåva av konsul Hjalmar Wicander, A.K. 222
LITTERATUR: Asplund 1920, s. 99, kat.nr 228, pl. 76; Na-
tionalmuseum 1929, s. 35

Porträttet har tidigare attribuerats både till
Samuel Hofling och Leonard Henrik Roos af
Hjelmsäters art.

Friherre Carl Achates von Platen (1786–1850), generaladjutant

Baron Carl Achates von Platen, Adjutant-General
Akvarell och gouache på elfenben 6x4,8 oval
Ram: metall
NMB 831
PROVENIENS: 1920 Inköpt från bankkassör Fritz Ottergrens
samling; 1927 Gåva av konsul Hjalmar Wicander, A.K.
430
UTSTÄLLD: Stockholm 1915, kat.nr 416
LITTERATUR: Asplund 1929, s. 40, kat.nr 114, pl. 42; Natio-
nalmuseum 1929, s. 1; Schidlof 1964, s. 39, fig. 10,
pl. 6

Okänd man
An Unknown Man
Akvarell och gouache på elfenben diam: 5,8
Ram: lackerad papp
NMDs 1383
PROVENIENS: 1894 Test. av C.F. Dahlgren

HANSSON, Anders Johan. Hans art
SKÅNE 1769–1833 STOCKHOLM

**Margareta Charlotta Blessing (1725–1795),
g. Asklöf**
Margareta Charlotta Blessing, m. Asklöf
Akvarell och gouache på elfenben 6x4,4 oval dagermått
Ram: guld, hårfläta runt miniatyren
NMB 526
PROVENIENS: 1918 Inköpt genom Semmy Josephson från
    Bukowskis auktion nr 217, kat.nr 349; 1927 Gåva av
    konsul Hjalmar Wicander, A.K. 253
LITTERATUR: Asplund 1920, s. 71, kat.nr 131, pl. 45; Natio-
    nalmuseum 1929, s. 5; SPA Index, vol. I, 1935, s. 92

HARPER, Johann
STOCKHOLM 1688–1746 POTSDAM

Herkules och Omphale
Kopia efter François Lemoyne, Louvren
Hercules and Omphale
Copy after François Lemoyne, the Louvre
Sign: "Harper 1738."
Oläslig påskrift på bakstycket
A tergo lapp med tryckt text: "60. Szene aus der Mythologie: Landschaft, links ein Amor. Vorzüglich gemalt. Elfenbein Br.-R." samt skrivet med bläck: "Nr katalogen Grefvinnan Clotilde Lottums auktion i Berlin 18/2 1908"; tryckt lapp: "E.O. Severins samling N:o 286"
Gouache på elfenben 13,3×11
Ram: ciselerad och förgylld brons
NMB 2375
PROVENIENS: Grevinnan Clotilde Lottum; 1908 Rudolph Lepke's Kunst-Auctions-Haus, Berlin, februariauktion nr 1502, kat.nr 60, pl. XV; Bankir Erik O. Severins samling; 1917 Konsul Hjalmar Wicander, A.K. 176; Carl August Wicander; 1953 Test. av Carl August Wicander; 1994 Omförd från NMHpd 53
LITTERATUR: Asplund 1920, s. 39, kat.nr 52, pl. 18; Colding 1953, s. 138; von Malmborg 1954, s. 88, fig. 2; Schidlof 1964, s. 334, 969, fig. 524, pl. 267; Colding 1991, s. 56; Olausson & Söderlind 1994, s. 105, fpl. 13

Harper var en av de första svenska konstnärer som använde sig av elfenben som underlag i miniatyrmåleriet. Elfenbenet är tjockt skuret vilket är typiskt för elfenbensminiatyrer från 1700-talets första hälft. En identisk miniatyr av samma konstnärs hand, och likaledes utförd på elfenben, finns i Statens Museum for Kunst i Köpenhamn (inv.nr 4293). De båda miniatyrerna är spegelvända i förhållande till originalet som målades av François Lemoyne år 1734.
▼ ◆

HARPER, Johann. Tillskriven

STOCKHOLM 1688–1746 POTSDAM

Självporträtt
Self-Portrait
Gouache på elfenben h: 7,3
Ram: förgylld metall
NMB 2400
PROVENIENS: Robert Dows Brewster (1916–1995), New
  York City; 1995 Inköpt från Sotheby's, Genève

Tillskrivningen av detta porträtt bygger på en jäm-
förelse med ett numera förstört porträtt av Harper
som förvarades i Konstakademien i Berlin. En ko-
pia av Nationalmusei miniatyr finns i Szépmüvés-
zeti Múzeum, Budapest, som är falsksignerad
"Massé".

HEDVIG ELISABET CHARLOTTA, DROTTNING AV SVERIGE OCH NORGE

EUTIN 1759–1818 STOCKHOLM

Okänd flicka

An Unknown Girl

Påskrift på baksidan: "målat af hertiginnan
   Hedvig Elisabeth Charlotta"
Akvarell och gouache på elfenben h: 9
   oval
Ram: metall
NMB 76
PROVENIENS: 1873 Test. av Carl XV. nr 435
UTSTÄLLD: Stockholm vandringsutst. 1973,
   kat.nr 83, avb.
LITTERATUR: Upmark 1882, s. 79; Carlan-
   der 1897, s. 36; Lemberger 1912, s.
   68; Nationalmuseum 1929, s. 20; SKL,
   vol. III. 1957, s. 85; von Malmborg
   1978, s. 200, avb. s. 199, fig. 7

Amorin i landskap

Cupid in a Landscape

Sign: "Hedwig Elisabeth Charlotte."
Blyerts på papper 6x7 liggande oval
Ram: infattad i locket till en dosa av lack på horn med
   guillocherat mönster, ram och falsar av förgylld kop-
   parlegering, invändigt fodrad med sköldpadd
NMB 2363
PROVENIENS: 1993 Inköpt från Bukowskis auktion
   nr 488, kat.nr 520

HELAND, Martin Rudolf

BJÖRKVIKS SOCKEN 1765–1814 STOCKHOLM

Stockholmsvy, Stortorget med pumphuset
Stockholm Scene, Stortorget and the Pump House
Egenhändig påskrift a tergo: "Vuë de la grande Place de
   la Bourse désinée d'aprés nature par Heland"
Akvarellerad tuschteckning på papper diam: 7.7
Ram: förgylld brons
NMB 653
PROVENIENS: 1918 Inköpt från Carl Ulrik Palms samling;
   1927 Gåva av konsul Hjalmar Wicander, A.K. 270
LITTERATUR: Asplund 1920, s. 73, kat.nr 135, pl. 47; Natio-
   nalmuseum 1929, s. 21; Schidlof 1964, s. 344

Stockholmsvy, utsikt över Strömmen

Stockholm Scene, View over the Sound of Stockholm
Egenhändig påskrift a tergo: "Vuë d'une partie du port
  prise de la porte de l'opera d'aprés nature par M: R:
  Heland"
Akvarellerad tuschteckning på papper diam: 7,7
Ram: förgylld brons
NMB 654
PROVENIENS: 1918 Inköpt från Carl Ulrik Palms sam-
  ling; 1927 Gåva av konsul Hjalmar Wicander,
  A.K. 271
LITTERATUR: Asplund 1920, s. 74, kat.nr 138, pl.
  48; Nationalmuseum 1929, s. 21; Schidlof
  1964, s. 344

Stockholmsvy, utsikt från Blasieholmen

Stockholm Scene, View from Blasieholmen
Påskrift: "Vue de Stockholm du côté du port pri-
  se de la nouvelle Boucherie par M.R. Heland
  1787"
Akvarellerad tuschteckning på papper diam: 7,7
Ram: förgylld brons
NMB 655
PROVENIENS: 1918 Inköpt från Carl Ulrik Palms samling;
  1927 Gåva av konsul Hjalmar Wicander, A.K. 272
LITTERATUR: Asplund 1920, s. 74, kat.nr 140, pl. 48; Natio-
  nalmuseum 1929, s. 20; Schidlof 1964, s. 344

Stockholmsvy, utsikt från Kungsholmen över Mälaren

Stockholm Scene, View of Lake Mälaren from Kungsholmen

Påskrift: "Vuë de Stockholm du coté du Mälaren prise de Kungsholmen par M.R. Heland 1787"
Akvarellerad tuschteckning på papper
    diam: 7,7
Ram: förgylld brons
NMB 656
PROVENIENS: 1918 Inköpt från Carl Ulrik Palms samling; 1927 Gåva av konsul Hjalmar Wicander, A.K. 273
LITTERATUR: Asplund 1920, s. 73, kat.nr 136, pl. 47; Nationalmuseum 1929, s. 21; Schidlof 1964, s. 344

Stockholmsvy, Slottets vänstra flygel

Stockholm Scene, the Left Wing of the Royal Palace

Akvarellerad tuschteckning på papper
    diam: 7,7
Ram: förgylld brons
NMB 657
PROVENIENS: 1918 Inköpt från Carl Ulrik Palms samling; 1927 Gåva av konsul Hjalmar Wicander, A.K. 274
LITTERATUR: Asplund 1920, s. 74, kat.nr 139, pl. 47; Nationalmuseum 1929, s. 22; Schidlof 1964, s. 344

Stockholmsvy, utsikt från Strömsborg

Stockholm Scene, View from Strömsborg
Akvarellerad tuschteckning på papper
  diam: 7,7
Ram: förgylld brons
NMB 658
PROVENIENS: 1918 Inköpt från Carl Ulrik Palms
  samling; 1927 Gåva av konsul Hjalmar Wi-
  cander, A.K. 275
LITTERATUR: Asplund 1920, s. 73, kat.nr 137,
  pl. 47; Nationalmuseum 1929, s. 22; Schid-
  lof 1964, s. 344

Drottningholms slott

Drottningholm Palace
Påskrift: "Vuë de Drottningholm prise de
  Kiersön au bout du nouveau pont d'aprés
  nature par M·R· Heland. 1787."
Akvarellerad tuschteckning på papper
  diam: 7,7
Ram: förgylld brons
NMB 659
PROVENIENS: 1918 Inköpt från Carl Ulrik Palms
  samling; 1927 Gåva av konsul Hjalmar Wi-
  cander, A.K. 276
LITTERATUR: Asplund 1920, s. 74, kat.nr 141,
  pl. 48; Nationalmuseum 1929, s. 21;
  Schidlof 1964, s. 344

Uppsala slott och domkyrka

Uppsala Castle and Cathedral

Påskrift: "Vuë de Chateau d'Upsal avec une
partie de la ville du coté de la porte appel-
lée Slotsporten desinée par M.R. Heland
1787"

Akvarellerad tuschteckning på papper
diam: 7,7

Ram: förgylld brons

NMB 660

PROVENIENS: 1918 Inköpt från Carl Ulrik
Palms samling; 1927 Gåva av konsul Hjal-
mar Wicander, A.K. 277

LITTERATUR: Asplund 1920, s. 74, kat.nr 142,
pl. 48; Nationalmuseum 1929, s. 21; Uggla
1929, fig. 38; Schidlof 1964, s. 344

Stockholms slott och Norrström

*The Royal Palace of Stockholm and
Norrström*

Påskrift a tergo: "Vuë du chateau du coté de
la riviére prise du pont de la Boucherie, da-
prés nature par M.R. Heland"

Akvarell på papper diam: 7,1

Ram: guld

NMB 1166

PROVENIENS: 1927 Inköpt från Paris; 1927 Gåva
av konsul Hjalmar Wicander, A.K. 719

LITTERATUR: Asplund 1929, s. 30, kat.nr 76, pl.
27; Nationalmuseum 1929, s. 21; Schidlof
1964, s. 344

Enligt Asplund är miniatyren sannolikt
utförd 1788.

Riddarhustorget

Riddarhustorget Square
Påskrift: "Vuë de la place des nobles prise de
  riddarholmen 1788. M.R. Heland fecit."
Akvarell på papper diam: 7,3
Ram: guld
NMB 1167
PROVENIENS: Inköpt från Paris 1927; 1927
  Gåva av konsul Hjalmar Wicander, A.K.
  720
LITTERATUR: Asplund 1929, s. 31, kat.nr 77, pl.
  27; Nationalmuseum 1929, s. 21; Schidlof
  1964, s. 344

Vy över Strömmen, Stockholms slott från Skeppsholmen

*View over the Sound of Stockholm,
The Royal Palace from Skeppsholmen*
Akvarell på papper diam: 7 dagermått
Ram: förgyllt trä, passepartout
NMB 1294
PROVENIENS: 1934 Inköpt från Jean
  Jahnssons auktion, Stockholm
LITTERATUR: Sjöblom 1935, s. 115

Slottsbacken

The South Forecourt of the Royal Palace, Stockholm

Påskrift a tergo: "Vue du Château, côté de la parade Stockholm d'a- prés nature par Mr R. Heland. 1.788."

Akvarell på papper diam: 6,9 dager- mått

Ram: förgyllt trä, passepartout

NMB 1295

PROVENIENS: 1934 Inköpt från Jean Jahnssons auktion, Stockholm

LITTERATUR: Sjöblom 1935, s. 115; Johnsson 1972, fig. s. 59

Vy över Munkbron

View of the Munkbron Bridge

Påskrift a tergo: "Vue du Quai des Moines. Stockholm d'aprés nature par M.r R. Héland. 1.788."

Akvarell på papper diam: 6,9

Ram: förgyllt trä, passepartout

NMB 1296

PROVENIENS: 1934 Inköpt från Jean Jahnssons auktion, Stockholm

LITTERATUR: Sjöblom 1935, s. 115

Stockholms slott från Gustaf Adolfs torg

*The Royal Palace, Stockholm,
from Gustaf Adolfs torg*

Påskrift a tergo: "Vue de la Place du
   Nord. Stockholm d'aprés nature
   par Mr R. Héland 1.788."
Akvarell på papper diam: 6,9 dager-
   mått
Ram: förgyllt trä, passepartout
NMB 1297
PROVENIENS: 1934 Inköpt från Jean
   Jahnssons auktion, Stockholm
LITTERATUR: Sjöblom 1935, s. 115

Jacobs kyrka i Stockholm

The Church of St Jacob in Stockholm
Akvarellerad teckning på papper
   diam: 7 dagermått
Ram: förgyllt trä
NMB 1613
PROVENIENS: 1950 Inköp
LITTERATUR: Nordenfalk 1952, s. 76

Jacobs kyrka i Stockholm
The Church of St Jacob in Stockholm
Akvarellerad teckning på papper
  diam: 7,3
Ram: förgyllt trä
NMB 1659
PROVENIENS: 1952 Inventarieförd (för-
  värvssätt okänt)

Stortorget i Stockholm
Stortorget, Stockholm
Pendang till NMHpd 58
Påskrift a tergo: "Vue de la Grande
  Place de la Bourse. Stockholm
  (!)d'aprè nature par Mr R. He-
  land ce 18 Avril 1788."
Akvarell på papper diam: 7 dager-
  mått
Ram: förgyllt trä
NMHpd 57
PROVENIENS: Konsul Hjalmar Wican-
  der; 1953 Test. av Carl August
  Wicander
LITTERATUR: Asplund 1951, s. 518

Jacobs kyrka i Stockholm

The Church of St Jacob in Stockholm
Pendang till NMHpd 57
Påskrift a tergo: "Vue de l'Eglise St
 Jacques. Environs de Stockholm
 d'après nature par M.R. Heland
 1788."
Påskrift på papperslapp fäst på bak-
 stycket: "Vue de la Grande Place
 de la Bourse Stockholm d'aprés
 nature par M.r. Heland ce 18 Avril
 1.788."
Akvarell på papper diam: 7 dager-
 mått
Ram: förgyllt trä
NMHpd 58
PROVENIENS: Konsul Hjalmar Wican-
 der; 1953 Test. av Carl August
 Wicander
LITTERATUR: Asplund 1951, s. 518

Jacobs kyrka i Stockholm

Replik efter NMHpd 58 (något
förändrad)
The Church of St Jacob in Stockholm
Replica after NMHpd 58
Påskrift nedtill: "St. Jacobs Kyrka."
Akvarell på papper diam: 6,4 dager-
 mått
Ram: förgyllt trä
NMHpd 59
PROVENIENS: Konsul Hjalmar Wican-
 der; 1953 Test. av Carl August
 Wicander
LITTERATUR: Asplund 1951, s. 518

HENRICHSEN, Johan Georg

GÖTEBORG 1707–1779 STOCKHOLM

Lekande amoriner

Cupids Playing
Emalj diam: 3,6
Ram: metall
NMB 49
PROVENIENS: 1870 Inköpt från fröken J. Petersson
LITTERATUR: Carlander 1897, s. 37; Lemberger 1912, s. 48;
Nationalmuseum 1929, s. 22; SKL, vol. III, 1957, s.
111; Schidlof 1964, s. 348; Cavalli-Björkman 1981, s.
50, fig. 30

Drottning Lovisa Ulrika (1720–1782)

Kopia efter Gustaf Lundberg
Queen Lovisa Ulrika of Sweden
Copy after Gustaf Lundberg
Emalj på koppar h: 2,3 oval
Ram: guld
NMB 92
PROVENIENS: 1873 Test. av Carl XV, nr 474
LITTERATUR: Upmark 1882, s. 79; Carlander 1897, s. 36 f.;
Lemberger 1912, s. 48

Förlagan till Henrichsens emalj är Gustaf Lund-
bergs profilporträtt i pastell (NMDrh 52).

Mytologisk scen

Mythological Scene
Emalj diam: 2,2
Ram: dosa av sköldpadd
NMB 1337
PROVENIENS: 1936 Gåva av fru Valborg Ottergren genom
Nationalmusei vänner
LITTERATUR: Sjöblom 1936, s. 155; SKL, vol. III, 1957, s.
111

▲

L'amour de Bacchus

Kopia efter François Boucher
L'amour de Bacchus
Copy after François Boucher
Emalj diam: 4,6
Ram: fickur av guld, urets verk av Augustin Bourdillon,
    boettens guldarbete av Jean de Villeneuve
NMB 1671
PROVENIENS: 1953 Inköpt från Gustavianska konsthandeln,
    Knut Martin
UTSTÄLLD: Stockholm 1971:I, kat.nr 11

Uret monterades 1761 i boetten. Bouchers origi-
nalmålning finns i hertig Fredrik Adolfs sängkam-
mare på Stockholms slott. Se även NMK
110/1979, snarlikt ur.

Grevinnan Brita Horn (1744–1791), g. Ekeblad, hovfröken

Kopia efter Gustaf Lundberg
Countess Brita Horn, m. Ekeblad, Maid of Honour
Copy after Gustaf Lundberg
Emalj h: 3,7 oval
Ram: guldkapsel
NMB 2177
PROVENIENS: 1829 Gåva av exc. riksmarskalken greve
    Claes Adolf Fleming; S.H.M. 523:2; 1978 Överförd
    från SKS 677
UTSTÄLLD: Stockholm 1930, kat.nr 677

Modellen kunde identifieras med hjälp av förla-
gan till Henrichsens emalj, en pastell av Gustaf
Lundberg utförd ca 1766 (NMGrh 1885).
◆

Drottning Lovisa Ulrika (1720–1782)

Fri kopia efter Gustaf Lundberg
Queen Lovisa Ulrika
Free Copy after Gustaf Lundberg
Emalj h: 3,4 oval
Ram: skrivplån av pärlemor m.m.
NMB 2357
PROVENIENS: 1992 Inköpt från Wagers konsthandel,
    München

Gustav (III) (1746–1792) som kronprins

Kopia efter Gustaf Lundberg
Gustav (III) as Crown Prince of Sweden
Copy after Gustaf Lundberg
Emalj h: 3,2 oval
Ram: metall
NMB 2390
PROVENIENS: 1994 Inköpt från Stockholms Auktionsverk 5
december

Förlagan till Henrichsens emalj är Gustaf Lund-
bergs pastellversion av år 1766.

Gustav III (1746–1792)

Kopia efter Lorens Pasch d.y.
King Gustav III of Sweden
Copy after Lorens Pasch the Younger
Emalj h: 2,2 oval
Ram: förgylld kopparlegering infattad i locket till en
dosa av brun lack på horn med pressad punktdekor
samt på ovansidan en bård av kopparlegering, invän-
digt halmmosaik med blommor
NMB 2394
PROVENIENS: 1969 Svensk franska konstgalleriets auktion
nr 19, kat.nr 823 (?); 1995 Inköpt från T. Neumans
konsthandel, Stockholm

Förlagan till Henrichsens emalj är Lorens Pasch
d.y:s porträtt av Gustav III från 1770-talets mitt
(SPA 1917:285). Dosan är tillverkad under 1780-
eller 90-talet.

Adolf Fredrik (1710–1771)

Kopia efter Gustaf Lundberg
King Adolf Fredrik of Sweden
Copy after Gustaf Lundberg
Påskrift på baksidan med blyerts: "af J.G. Henrichsen
(eft. Lundberg)"
Påskrift på lapp på baksidan: "Konung Adolph Fredrik.
Gifvet till Gripsholms Slott år 1855 af öfverkammar-
herren Gr: G.G. Oxenstjerna."
Emalj 3,4x2,6 oval
Ram: metall, trä
NMGrh 1467
PROVENIENS: 1855 Gåva av greve Gustaf Göran Gabriel
Oxenstierna
LITTERATUR: von Malmborg 1951, s. 201

Förlagan till Henrichsens emalj är Gustaf Lund-
bergs pastell av Adolf Fredrik (NMDrh 47).

Gustav III (1746–1792)
King Gustav III of Sweden
Gouache på elfenben h: 2,7 oval dagermått
Ram: pärlemorfodral till skrivplån, kantat med ciselerade
och graverade bårder av guld; miniatyren inom guld-
ram; på baksidan Gustav III:s krönta monogram mot
en botten av ripssiden; inskrifter på locket: "souvenir"
och "d'amitié"
NMK 69/1946
PROVENIENS: 1946 Test. av grevinnan Anna Bogeman, f.
Stackelberg
UTSTÄLLD: Stockholm 1998–99, kat.nr 558; S:t Petersburg
1999, kat.nr 184 (bd 4)
LITTERATUR: Hernmarck 1950, s. 185 f.

Luften
Kopia efter Jean Daullés gravyr efter François
Boucher
Air
Copy after Jean Daullé's Engraving after
François Boucher
Emalj diam: 5
Ram: fickur av guld
NMK 110/1979
PROVENIENS: 1979 Gåva av fröken Dagmar Glosemeyer,
Rosersberg
UTSTÄLLD: Stockholm 1981:I, s. 15, kat.nr 248, avb. i bild-
bilaga

Uret monterades i boetten 1761. Emaljmålningen
är utförd efter J. Daullés gravyr efter den 1741
målade "Luften" ur Bouchers serie "De fyra ele-
menten". Se även NMB 1671.

HENRICHSEN, Johan Georg. Tillskriven
GÖTEBORG 1707–1779 STOCKHOLM

Adolf Fredrik (1710–1771)
Kopia efter Lorens Pasch d.y.
King Adolf Fredrik of Sweden
Copy after Lorens Pasch the Younger
Gouache på papper 4,6x6,5
Ram: förgyllt trä
NMGrh 1466
PROVENIENS: 1855 Gåva av greve Gustaf Göran Gabriel
Oxenstierna
LITTERATUR: von Malmborg 1951, s. 201

Adolf Fredrik (1710–1771) och Lovisa Ulrika (1720–1782)

Kopia efter Gustaf Lundberg
King Adolf Fredrik and Queen Lovisa Ulrika of Sweden
Copy after Gustaf Lundberg
Pendang till NMGrh 1504
Monterad tillsammans med NMGrh 1503a och 1503c
Påskrift på baksidan: "Konung Gustaf III. Konung
Adolph Fredrich och Drottning Lovisa Ulrica"; "år
1855 d. 14/12 gifvet till Gripsholms Slott af öfverkam-
marh: Grefve Oxenstjerna"
Gouache på elfenben 1,9x1,6 oval
Ram: ciselerad metall med kunglig krona och vapen-
sköld
NMGrh 1503b
PROVENIENS: 1855 Gåva av greve Gustaf Göran Gabriel
Oxenstierna
UTSTÄLLD: Stockholm 1946, kat.nr 59a
LITTERATUR: von Malmborg 1951, s. 205

Adolf Fredrik (1710–1771)

Kopia efter Lorens Pasch d.y.
King Adolf Fredrik of Sweden
Copy after Lorens Pasch the Younger
Pendang till NMGrh 1504
Monterad tillsammans med NMGrh 1503a och 1503b
Påskrift på baksidan: "Konung Gustaf III. Konung
Adolph Fredrich och Drottning Lovisa Ulrica"; "år
1855 d. 14/12 gifvet till Gripsholms Slott af öfverkam-
marh: Grefve Oxenstjerna"
Gouache på elfenben 2,2 x1,8 oval
Ram: ciselerad metall med kunglig krona och vapensk-
öld
NMGrh 1503c
PROVENIENS: 1855 Gåva av greve Gustaf Göran Gabriel
Oxenstierna
UTSTÄLLD: Stockholm 1946, kat.nr 59a
LITTERATUR: von Malmborg 1951, s. 205

Karl (XIII) (1748–1818) som barn

Kopia efter Gustaf Lundberg
King Karl (XIII) of Sweden as a Child
Copy after Gustaf Lundberg
Pendang till NMGrh 1503
Monterad tillsammans med NMGrh 1504 a, c och d
Påskrift på baksidan: "H: K: H: Prinsessan Sophia Alberti-
na, Abbedissa af Stiftet Quedlingburg. Född den 8 Oc-
tober 1753. Död den 17 Mars 1829. Dotter af Konung
Adolph Fredrick. Gustaf III. Drottning Lovisa Ulrica.";
"1855 d, 14/12 gifvet till Gripsholms Slott af Hr Gref-
ve G.G. Oxenstjerna"
Gouache på elfenben 2,7x2,4 oval
Ram: ciselerad metall med kunglig krona och vapen
NMGrh 1504b
PROVENIENS: 1855 Gåva av greve Gustaf Göran Gabriel
Oxenstierna
LITTERATUR: von Malmborg 1951, s. 206

Gustav III (1746–1792)
Kopia efter Gustaf Lundberg
King Gustav III of Sweden
Copy after Gustaf Lundberg
Pendang till NMGrh 1503
Monterad tillsammans med NMGrh 1503 a, b och d
Påskrift på baksidan: "H: K: H: Prinsessan Sophia Alberti-
na, Abbedissa af Stiftet Quedlingburg. Född den 8 Oc-
tober 1753. Död den 17 Mars 1829. Dotter af Konung
Adolph Fredrick. Gustaf III. Drottning Lovisa Ulrica.";
"1855 d, 14/12 gifvet till Gripsholms Slott af Hr Gref-
ve G.G. Oxenstjerna"
Gouache på elfenben 1,8x1,4 oval
Ram: ciselerad metall med kunglig krona och vapen
NMGrh 1504c
PROVENIENS: 1855 Gåva av greve Gustaf Göran Gabriel
Oxenstierna
LITTERATUR: von Malmborg 1951, s. 206

Lovisa Ulrika (1720–1782)
Kopia efter Gustaf Lundberg
Queen Lovisa Ulrika of Sweden
Copy after Gustaf Lundberg
Pendang till NMGrh 1503
Monterad tillsammans med NMGrh 1504 a, b och c
Påskrift på baksidan: "H: K: H: Prinsessan Sophia Alberti-
na, Abbedissa af Stiftet Quedlingburg. Född den 8 Oc-
tober 1753. Död den 17 Mars 1829. Dotter af Konung
Adolph Fredrick. Gustaf III. Drottning Lovisa Ulrica.";
"1855 d, 14/12 gifvet till Gripsholms Slott af Hr Gref-
ve G.G. Oxenstjerna"
Gouache på elfenben 1,1x0,9 oval
Ram: ciselerad metall med kunglig krona och vapen
NMGrh 1504d
PROVENIENS: 1855 Gåva av greve Gustaf Göran Gabriel
Oxenstierna
LITTERATUR: von Malmborg 1951, s. 206

▲

HENRICHSEN, Johan Georg.
Hans skola
GÖTEBORG 1707–1779 STOCKHOLM

Drottning Lovisa Ulrika (1720–1782)
Queen Lovisa Ulrika of Sweden
Pendang till NMB 662
Gouache på papper 5,8x8
Ram: förgylld brons
NMB 661
PROVENIENS: 1917 Inköpt från bankir Erik O. Severins sam-
ling; 1927 Gåva av konsul Hjalmar Wicander, A.K. 171
UTSTÄLLD: Köpenhamn 1921, kat.nr 44; Stockholm van-
dringsutst. 1973, kat.nr 39
LITTERATUR: Asplund 1920, s. 48, kat.nr 67, pl. 23; Natio-
nalmuseum 1929, s. 22; Schidlof 1964, s. 348

Modellen har tidigare kallats drottning Sofia Mag-
dalena.

Gustav III (1746–1792)

Kopia efter Gustaf
Lundberg
King Gustav III of Sweden
Copy after Gustaf
Lundberg
Pendang till NMB 661
Akvarell och gouache på per-
gament 6x8
Ram: förgylld brons
NMB 662
PROVENIENS: 1917 Inköpt från
bankir Erik O. Severins
samling; 1927 Gåva av kon-
sul Hjalmar Wicander, A.K.
170
UTSTÄLLD: Stockholm 1921,
kat.nr 30; Köpenhamn
1921, kat.nr 43; Stockholm
vandringstust. 1973, kat.nr 38
LITTERATUR: Asplund 1920, s. 47 f., kat.nr 66, pl. 23; Natio-
nalmuseum 1929, s. 22; Schidlof 1964, s. 348

Greve Carl Gustaf Tessin (1695–1770), riksråd

Kopia efter Gustaf Lundberg
Count Carl Gustaf Tessin, Councillor of the Realm
Copy after Gustaf Lundberg
Påskrift på papperslapp a tergo: "Grefve Carl Gustaf Tes-
sin. Riks-Råd. Öfverste-Marskalk hos Drottningen Lovi-
sa Ulrica. Åbo Academie-Canceller. President i Cancel-
lie-Collegio, Riddare och Commendant af Kongl:
Majts Orden. Ordens-Canceller. Född den 16 Mai
1695. Död den 6 Januari 1770."; "Gifvet till Grips-
holms Slott år 1855 af Öfverstekammarherren Grefve
G.G.Oxenstjerna."
Gouache på elfenben 4,8x6,3
Ram: svart passepartout (?) i träram med framsida av för-
gylld, pressad mässing
NMGrh 1484
PROVENIENS: 1855 Gåva av greve Gustaf Göran Gabriel
Oxenstierna
LITTERATUR: Carlander 1897, s. 54; Levertin 1899, s. 12; SPA
Index, vol. II, 1939, s. 846; von Malmborg 1951, s. 202

1953 fuktskadad, 1954 restaurerad av Berta
Wilhelmson. Lundbergs original utfördes 1761.

HILDA L.

OKÄNDA LEVNADSDATA

Landskap med flickor
Landscape with Girls
Sign: "1839. af Hilda L."
Gouache på papper 13x11,2
Ram: förgyllt trä
NMDsä 72
PROVENIENS: 1894 Test. av C.F.
Dahlgren
▼

HJELM, Fanny
LINDESBERG 1858–1944 STOCKHOLM

Drottning Sofia (1836–1913)
Queen Sofia of Sweden
Sign: "Fanny Hjelm. 1908."
Akvarell och gouache på elfenben h: 3 oval
Ram: metall
NMB 1495
PROVENIENS: 1944 Inköpt från direktör Carl Ulrik Palm

Okänd kvinna
An Unknown Woman
Sign: "Fanny Hjelm 1893"
Gouache på elfenben 9,1x6,2 oval
Ram: mässing med pärlstav närmast glaset
NMB 1812
PROVENIENS: 1894 Test. av C.F. Dahlgren; 1960
   Omförd från NMDs 2185

**Salomon Lindman (1779–1834),
ryttmästare vid Mörnerska husarerna**
*Salomon Lindman, Cavalry Captain with the
Mörner Hussars*
Sign: "Fanny Hjelm. [Ao] 1912."
Akvarell och gouache på elfenben 10x8
Ram: metall
NMB 2301
PROVENIENS: 1986 Gåva av civilingenjör Rolf
   Lindman, Lidingö

Achates Lindman (1826–1902), bruksdisponent

Achates Lindman, Works Manager
Sign: "Fanny Hjelm. pinx. 1915."
Akvarell och gouache på elfenben h: 9,6 oval
Ram: metall
NMB 2302
PROVENIENS: 1986 Gåva av civilingenjör Rolf Lindman, Lidingö

Replik sign. "Fanny Hjelm pinx.1917", ägare
Marcus Lindenbaum.

Carl Gustaf Dahlgren (1791–1872), fabrikör

Carl Gustaf Dahlgren, Manufacturer
Sign: "Fanny Hjelm pinx. 1915."
Akvarell och gouache på elfenben 8,4x6,4
Ram: metall
NMB 2303
PROVENIENS: 1986 Gåva av civilingenjör Rolf Lindman, Lidingö
UTSTÄLLD: Stockholm 1922, kat.nr 93 (?)

Ebba Dahlgren (1827–1929), g. Lindman

Ebba Dahlgren, m. Lindman
Sign: "Fanny Hjelm. pinx. 1913"
Akvarell och gouache på elfenben h: 9,4 oval
Ram: metall
NMB 2304
PROVENIENS: 1986 Gåva av civilingenjör Rolf Lindman,
  Lidingö
UTSTÄLLD: Stockholm 1922, kat.nr 92 (?)

Replik sign. "Fanny Hjelm pinx 1916", ägare
Marcus Lindenbaum.

**Anna Lindman (1859–1959), kassörska vid
trafikaktiebolaget Grängesberg-Oxelösund i
Stockholm**

*Anna Lindman, Cashier with the Grängesberg-
Oxelösund Railway Company in Stockholm*
Sign: "Fanny Hjelm. pinx. 1921."
Akvarell och gouache på elfenben 8,3x6,2
Ram: metall
NMB 2305
PROVENIENS: 1986 Gåva av civilingenjör Rolf Lindman,
  Lidingö

Arvid Lindman (1862–1936), statsminister
Arvid Lindman, Swedish Prime Minister
Sign: "Fanny Hjelm. 1913."
Akvarell och gouache på elfenben h: 10,2 oval
Ram: metall
NMB 2306
PROVENIENS: 1986 Gåva av civilingenjör Rolf Lindman,
   Lidingö

Rolf Lindman (1888–1987), civilingenjör
Rolf Lindman, Graduate Engineer
Sign: "Fanny Hjelm pinx. 1919."
Akvarell och gouache på elfenben h: 8,2 oval
Ram: metall
NMB 2307
PROVENIENS: 1986 Gåva av civilingenjör Rolf Lindman,
   Lidingö
UTSTÄLLD: Stockholm 1922, kat.nr 94 (?)

Märta Bolinder (1898–1980), g. Lindman
Märta Bolinder, m. Lindman
Sign: "Fanny Hjelm. pinx. 1919."
Akvarell och gouache på elfenben h: 8 oval
Ram: metall
NMB 2308
PROVENIENS: 1986 Gåva av civilingenjör Rolf Lindman,
   Lidingö
UTSTÄLLD: Stockholm 1922, kat.nr 95 (?)

**Friedrich Jörgen von Röper, Oberamtmann i
Neukloster, Mecklenburg-Schwerin**
*Friedrich Jörgen von Röper, Oberamtmann in Neukloster,
Mecklenburg-Schwerin*
Akvarell och gouache på elfenben h: 5 oval
Ram: medaljong
NMB 2309
PROVENIENS: 1986 Gåva av civilingenjör Rolf Lindman,
   Lidingö

Anna Lovisa Nassau, g. von Röper
Anna Lovisa Nassau, m. von Röper
Akvarell och gouache på elfenben h: 5 oval
Ram: metall
NMB 2310
PROVENIENS: 1986 Gåva av civilingenjör Rolf Lindman,
   Lidingö

Okänd kvinna
An Unknown Woman
Sign: "Fanny Hjelm_1893"
Gouache och akvarell på elfenben 5,3x4,2 oval
Ram: förgylld metall
NMDs 1937
PROVENIENS: 1894 Test. av C.F. Dahlgren

Okänd kvinna
An Unknown Woman
Sign: "Fanny Hjelm. 1893."
Gouache och akvarell på elfenben 6,5x5,8 oval
Ram: förgylld metall
NMDs 2184
PROVENIENS: 1894 Test. av C.F. Dahlgren

Okänd kvinna
An Unknown Woman
Sign: "F. Hjelm 1891"
Gouache på elfenben 6,6x5,4 oval
Ram: svart trä, metall
NMDs 2202
PROVENIENS: 1894 Test. av C.F. Dahlgren

HOFGREN, C.
VERKSAM VID MITTEN AV 1800-TALET

Okänd kvinna
An Unknown Woman
Sign: "C Hofgren 1846"
Akvarell på papper 10,1x8,1 oval
Ram: trä, metall
NMGrh 2547
PROVENIENS: 1894 Test. av C.F. Dahlgren;
   1956 Omförd från NMDs 1687
LITTERATUR: von Malmborg 1968, s. 53

HOFLING, Salomon
HALMSTAD 1779–1827 STOCKHOLM

**Ulric Adolph Sahlstedt (1773–1841), stads-
mäklare i Stockholm**
*Ulric Adolph Sahlstedt, Officially Appointed Broker in
Stockholm*
Sign: "S. Hofling målat 1813."
Gouache på elfenben 5,6x4,6 oval
Ram: etui
NMB 304
PROVENIENS: 1907 Gåva av fröken Augusta Sahlstedt (mo-
   dellens sondotter)
LITTERATUR: Lemberger 1912, s. 76; Nationalmuseum
   1929, s. 22; SPA Index, vol. II, 1939, s. 713; Schidlof
   1964, s. 365

Okänd man
An Unknown Man
Sign: "Hofling målat 1807 No 103"
Akvarell och gouache på elfenben 6,3x5,1 oval
Ram: guld, hårlock på baksidan
NMB 663
PROVENIENS: 1900 Bukowskis auktion nr 127, kat.nr 640 (?);
1920 Inköpt från ingenjör Carl Robert Lamm på Näsby;
1927 Gåva av konsul Hjalmar Wicander, A.K. 503
LITTERATUR: Nationalmuseum 1929, s. 22; Schidlof 1964,
s. 365, 974, fig. 565, pl. 278

Okänd man
An Unknown Man
Sign: "Hofling målat 1824."
Akvarell och gouache på elfenben 4,4x3,6 oval
Ram: förgylld metall (silver?), hårlock mot vitt siden på
baksidan
NMB 664
PROVENIENS: 1920 Inköpt från ingenjör Carl Robert Lamm
på Näsby; 1927 Gåva av konsul Hjalmar Wicander,
A.K. 493
LITTERATUR: Carlander 1897, s. 40 (?); Nationalmuseum
1929, s. 22; Schidlof 1964, s. 365

Okänd kvinna
An Unknown Woman
Sign: "Hofling målat 1818"
Akvarell och gouache på elfenben 4,5x3,6 oval
Ram: metall
NMB 665
PROVENIENS: Inköpt från G. Alyhrs konsthandel; 1927 Gåva
av konsul Hjalmar Wicander, A.K. 75
LITTERATUR: Asplund 1920, s. 93, kat.nr 214, pl. 76; Natio-
nalmuseum 1929, s. 22; Schidlof 1964, s. 365

Porträttet föreställer den italienske generalkon-
suln, grosshandlaren Johan Petter Hedboms (se
NMB 547) mätress enligt en numera försvunnen
påskrift.

Okänd man

An Unknown Man

Sign: "Hofling"

Akvarell och gouache på elfenben 4,9x4 oval

Ram: guld, hårrosett på reversen

NMB 666

PROVENIENS: 1920 Inköpt från ingenjör Carl Robert Lamm
på Näsby; 1927 Gåva av konsul Hjalmar Wicander,
A.K. 484

LITTERATUR: Nationalmuseum 1929, s. 22; Schidlof 1964,
s. 365

Okänd man

An Unknown Man

Sign: "Hofling målat 1809."

Akvarell och gouache på elfenben 5,6x4,7 oval

Ram: trä

NMB 1199

PROVENIENS: 1894 Test. av C.F. Dahlgren; 1929 Omförd
från NMDs 2158

LITTERATUR: Nationalmuseum 1929, s. 22; Schidlof 1964,
s. 365

◆

Okänd man

An Unknown Man

Sign: "Hofling målat 1811."

Akvarell och gouache på elfenben 5,6x5 oval

Ram: guld

NMB 1200

PROVENIENS: 1894 Test. av C.F. Dahlgren; 1929 Omförd
från NMDs 2144

LITTERATUR: Nationalmuseum 1929, s. 22; Schidlof 1964,
s. 365

Okänd man

An Unknown Man

Sign: "S. Hofling pinxit 1818"

Gouache på elfenben 4,9x4,1 oval

Ram: trä

NMB 1760

PROVENIENS: Christoffer Eichhorn; 1890 Inköpt från
Bukowskis auktion nr 61, kat.nr 390; 1894 Test. av C.F.
Dahlgren; 1958 Omförd från NMDs 1498

LITTERATUR: Carlander 1897, s. 40

Okänd man

An Unknown Man

Sign: "Hof[...]" (otydligt)

Akvarell och gouache på elfenben 6,7x5,6 oval

Ram: lackerad papp

NMB 1900

PROVENIENS: 1894 Test. av C.F. Dahlgren; 1963 Omförd
från NMDs 1356

Okänd militär

An Unknown Military Man

Sign: "Hofling pint. 1805"

Gouache och akvarell på elfenben 6,6x5 oval

Ram: svart trä, metall

NMDs 1190

PROVENIENS: 1894 Test. av C.F. Dahlgren

Okänd kvinna
An Unknown Woman
Gouache och akvarell på elfenben 5x4 oval
Ram: omonterad (endast täckglas)
NMDs 1852
PROVENIENS: 1894 Test. av C.F. Dahlgren

Tidigare fanns en lapp a tergo med påskrift: "25
kr Måladt av Hofling"

Okänd kvinna
An Unknown Woman
Sign: "Hofling 1809"
Påskrift på bakstycket: "Hofling fec 1809. No 80."
Gouache och akvarell på elfenben 5x4.4 oval
Ram: förgylld metall
NMDs 1903
PROVENIENS: 1894 Test. av C.F. Dahlgren

Okänd kvinna
An Unknown Woman
Gouache och akvarell på elfenben 5,8x4,6 oval
Ram: trä, metall
NMDs 2000
PROVENIENS: 1894 Test. av C.F. Dahlgren

Okänd kvinna
An Unknown Woman
Gouache och akvarell på elfenben 5x4 oval
Ram: trä, metall
NMDs 2021
PROVENIENS: 1894 Test. av C.F. Dahlgren

Okänd kvinna
An Unknown Woman
Sign: "Hofling målat 1812"
Gouache och akvarell på elfenben 6,4x5,4 oval
Ram: lackerad papp
NMDs 2205
PROVENIENS: 1894 Test. av C.F. Dahlgren

Okänd kvinna
An Unknown Woman
Sign: "S Hofling 1813"
Gouache och akvarell på elfenben 2,9x2,4 oval
Ram: silver
NMDs 2208
PROVENIENS: Häradshövding Josef Palm; 1883 Inköpt från
    auktion i Hotel Kung Carl, Göteborg, kat.nr 35; 1894
    Test. av C.F. Dahlgren
LITTERATUR: Carlander 1897, s. 40

Okänd man

An Unknown Man
Påskrift på bakstycket: "Hofling fec 1811."
Gouache på elfenben 5,4x4,1 oval
Ram: metall
NMGrh 2546
PROVENIENS: 1894 Test. av C.F. Dahlgren; 1956 Omförd
  från NMDs 1541
LITTERATUR: von Malmborg 1968, s. 53

Erik Waller (1732–1811), biskop

Kopia efter Per Krafft d.y.
Erik Waller, Bishop
Copy after Per Krafft the Younger
Sign: "Hofling målat [...]"
Gouache på elfenben 5,5x4,4 oval
Ram: guld, ligger i etui
NMGrh 4175
PROVENIENS: Friherre Carl Georg Napoleon Palmqvist
  (1855–1936); 1996 Inköpt från Kurt Ribbhagen AB,
  Stockholm
LITTERATUR: SPA Index, vol. II, 1939, s. 901

Hoflings miniatyr efterbildar Per Krafft d.y:s por-
trätt av biskop Erik Waller målat år 1807 (SPA
1923:715).

HOFWENSCHIÖLD, Johan Gustaf
STOCKHOLM 1775–1840 STOCKHOLM

Okänd kvinna

An Unknown Woman
Sign: "Howenschöld"
Gouache på elfenben 5,7x4,5 oval
Ram: guldinfattning med kant av halva pärlor
NMB 674
PROVENIENS: 1917 (?) Inköpt från bankir Erik O. Severins
  samling; 1927 Gåva av konsul Hjalmar Wicander, A.K.
  168
UTSTÄLLD: Stockholm 1915, kat.nr 408
LITTERATUR: Lemberger 1912, s. 69; Mörner 1916, s. 162;
  Asplund 1920, s. 94, kat.nr 216, pl. 75; Nationalmu-
  seum 1929, s. 23; SKL, vol. III, 1957, s. 193; Schidlof
  1964, s. 378, 977, fig. 582, pl. 295; von Malmborg
  1978, s. 240, avb. s. 237, fig. 34

Karl XIV Johan (1763–1844)
King Karl XIV Johan of Sweden
Akvarell och gouache på elfenben diam: 4,6
Ram: metall
NMB 2249
PROVENIENS: 1894 Test. av C.F. Dahlgren; 1980 Omförd
från NMDs 2153 (tidigare felaktigt kallad "NMDs
2259")

Karl XIV Johan (1763–1844)
King Karl XIV Johan of Sweden
Sign: "Hofvensköld"
Gouache på elfenben 7,2x5,2 oval
Ram: metallist, trä
NMGrh 2490
PROVENIENS: 1894 Test. av C.F. Dahlgren; 1954 Omförd
från NMDs 1158
LITTERATUR: von Malmborg 1968, s. 49

Hofwenschiöld utgick som så många andra por-
trättmålare från Gérards grundtyp. Märkligt nog
blev ett porträtt av Hofwenschiöld föreställande
Karl XIV Johan efterbildat i ett stick av Henry R.
Cook 1814 (SKL, vol. III. 1957, s. 193).

HOFWENSCHIÖLD, Johan Gustaf.
Tillskriven
STOCKHOLM 1775–1840 STOCKHOLM

Okänd man
An Unknown Man
Akvarell och gouache på elfenben 5,1x4,2 oval
Ram: hårfläta på baksidan
NMDs 1448
PROVENIENS: 1894 Test. av C.F. Dahlgren

Okänd man

An Unknown Man
Gouache på papper 4x3,4 oval
Ram: förgylld brons
NMDs 2219
PROVENIENS: 1894 Test. av C.F. Dahlgren

HOLMER

VERKSAM UNDER FÖRRA DELEN ELLER
MITTEN AV 1700-TALET

Naken kvinna i landskap

Nude Woman in a Landscape
Pendang till NMB 669
Sign: "Holmer"
Akvarell och gouache på papper 7,5x5,1
Ram: förgyllt trä
NMB 668
PROVENIENS: 1923 Inköpt från A.–B. Bukowskis Konsthan-
del; 1927 Gåva av konsul Hjalmar Wicander, A.K. 593
LITTERATUR: Asplund 1929, s. 14 f., kat.nr 26, pl. 9; Natio-
nalmuseum 1929, s. 23; Lundberg 1932, s. 61; SKL,
vol. III, 1957, s. 176

Venus toilett

Venus Toilet
Pendang till NMB 668
Gouache på papper 7,5x5,1
Ram: förgyllt trä
NMB 669
PROVENIENS: 1923 Inköpt från A.–B. Bukowskis Konsthandel; 1927 Gåva av konsul Hjalmar Wicander, A.K. 594
LITTERATUR: Asplund 1929, s. 15, kat.nr 27, pl. 9; Nationalmuseum 1929, s. 23; Lundberg 1932, s. 61; SKL, vol. III, 1957, s. 176

HÄRSTEDT, Johan Magnus
UPPSALA 1781–1841 STOCKHOLM

Karl Fredrik Wadström (1771–1830), tobakshandlare, löjtnant vid Borgerskapets infanteri

Karl Fredrik Wadström, Tobacconist, Lieutenant with the Burghers' Infantry
Sign: "IH."
Gouache på elfenben diam: 6,5
Ram: metall
NMB 284
PROVENIENS: 1900 Gåva av Hilda M. Tiselius sterbhus
LITTERATUR: Lemberger 1912, s. 93; Nationalmuseum 1929, s. 23; SPA Index, vol. II, 1939, s. 894; SKL, vol. III, 1957, s. 220; Schidlof 1964, s. 325

Enligt uppgift från givaren är porträttet sannolikt målat 1811.

Okänd man
An Unknown Man
Akvarell och gouache på elfenben 3,5x2,5 oval
Ram: guld med vit emalj
NMB 827
PROVENIENS: Etatsrådet Emil Glückstadt; 1924 Inköpt från
 Glückstadtska februariauktionen, Köpenhamn, nr
 598; 1927 Gåva av konsul Hjalmar Wicander, A.K. 620
LITTERATUR: Nationalmuseum 1929, s. 23; SKL, vol. III,
 1957, s. 220; Schidlof 1964, s. 325

HÄRSTEDT, Johan Magnus. Tillskriven
UPPSALA 1781–1841 STOCKHOLM

Okänd man
An Unknown Man
Gouache på elfenben diam: 5,3
Ram: etui klätt med rött läder
NMDs 1416
PROVENIENS: 1894 Test. av C.F. Dahlgren

HÖÖK, N.E. Tillskriven
VERKSAM UNDER 1700-TALETS SENARE DEL

Gustav (III) (1746–1792) som barn
King Gustav (III) of Sweden as a Child
Gouache och akvarell på elfenben (?) 6,3x5,3 oval
Ram: metall
NMDs 416
PROVENIENS: 1894 Test. av C.F. Dahlgren

Drottning Ulrika Eleonora d.y. (1688–1741)
Queen Urika Eleonora the Younger of Sweden
Påskrift: "U. E. RS F. 1688 K 1719 † 1746"
Gouache och akvarell på elfenben 6x4,8
Ram: metall
NMDs 780
PROVENIENS: 1894 Test. av C.F. Dahlgren

Karl X Gustav (1622–1660)
King Karl X Gustav of Sweden
Påskrift: "C.XG. f 1622 K 1654. D 1660"
Påskrift på pappersbakstycke: "Carl X Gust:
  Pfaltz grefve Joh: Casimirs son. född d: 8
  Nov: 1622 i Nyköping förkl: Arffürste d: 6
  Nov: 1650. Konung d: 6. och krönt d: 7 Ju-
  lii 1654 Död: i Götheborg d: 13 februarii
  1660. Begt: i Riddarholmen.", samt "Thil-
  da Larsson"
Akvarell på papper, förgyllda detaljer
  8,4x6,4
Ram: förgyllt trä
NMDs 2251
PROVENIENS: 1894 Test. av C.F. Dahlgren

JERNSTRÖM, Rudolf
TURINGE 1874–1953 STOCKHOLM

Hjalmar Wicander (1860–1939), industriman, konstsamlare
Hjalmar Wicander, Industrialist, Art Collector
Sign: "Jernström 1920."
Akvarell och gouache på elfenben h: 6,8 oval
Ram: metall
NMB 2291
PROVENIENS: 1984 Gåva av direktör Max Krüll, Linköping
UTSTÄLLD: Stockholm 1984, kat.nr 37, s. 13, 22, avb. s. 23

Gift med Anna Andersson 1884 (NMB 2292).

Anna Andersson (1862–1941), g. Wicander
Anna Andersson, m. Wicander
Sign: "Jernström 1919."
Akvarell och gouache på elfenben h: 6,8 oval
Ram: guld
NMB 2292
PROVENIENS: 1984 Gåva av direktör Max Krüll, Linköping
UTSTÄLLD: Stockholm 1984, kat.nr 32, s. 13, 22

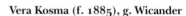

Vera Kosma (f. 1885), g. Wicander

Vera Kosma, m. Wicander
Sign: "Jernström -19"
Akvarell och gouache på elfenben h: 6,8 oval
Ram: guld
NMB 2293
PROVENIENS: 1984 Gåva av direktör Max Krüll, Linköping
UTSTÄLLD: Stockholm1984, kat.nr 34, s. 13, 22

Carl August Wicander (1885–1952), industriman

Carl August Wicander, Industrialist
Sign: "Jernström -19."
Akvarell och gouache på elfenben h: 6,8 oval
Ram: metall
NMB 2294
PROVENIENS: 1984 Gåva av direktör Max Krüll, Linköping
UTSTÄLLD: Stockholm 1984, kat.nr 33, s. 13, 22

Anna Sofia Andersson (1865–1931), g. Dahl, konstnär

Anna Sofia Andersson, m. Dahl, Artist
Sign: "R.Jernström."
Gouache på elfenben 6,2x5 oval
Ram: guld, läderetui
NMGrh 4150
PROVENIENS: 1995 Gåva av Adda Sofia Dahl, g. Svennedal,
    Stockholm (modellens dotter)

Självporträtt
Self-Portrait
Sign: "Jernström självportr."
Gouache på elfenben diam: 6,3
Ram: metall
NMHpd 103
PROVENIENS: Konsul Hjalmar Wicander; 1953 Test. av Carl
  August Wicander
UTSTÄLLD: Stockholm 1984, kat.nr 39, s. 13, 22

Rudolf Jernström var Sveriges siste hovmålare i
miniatyrmåleri. Från 1939 var han också verksam
som konservator och kopist och anlitades bl.a. av
Nationalmuseum. Konstnärens självporträtt utför-
des 1920.

JERNSTRÖM, Rudolf. Tillskriven
TURINGE 1874–1953 STOCKHOLM

**Germain du Cruet, Sr de
Barailhon**
Kopia efter Jean Baptiste
Jacques Augustin
*Germain du Cruet, Sr de
Barailhon*
Copy after Jean Baptiste
Jacques Augustin
Gouache på elfenben diam: 7,5
Ram: metall
NMB 2327
PROVENIENS: 1989 Inköp

Miniatyren är en kopia efter
den franske miniatyrmålaren
Jean Baptiste Augustins porträtt
av sin svärfader. Augustins porträtt
inköptes av Nationalmuseum 1935
(NMB 1320).

JERNSTRÖM

KARLSTEEN, Arvid von

GETSKOGEN I KARLSKOGA 1647–1718
STOCKHOLM

Karl XI (1655–1697)

King Karl XI of Sweden
Silverstift på papper 7,4x5,8 oval
Ram: förgylld metall, blommor och krona i emalj,
   graverat bladornament på baksidan
NMB 95
PROVENIENS: 1873 Test. av Carl XV, s.n.
UTSTÄLLD: Stockholm 1948, kat.nr 10, avb.; Stockholm
   1966, kat.nr 849; Stockholm vandringsutst. 1973,
   kat.nr 23, avb.
LITTERATUR: Upmark 1882, s. 74; Aspelin 1896, s. 49;
   Carlander 1897, s. 14; Levertin 1899, s. VIII (i fö-
   regående källor attribuerad till Brenner); Lember-
   ger 1912, s. 25, 222, pl. 9; Asplund 1916, s. 60, not
   1, fig. 42; Nationalmuseum 1929, s. 23; SPA Index,
   vol. III, 1943, s. 312 (K XI:12b), fig. 293; Schidlof
   1964, s. 419, 984, fig. 635, pl. 318; von Malmborg
   1978, s. 100, avb. s. 101, fig. 3; Cavalli-Björkman
   1981, s. 59 ff., fig. 39

Porträttet utfördes 1675.

Karl XI (1655–1697)

King Karl XI of Sweden
Akvarell och gouache på pergament 6,5x5,1 oval
Ram: emalj med blomdekor
NMB 2123
PROVENIENS: 1978 Överförd från SKS 588
UTSTÄLLD: Stockholm 1930, kat.nr 588 (konstnären
   kallad "Elias Brenner (?)"); Stockholm 1948, kat.nr
   11; Stockholm vandringsutst. 1973, kat.nr 16 (attri-
   buerad till Elias Brenner)
LITTERATUR: SPA Index, vol. III, 1943, s. 312
   (K XI:12b)

Karl XI (1655–1697)

King Karl XI of Sweden
Påskrift a tergo (dold av bakstycket)
Lavering på papper h: 4,5 oval
Ram: omonterad
NMB 2129
PROVENIENS: Drottningholms slott; 1978 Överförd från SKS 652
LITTERATUR: SPA Index, vol. III, 1943, s. 311 (K XI:12a), (felaktigt kallad SKS 587); Cavalli-Björkman 1981, s. 62, fig. 41

KERFSTEDT, Albertina (Berta).
Se WILHELMSON, Albertina (Berta)

af KLEEN, Anna Beata, f. Ehrenborg
MARIESTAD 1813–1894 STOCKHOLM

Prinsessan Eugénie (1808–1847) av Leuchtenberg, drottning Josefinas syster

Kopia
Princess Eugénie of Leuchtenberg, the Sister of Queen Josefina of Sweden
Copy
Sign: "AB af Kleen cop"
Påskrift på bakstycket: "Eugenie 2de fille du vice Roi d'Italie, née à Milan en 1808, et morte à [...]endenstadt 1847.", samt "peinte par A.B. de Kleen. Appartient au musée national."
Gouache på elfenben 2,6x1,9 oval dagermått
Ram: förgylld brons, sammetsplakett
NMB 223
PROVENIENS: 1892 Gåva av Anna Beata af Kleen, f. Ehrenborg
LITTERATUR: Carlander 1897, s. 48; Lemberger 1912, s. 105; Nationalmuseum 1929, s. 24; SKL, vol. III, 1957, s. 378; Schidlof 1964, s. 429

Louis Napoléon (IV) Bonaparte (1856–1879), fransk tronpretendent

Kopia
Louis Napoléon (IV) Bonaparte, Pretender to the French Throne
Copy
Sign: "AB af Kleen f Ehrenborg 1881."
Påskrift på bakstycket: "Gåfva af A.B. af Kleen. Prins Louis Napoleon, son till kejsar Napoleon III. måladt af generalskan A.B. af Kleen f. Ehrenborg 1881 efter original af"
Gouache på elfenben 7,7x6,1 oval dagermått
Ram: metall
NMB 224
PROVENIENS: 1892 Gåva av Anna Beata af Kleen, f. Ehrenborg
LITTERATUR: Carlander 1897, s. 48; Lemberger 1912, s. 105; Nationalmuseum 1929, s. 24; SKL, vol. III, 1957, s. 378; Schidlof 1964, s. 429

Katarina Elisabet (Betty) Ehrenborg (1818–1880), g. friherrinna Posse af Säby, pedagog, författare

Katarina Elisabet (Betty) Ehrenborg, m. Baroness Posse af Säby, Educationalist, Author

Sign: "AB Ehrenborg 1830"

Påskrift på bakstycket: "Denna målning föreställande min högt älskade syster Betty som ung flicka tillfaller vid min död hennes barn, August, Anna och Hedvig Posse som få draga lott om hvem den skall tillhöra. Stockholm 1886. A.B. af Kleen f: Ehrenborg"

Akvarell och gouache på elfenben (?) 5,7x4,6 oval

Ram: förgylld metall, sammetsplatta med ställ

NMB 1205

PROVENIENS: Test. av konstnären till systerdottern biskopinnan Anna Lövgren, f. Posse; 1929 Test. av biskopinnan Anna Lövgren, f. Posse

LITTERATUR: Nationalmuseum 1929, s. 23; SPA Index, vol. I, 1935, s. 224; Schidlof 1964, s. 429

Helena (Ellen) Hedlund (1860–1945), g. Cederström-Hartman, skådespelerska

Helena (Ellen) Hedlund, m. Cederström-Hartman, Actress

Påskrift på bakstycket: "skådespelerskan Ellen Hartman målad af generalskan A.B. af Kleen f: Ehrenborg. Köpt 19/6 90."

Akvarell och gouache på elfenben 5,2x4,5 oval

Ram: metall

NMB 2262

PROVENIENS: 1894 Test. av C.F. Dahlgren; 1981 Omförd från NMDs 1900

UTSTÄLLD: Stockholm vandringsutst. 1973, kat.nr 87; Stockholm 1981:II, kat.nr 40

LITTERATUR: Cavalli-Björkman 1981, s. 152, fig. 154

Oscar Arnoldson (1830–1881), operasångare

Oscar Arnoldson, Opera Singer
Akvarell och gouache på elfenben 7,5x6 oval
Ram: metall
NMB 2263
PROVENIENS: 1894 Test. av C.F. Dahlgren; 1981 Omförd
från NMDs 1616
UTSTÄLLD: Stockholm vandringsutst. 1973, kat.nr 85 (at-
tribuerad till Elise Arnberg); Stockholm 1981:II,
kat.nr 41
LITTERATUR: SPA Index, vol. I, 1935, s. 31; Cavalli-Björk-
man 1981, s. 152, fig. 155

Carl XV (1826–1872)

King Carl XV of Sweden
Sign: "AB af Kleen 1869"
Påskrift på lapp på bakstycket: "Charles XV, Roi de Suède
et de Norvège, né 3 Mai 1826 ~ Roi de Suède 8 Juli
1859 ~ mort 18 Sept 1872."
Gouache på elfenben 4x3,1 oval dagermått
Ram: metall, sammetsplakett
NMGrh 2408
PROVENIENS: 1895 Gåva av dödsboet efter konstnären;
1952 Omförd från NMB 237
LITTERATUR: Rathsman 1911, s. 11; Lemberger 1912, s.
105; Nationalmuseum 1929, s. 23; SKL, vol. III, 1957,
s. 378; Schidlof 1964, s. 429, 985, fig. 647, pl. 320; von
Malmborg 1968, s. 47

Drottning Lovisa (1828–1871)

Queen Lovisa of Sweden
Sign: "AB af Kleen Ehrenborg 1872"
Påskrift på lapp på bakstycket: "Wilhelmina Fredrica
Alexandra, Anna Lovisa, Reine de Suède et de Norvè-
ge, née 5 Aug. 1828, morte Mara 1871."
Gouache på elfenben 4,1x3,2 oval dagermått
Ram: metall, sammetsplakett
NMGrh 2409
PROVENIENS: 1895 Gåva av dödsboet efter konstnären;
1952 Omförd från NMB 238
LITTERATUR: Rathsman 1911, s. 11; Lemberger 1912, s.
105; Nationalmuseum 1929, s. 24; SKL, vol. III, 1957,
s. 378; von Malmborg 1968, s. 47

KLINGSPOR, Fredrik Philip
JÖNKÖPING 1761–1832 STOCKHOLM

Peter Paul Rubens (1577–1640), målare
Peter Paul Rubens, Painter
Sign: "Fr K"
Påskrift på bakstycket: "Gåfva af Ex. C.A. Löwenhielm ju-
len 1833 '†' Rubens målat af Hofmarskalken Klinspor
[...] kallad. Kongl. Museums Samling"
Gouache på elfenben 5,2x4 oval dagermått
Ram: trä
NMB 163
PROVENIENS: 1883 Gåva av framlidna fru Adrietta Kristina
Frigels sterbhus genom häradshövding A.W. Dufva
LITTERATUR: Carlander 1897, s. 49; Lemberger 1912, s. 70;
SKL, vol. III, 1957, s. 384

Fru K. Knorring
Mrs K. Knorring
Akvarell på papper h: 5,5 oval
Ram: metall, hårlock mot vitt siden på baksidan
NMB 479
PROVENIENS: 1926 Gåva av fröken Ida Nordström (anför-
vant till den avbildade)
LITTERATUR: SPA Index, vol. I, 1935, s. 438

Modellen kallad Kristina von Knorring i SPA.

Okänd kommendör av Svärdsorden
*An Unknown Knight Commander of the Royal Order of
the Sword*
Sign: "FK 94"
Akvarell och gouache på elfenben 2,8x1,8 oktagonal
Ram: metall
NMB 675
PROVENIENS: 1927 Gåva av konsul Hjalmar Wicander, A.K.
51
LITTERATUR: Asplund 1920, s. 72, kat.nr 133, pl. 41; Natio-
nalmuseum 1929, s. 24; SKL, vol. III, 1957, s. 384;
Schidlof 1964, s. 431

Miniatyr för klackring. Enligt uppgift av fil.kand
Roger de Robelin föreställer porträttet möjligen
Axel von Fersen (1755–1810) eller Wilhelm
Mauritz Klingspor (1744–1814).   ◆

Drottning Fredrika Dorotea Vilhelmina (1781–1826)

Kopia efter Leonard Henrik Roos af Hjelmsäter
Queen Fredrika Dorotea Vilhelmina of Sweden
Copy after Leonard Henrik Roos af Hjelmsäter
Sign: "Fr. Klingspor pinxit 1800"
Gouache på elfenben diam: 7,2
Ram: metall
NMB 676
PROVENIENS: 1919 Inköpt från H. Bukowskis Konsthandel; 1927 Gåva av konsul Hjalmar Wicander, A.K. 378
UTSTÄLLD: Stockholm 1921, kat.nr 66; Stockholm vandringsutst. 1973, kat.nr 81
LITTERATUR: Asplund 1920, s. 72, kat.nr 132, pl. 42; Nationalmuseum 1929, s. 24; SKL, vol. III, 1957, s. 384; Schidlof 1964, s. 431, 985, fig. 648, pl. 322; von Malmborg 1978, s. 200, avb. s. 199, fig. 4; Cavalli-Björkman 1981, s. 129, fig. 124

Av samma porträtt fanns ett osignerat exemplar i kapten Klingspors samling, Stockholm, tidigare i Weberska samlingen, utställd 1915 på Bukowskis miniatyrutställning 1915, nr 442 1/2.

Hedwig Eleonora von Fersen (1753–1792), g. Klinckowström

Hedwig Eleonora von Fersen, m. Klinckowström
Silverstift och gouache på papper diam: 4,4
Ram: doslock av brons, insidan klädd med sköldpadd
NMB 677
PROVENIENS: 1917 Inköpt från Carl Ulrik Palms samling; 1927 Gåva av konsul Hjalmar Wicander, A.K. 188
LITTERATUR: Asplund 1920, s. 73, kat.nr 134, pl. 41; Nationalmuseum 1929, s. 24; SPA Index, vol. I, 1935, s. 271; SKL, vol. III, 1957, s. 384; Schidlof 1964, s. 431

Okänd man i svenska dräkten

An Unknown Man Dressed in the Swedish Costume
Sign: "K [...]" (otydlig)
Gouache på elfenben 4,3x3,4
Ram: omonterad
NMDs 119
PROVENIENS: 1894 Test. av C.F. Dahlgren

Okänd kvinna
An Unknown Woman
Sign: "K 91"
Akvarell och gouache på elfenben 3,2x1,7
Ram: omonterad
NMDs 1947
PROVENIENS: 1894 Test. av C.F. Dahlgren

KLINGSPOR, Fredrik Philip. Tillskriven
JÖNKÖPING 1761–1832 STOCKHOLM

Okänd kvinna
An Unknown Woman
Akvarell och gouache på elfenben 5,5x4,5 oval
Ram: metall
NMB 198
PROVENIENS: 1886 Inköpt från kapten J. Hagdahl
UTSTÄLLD: Stockholm vandringsutst. 1952, kat.nr 17 (till-
skriven Niclas Lafrensen d.y.)
LITTERATUR: Carlander 1897, s. 56; Levertin 1899, s. 171;
Nationalmuseum 1929, s. 30

Amatörminiatyristen Fredrik Klingspor var en
ovanligt driven imitatör av de ledande inom
konstarten. Niklas Lafrensen d.y. är en av dem
som Klingspor kopierade. I detta fall kommer
Klingspor ovanligt nära sin konstnärliga förebild,
men stilen och färghållningen är något torrare. Jfr
NMDs 110.

Okänd kvinna
An Unknown Woman
Akvarell och gouache på elfenben 2,5x1,6 oktagonal
Ram: metall
NMB 435
PROVENIENS: 1894 Test. av C.F. Dahlgren; 1922 Omförd
från NMDs 15
LITTERATUR: Nationalmuseum 1929, s. 77

Okänd officer av Svea Livgarde

An Unknown Officer of the Royal Svea Life Guards
Akvarell och gouache på elfenben 3x1,9 oktagonal
Ram: metall
NMB 714
PROVENIENS: 1927 Gåva av konsul Hjalmar Wicander, A.K.
  11
LITTERATUR: Asplund 1920, s. 57, kat.nr 86, pl. 28; Natio-
  nalmuseum 1929, s. 29; Wennberg 1947, s. 155

Miniatyr för klackring.

Okänd svensk officer

An Unknown Officer
Akvarell och gouache på elfenben 5,5x4 oval
Ram: guld, hårflätning på baksidan
NMB 727
PROVENIENS: 1916 Förvärvad till ingenjör Carl Robert
  Lamms samling genom byggmästare A. Andersson;
  1920 Inköpt från ingenjör Carl Robert Lamm på Näs-
  by; 1927 Gåva av konsul Hjalmar Wicander, A.K. 474
LITTERATUR: Asplund 1929, s. 24, kat.nr 51; Nationalmu-
  seum 1929, s. 30

Okänd man i profil

An Unknown Man in the Profile
Akvarell och gouache på elfenben h: 2,5 oval
Ram: metall
NMB 1897
PROVENIENS: 1894 Test. av C.F. Dahlgren; 1963 Omförd
  från NMDs s.n.

Ulrik Gottlieb Ehrenbill (1733–1792), landshövding

Ulrik Gottlieb Ehrenbill, County Governor
Påskrift på baksidan: "Ehrenbill"
Akvarell och gouache på elfenben 4,4×3,4
Ram: förgylld brons
NMDs 118
PROVENIENS: 1894 Test. av C.F. Dahlgren

Okänd officer

An Unknown Officer
Påskrift (av Eichhorn?) på baksidan: "Målad av N
  Lafrensen dy"
Gouache och akvarell på elfenben 5,5×4,4 oval
Ram: metall
NMDs 123
PROVENIENS: Christoffer Eichhorn (?); 1894 Test. av C.F.
  Dahlgren

Okänd man

An Unknown Man
Akvarell på pergament 4×3,3 oval
Ram: omonterad
NMDs 445
PROVENIENS: 1894 Test. av C.F. Dahlgren

KLINGSTEDT, Carl Gustaf

RIGA, LIVLAND 1657–1734 PARIS

Tre badande gracer
Three Bathing Graces
Grisaille på papper 8x6,3 oval
Ram: brons
NMB 680
PROVENIENS: 1917 Inköpt från C.E. Fritzes hovbokhandel;
    1927 Gåva av konsul Hjalmar Wicander, A.K. 120
UTSTÄLLD: Stockholm 1921, kat.nr 13
LITTERATUR: Asplund 1920, s. 31, kat.nr 28, pl. 10; Natio-
    nalmuseum 1929, s. 24; Lundberg 1932, s. 69 f., fig. 40
◆

Leda och svanen
Leda and the Swan
Grisaille på papper 5,1x7,2 oval
Ram: metall
NMB 681
PROVENIENS: 1917 Inköpt från bankir Erik O. Seve-
    rins samling; 1927 Gåva av konsul Hjalmar Wi-
    cander, A.K. 182
UTSTÄLLD: Stockholm vandringsutst. 1973, kat.nr 24
LITTERATUR: Asplund 1920, s. 31, kat.nr 33, pl. 10; Natio-
    nalmuseum 1929, s. 24; Lundberg 1932, s. 59 f.

Christine Antoinette Charlotte Desmares (1682– 1753), fransk skådespelerska vid Théâtre Français

Kopia efter Jean-Baptiste Santerre

Christine Antoinette Charlotte Desmares, French Actress at the Théâtre Français
Copy after Jean-Baptiste Santerre

Grisaille på pergament 9,2x7,2 oval
Ram: metall
NMB 682
PROVENIENS: 1917 Inköpt från generaldirektör Alfred Lagerheim; 1927 Gåva av konsul Hjalmar Wicander, A.K. 208
UTSTÄLLD: Stockholm 1915, kat.nr 28; Stockholm 1921, kat.nr 12; Stockholm & Paris 1993–94, kat.nr 826 (698)
LITTERATUR: Asplund 1920, s. 30, kat.nr 25, pl. 8; Nationalmuseum 1929, s. 24; Lundberg 1932, s. 65, fig. 31; Svenska Dagbladet 1932.10.31; SKL, vol. III, 1957, s. 385; von Malmborg 1978, s. 102, avb. s. 101, fig. 7; Cavalli-Björkman 1981, s. 64, fig. 48

Galant scen

An Amorous Scene
Grisaille på papper 6x8 oval
Ram: metall
NMB 684
PROVENIENS: 1918 Inköpt genom Semmy Josephson från Bukowskis auktion nr 217, kat.nr 345; 1927 Gåva av konsul Hjalmar Wicander, A.K. 249
UTSTÄLLD: Stockholm vandringsutst. 1973, kat.nr 25 (?)
LITTERATUR: Asplund 1920, s. 31, kat.nr 30, pl. 9; Nationalmuseum 1929, s. 24; Lundberg 1932, fig. 23

Doslocksminiatyr.

Venus och Adonis
Venus and Adonis
Grisaille på pergament 5,3x7,1 oval
Ram: metall
NMB 685
PROVENIENS: 1919 Inköpt genom Semmy
   Josephson från Bukowskis auktion nr
   221, kat.nr 304; 1927 Gåva av konsul
   Hjalmar Wicander, A.K. 385
LITTERATUR: Asplund 1920, s. 30, kat.nr 26,
   pl. 8; Nationalmuseum 1929, s. 25;
   Lundberg 1932, s. 67, fig. 33; SKL, vol.
   III, 1957, s. 385

Badande flicka
Girl Bathing
Grisaille på pergament 4,8x6,7
Ram: ciselerad och förgylld brons
NMB 686
PROVENIENS: 1926 Inköpt från Bukowskis auk-
   tion nr 255, kat.nr 392; 1927 Gåva av
   konsul Hjalmar Wicander, A.K. 703
LITTERATUR: Asplund 1929, s. 10, kat.nr 12;
   Nationalmuseum 1929, s. 25

Oväntat besök i en konstnärsateljé
Unexpected Visit to an Artist's Studio
Akvarell och gouache på pergament
   5,3x7,3
Ram: förgyllt trä
NMB 2370
PROVENIENS: Fröken Rosalie Sjöberg (?); 1927
   Inköpt från Bukowskis auktion nr 263,
   kat.nr 486; Karl Asplund; 1994 Inköpt
   från fru Gunnel Klernäs, Farsta
LITTERATUR: Olausson 1994, s. 8, fig. 1

KLINGSTEDT, Carl Gustaf.
Tillskriven
RIGA, LIVLAND 1657–1734 PARIS

Galant scen
An Amorous Scene
Penna och akvarell på papper 4,6x6,3
Ram: metall
NMDsä 122
PROVENIENS: 1894 Test. av C.F. Dahlgren

KLINGSTEDT, Carl Gustaf.
Hans skola
RIGA, LIVLAND 1657–1734 PARIS

Ung flicka med druvklase
A Young Girl with a Bunch of Grapes
Grisaille på papper 5,6x7,5
Ram: metall
NMB 678
PROVENIENS: 1927 Gåva av konsul Hjalmar
    Wicander, A.K. 45
LITTERATUR: Asplund 1920, s. 31, kat.nr 29,
    pl. 9; Nationalmuseum 1929, s. 24;
    Lundberg 1932, s. 69 (attribuerad till
    Klingstedt)

Diana och Cupido
Diana and Cupid
Påskrift på baksidan: "Prinsessan? de Conti
    par Klinchetel"
Grisaille på papper 5,5x7,6
Ram: metall
NMB 683
PROVENIENS: 1918 Inköpt genom Semmy Jo-
    sephson från Bukowskis auktion nr 217,
    kat.nr 344; 1927 Gåva av konsul Hjal-
    mar Wicander, A.K. 248
LITTERATUR: Asplund 1920, s. 31, kat.nr 27,
    pl. 9; Nationalmuseum 1929, s. 24;
    Lundberg 1932, s. 67, fig. 32 (attribue-
    rad till Klingstedt); SKL, vol. III, 1957, s.
    385

Doslocksminiatyr.

Kvinna hållande fjäril omfamnas av en man
Woman with a Butterfly, Embraced by a Man
Grisaille på pergament 7,6x6,4
Ram: metall
NMDsä 387
PROVENIENS: 1894 Test. av C.F. Dahlgren

Kvinna och knäböjande man
A Lady and a Kneeling Gentleman
Grisaille, teckning, gouache 5,8x7,2 liggande oval
Ram: förgyllt trä med pärlkant och rosett
NMHpd 115
PROVENIENS: Konsul Hjalmar Wicander; 1953 Test. av Carl
 August Wicander

Ett par
An Unknown Couple
Grisaille, teckning och gouache 5,6x7,2 liggande oval
Ram: förgyllt trä med pärlkant och rosett
NMHpd 116
PROVENIENS: Konsul Hjalmar Wicander; 1953 Test. av Carl
 August Wicander

KLINGSTEDT, Carl Gustaf. Hans art

RIGA, LIVLAND 1657–1734 PARIS

Amor och Psyke

Amor and Psyche

Sekundär påskrift a tergo: "Klingstedt"
Akvarell och gouache på elfenben 4,7x6,8
Ram: metall
NMB 338
PROVENIENS: 1911 Gåva av bankir Carl Adolph We-
bers arvingar
LITTERATUR: Nationalmuseum 1929, s. 25; Lundberg
1932, s. 67 (attribuerad till Klingstedt)

Galant scen

An Amorous Scene

Akvarell på pergament 5,2x7,1
Ram: förgylld brons
NMB 1721
PROVENIENS: 1894 Test. av C.F. Dahlgren; 1958
Omförd från NMDsä 183

Liggande Diana
Diana Reclining
Gouache på papper 5,2x7,2
Ram: trä
NMDsä 26
PROVENIENS: 1894 Test. av C.F. Dahlgren

Josef och Potifars hustru
Joseph and Potiphar's Wife
Gouache och akvarell på papper 4,3x6,1
Ram: trä
NMDsä 129
PROVENIENS: 1894 Test. av C.F. Dahlgren

Man och kvinna med fågel och fågelbur
Man and Woman with a Bird and a Birdcage
Gouache och akvarell på papper 4,3x6,8
Ram: trä
NMDsä 136
PROVENIENS: 1894 Test. av C.F. Dahlgren

KLOPPER, Jan
STOCKHOLM 1670–1734 UPPSALA

Okänd kvinna, enligt uppgift en fröken Svinhufvud
An Unknown Woman, reportedly a Miss Svinhufvud
Gouache på pergament 4,2x3,4 oval
Ram: fasettslipat glas, kapsel i förgylld brons, på baksidan
graverat blomsterornament
NMB 687
PROVENIENS: Sannolikt J.E. Hagdahls samling; Hovtandlä-
kare Elof Förbergs samling; 1920 Hoving & Winborgs
höstauktion, nr 72; 1927 Gåva av konsul Hjalmar Wi-
cander, A.K. 443
LITTERATUR: Carlander 1897, s. 50 (?); Lemberger 1912, s.
46 (?); Asplund 1929, s. 13, kat.nr 21, pl. 2; National-
museum 1929, s. 25; Nisser 1932, s. 287; SPA Index,
vol. II, 1939, s. 830; SKL, vol. III, 1957, s. 386; Schidlof
1964, s. 439

Okänd kvinna, enligt uppgift en fröken Svinhufvud
Replik efter NMB 687
An Unknown Woman, reportedly a Miss Svinhufvud
Replica after NMB 687
Akvarell och gouache på pergament 3,5x2,7 oval
Ram: förgyllt silver, fasettslipat glas
NMB 689
PROVENIENS: 1913 Källarmästare August Hallners samling;
1920 Inköpt från ingenjör Carl Robert Lamm på Näs-
by; 1927 Gåva av konsul Hjalmar Wicander, A.K. 511
LITTERATUR: Asplund 1929, s. 13, kat.nr 22, pl. 2; National-
museum 1929, s. 25; Nisser 1932, s. 287; SKL, vol. III,
1957, s. 386; von Malmborg 1978, s. 124, avb. s. 125,
fig. 6

Allegorisk scen

Allegorical scene
Sign: "J: Klopper. f."
Gouache på pergament 11x15
Ram: förgyllt trä
NMB 1748
PROVENIENS: 1894 Test. av C.F. Dahlgren; 1958 Omförd
  från NMDsä 361
▼

KLOPPER, Jan. Tillskriven

STOCKHOLM 1670–1734 UPPSALA

Okänd kvinna

An Unknown Woman
Akvarell och gouache på pergament 2,8x2,3 oval
Ram: metall
NMB 688
PROVENIENS: Christian Hammers samling; 1920 Inköpt
  från ingenjör Carl Robert Lamm på Näsby; 1927 Gåva
  av konsul Hjalmar Wicander, A.K. 510
LITTERATUR: Asplund 1929, s. 13, kat.nr 23, pl. 2; National-
  museum 1929, s. 25; Nisser 1932, s. 287; SKL, vol. III,
  1957, s. 386

Okänd kvinna
An Unknown Woman
Pendang till NMDs 84
Akvarell och gouache på (?) h: 2,2 oval
Ram: trä
NMDs 83
PROVENIENS: 1894 Test. av C.F. Dahlgren

Okänd man
An Unknown Man
Pendang till NMDs 83
Akvarell och gouache på papp h: 2,7 oval
Ram: trä
NMDs 84
PROVENIENS: 1894 Test. av C.F. Dahlgren

von KRAFFT, David. Tillskriven
HAMBURG 1655–1724 STOCKHOLM

Greve Adam Ludvig Lewenhaupt (1659–1719), krigare, riksråd, förmodat porträtt
Portrait presumed to be Count Adam Ludvig Lewenhaupt, Soldier, Councillor of the Realm
Olja på koppar 9,5x7,2 oval
Ram: silver
NMB 41
PROVENIENS: 1869 Gåva av grosshandlare Joseph Jacobson
LITTERATUR: Carlander 1897, s. 51; Levertin 1899, s. XXIV; Lemberger 1912, s. 30; Nationalmuseum 1929, s. 25; SPA Index, vol. II, 1939, s. 481; SKL, vol. III, 1957, s. 398; von Malmborg 1978, s. 124, avb. s. 125, fig. 1

KRAFFT, Wilhelmina, g. Noréus
STOCKHOLM 1778–1828 NORRKÖPING

Okänd man
An Unknown Man
Sign: "W: Krafft pin 1798."
Akvarell och gouache på elfenben diam: 5,7
Ram: mässing
NMB 690
PROVENIENS: 1919 Inköpt från H. Bukowskis Konsthandel;
    1927 Gåva av konsul Hjalmar Wicander, A.K. 327
UTSTÄLLD: Stockholm 1798, nr 117
LITTERATUR: Asplund 1920, s. 93, kat.nr 215, pl. 76; Natio-
    nalmuseum 1929, s. 32; Schidlof 1964, s. 442

KRAFFT, Wilhelmina, g. Noréus.
Tillskriven
STOCKHOLM 1778–1828 NORRKÖPING

Per Krafft d.y. (1777–1863), målare, professor
Per Krafft the Younger, Painter, Professor
Gouache på elfenben 6x5 oval
Ram: silver
NMGrh 2352
PROVENIENS: 1951 Gåva av fru Lisen Björling, Stockholm
LITTERATUR: von Malmborg 1968, s. 41; Ullman 1985, s.
    31, avb. s. 30, nr 27

KÖHLER, Pehr

BOXHOLMS BRUK
1784–1810 STOCKHOLM

Galant scen

An Amorous Scene
Sign: "Köhler pinx 1810"
Akvarell och gouache på elfenben
    diam: 7,5
Ram: metallist, elfenbensdosa
NMB 205
PROVENIENS: 1888 Gåva av fröken Ma-
    ria Ruckman
LITTERATUR: Carlander 1897, s. 52;
    Lemberger 1912, s. 89; National-
    museum 1929, s. 26; Schidlof
    1964, s. 436

Marianne Koskull (1785–1841), kammarfröken

*Marianne Koskull, Lady in
Waiting*
Sign: "PK. p: 1809."
Akvarell och gouache på elfenben
    diam: 7,7
Ram: mässing
NMB 213
PROVENIENS: 1889 Inköpt från fröken
    Emilie Björkman, Landskrona
UTSTÄLLD: Stockholm vandringsutst.
    1973, kat.nr 82; Stockholm
    1981:II, kat.nr 32
LITTERATUR: Carlander 1897, s. 53;
    Lemberger 1912, s. 82, 229, pl.
    39; Asplund 1916, s. 95 (i de fö-
    regående källorna attribuerad till
    Wilhelmina Krafft); Nationalmu-
    seum 1929, s. 25; SKL, vol. III,
    1957, s. 402, 437; Schidlof 1964,
    s. 436, 442, 985 f., fig. 651, pl.
    322; von Malmborg 1978, s. 198,
    avb. s. 199, fig. 2; Cavalli-Björk-
    man 1981, s. 141 f., fig. 141

Okänd man

An Unknown Man
Sign: "P K 1809"
Gouache på elfenben 4x3,2 oval
Ram: förgylld brons
NMB 451
PROVENIENS: 1894 Test. av C.F. Dahlgren; 1922 Omförd
    från NMDs 2157
LITTERATUR: Nationalmuseum 1929, s. 26

Ulrika Beata (Ulla) Rommel (1783–1882), g. m. kommerserådet A.J. Hammar

Ulrika Beata (Ulla) Rommel, m. to A.J.
Hammar, Head of Division at the Board
of Trade
Akvarell och gouache på elfenben diam: 6,1
Ram: metall, doslock
NMB 456
PROVENIENS: 1922 Gåva av modellens dotter
    fru Fredrika Uddenberg, f. Hammar
LITTERATUR: Nationalmuseum 1929, s. 26; SPA
    Index, vol. II, 1939, s. 679

Friherre Fredric Sebastian Mellin (1785–1809), kammarherre

Baron Fredric Sebastian Mellin, Chamberlain
Sign: "PK. p. 1809"
Akvarell och gouache på elfenben 6,4x5,9 oval
Ram: metall
NMB 691
PROVENIENS: 1918 Inköpt från S. Sundborgs konsthandel;
    1927 Gåva av konsul Hjalmar Wicander, A.K. 236
UTSTÄLLD: Stockholm 1915, kat.nr 223; Stockholm 1921,
    kat.nr 92
LITTERATUR: Asplund 1916, s. 82, 96, fig. 111; Asplund
    1920, s. 96 f., kat.nr 222, pl. 79; Nationalmuseum
    1929, s. 26; SPA Index, vol. II, 1939, s. 549; SKL, vol.
    III, 1957, s. 437; Schidlof 1964, s. 436

På baksidan fanns 1915 en anteckning: "Friherre
Mellin död ogift, var förlofvad med Jeanette Mül-
ler (sedermera friherrinna Ridderstolpe)".

Okänd kvinna

An Unknown Woman
Sign: "PK. p: 1807."
Akvarell och gouache på elfenben diam: 6,4
Ram: metall
NMB 692
PROVENIENS: 1917 Inköpt från Carl Ulrik Palms samling;
   1927 Gåva av konsul Hjalmar Wicander, A.K. 18
UTSTÄLLD: Stockholm 1915, kat.nr 220
LITTERATUR: Asplund 1916, s. 82; Asplund 1929, s. 97,
   kat.nr 223, pl. 79; Nationalmuseum 1929, s. 25

Okänd man

An Unknown Man
Sign: "PK. f. 08"
Akvarell och gouache på elfenben diam: 5,9
Ram: metall
NMB 693
PROVENIENS: 1927 Gåva av konsul Hjalmar Wicander, A.K.
   240
LITTERATUR: Asplund 1920, s. 97, kat.nr 224, pl. 79; Natio-
   nalmuseum 1929, s. 25

Okänd man

An Unknown Man
Sign: "PK"
Akvarell och gouache på elfenben 5,8x5 oval
Ram: metallinfattning
NMB 1047
PROVENIENS: 1927 Gåva av konsul Hjalmar Wicander, A.K.
   232
LITTERATUR: Asplund 1920, s. 101, kat.nr 234, pl. 83; Na-
   tionalmuseum 1929, s. 79

Denna miniatyr ansågs länge vara ett verk av
okänd konstnär. Den äger dock alla de för Köhler
karakteristiska egenskaperna i fråga om teknik
och fysionomi såsom en kylig färgskala, närmast
övertydlig plasticitet samt de mörka pupillerna. I
flera andra fall har en svårläst signatur, "PK" felak-
tigt tolkats som "WK" d.v.s. Wilhelmina Krafft eller
"FK", Fredrik Klingspor.

Okänd man

An Unknown Man
Akvarell och gouache på elfenben diam: 6
Ram: metall
NMB 1048
PROVENIENS: 1917 Inköpt från Hoving & Winborgs auktion; 1927 Gåva av konsul Hjalmar Wicander
LITTERATUR: Nationalmuseum 1929, s. 79

Okänd man

An Unknown Man
Sign: "PK. p. 1809"
Akvarell och gouache på elfenben 5,8x4,7 oval
Ram: trä, metall
NMB 1192
PROVENIENS: 1894 Test. av C.F. Dahlgren; 1929 Omförd
   från NMDs 2152
LITTERATUR: Nationalmuseum 1929, s. 26

**Carolina Kuhlman (1778–1866), g. Åbergsson,
skådespelerska**

Carolina Kuhlman, m. Åbergsson, Actress
Akvarell och gouache på elfenben diam: 6,2
Ram: trä, metall
NMB 1193
PROVENIENS: 1894 Test. av C.F. Dahlgren; 1929 Omförd
   från NMDs 2189
LITTERATUR: Nationalmuseum 1929, s. 26; Olausson 1994,
   s. 16 f., not 5

Denna miniatyr är identisk med NMDs 2197.

Okänd man
An Unknown Man
Sign: "PK. f. 1804."
Akvarell och gouache på elfenben diam: 5,4
Ram: metall
NMB 1454
PROVENIENS: 1942 Test. av fröken Zelma Lovisa
  Kjellberg
LITTERATUR: Sjöblom 1944:I, s. 147

Okänd man
An Unknown Man
Sign: "P K. p: 1809."
Gouache och akvarell på elfenben 8,4x7,4 oval
Ram: trä, metall
NMDs 2163
PROVENIENS: 1894 Test. av C.F. Dahlgren
◆

Carolina Kuhlman (1778–1866), g. Åbergsson, skådespelerska

Carolina Kuhlman, m. Åbergsson, Actress
Gouache på elfenben diam: 6,3
Ram: bakelit, metall, trä
NMDs 2197
PROVENIENS: 1894 Test. av C.F. Dahlgren
LITTERATUR: Olausson 1994, s. 9 f., fig. 2

Jfr NMB 1193 (dubblett).

Bianca Capello (omkr. 1548–1587)

Kopia efter okänd konstnär
Bianca Capello
Copy after an Unknown Artist
Sign: "Köhler pinx 1803"
Elfenben 6,5x5,8 oval
Ram: förgylld brons
NMDsä 295
PROVENIENS: 1894 Test. av C.F. Dahlgren

NMDsä 295 ej avbildad.

Gustav (1799–1877), prins av Vasa

Kopia efter Domenico Bossi (NMB 1606)
Gustav, Prince of Vasa
Copy after Domenico Bossi (NMB 1606)
Sign: "Köhler. f. 1818"
Gouache på elfenben 7,3x5,9 oval
Ram: förgylld metall, med krona ovantill
NMGrh 3648
PROVENIENS: Inköpt från Carl Ulrik Palms samling; 1922
   Inköpt genom Semmy Josephson från Bukowskis auk-
   tion nr 235, kat.nr 548; 1927 Gåva av konsul Hjalmar
   Wicander, A.K. 583; 1978 Omförd från NMB 694
UTSTÄLLD: Gripsholm 1999
LITTERATUR: Asplund 1929, s. 41, kat.nr 116, pl. 44; Natio-
   nalmuseum 1929, s. 26, avb. i bildbilaga; Schidlof
   1964, s. 437

KÖHLER, Pehr. Tillskriven

BOXHOLMS BRUK 1784–1810 STOCKHOLM

**Carolina Kuhlman (1778–1866),
g. Åbergsson, skådespelerska**
Kopia efter Domenico Bossi (?)
Carolina Kuhlman, m. Åbergsson, Actress
Copy after Domenico Bossi (?)
Gouache, akvarell och förgyllning på elfenben
6,5x5,2 oval
Ram: trä, metall
NMDs 2073
PROVENIENS: 1894 Test. av C.F. Dahlgren
LITTERATUR: Olausson 1994, s. 17, not 5

KÖHLER, Pehr. Hans art

BOXHOLMS BRUK 1784–1810 STOCKHOLM

Okänd man
An Unknown Man
Akvarell och gouache på elfenben diam: 7
Ram: omonterad
NMB 1823
PROVENIENS: 1894 Test. av C.F. Dahlgren; 1960 Omförd
från NMDs 1266

Okänd man
An Unknown Man
Gouache och akvarell på elfenben diam: 6,2
Ram: metall
NMDs 1469
PROVENIENS: 1894 Test. av C.F. Dahlgren

LAFRENSEN, Niclas, d.ä.

STOCKHOLM 1698–1756 STOCKHOLM

Regentlängd Gustav Vasa – Fredrik I

Kopia efter Martin van Meytens d.y. (Fredrik I och Ulrika Eleonora d.y.)
Genealogical Table of the Monarchs of Sweden Gustav Vasa–Fredrik I
Copy after Martin van Meytens the Younger (Fredrik I and Ulrika Eleonora the Younger)
Gustav Vasa (1497–1560), Erik XIV (1533–1577), Johan III (1537–1592), Sigismund (1566–1632), Karl IX (1550–1611), Gustav II Adolf (1594–1632), Kristina (1626–1689), Karl X Gustav (1622–1660), Karl XI (1655–1697), Karl XII (1682–1718), Ulrika Eleonora d.y. (1688–1741), Fredrik I (1676–1751)
Gouache på pergament 24,6x19
Ram: förgyllt trä
NMB 32
PROVENIENS: Mellan 1863–69 förvärvad till NM; 1981 Dubbelinförd, felaktig omföring från NMDs s.n. till NMB 2266
UTSTÄLLD: Stockholm vandringsutst. 1973, kat.nr 36; Stockholm 1981:II, kat.nr 34
LITTERATUR: Carlander 1897, s. 54; Levertin 1899, s. 12; Cavalli-Björkman 1981, s. 74, fig. 60

Regentlängden har tidigare tillskrivits C.F. Mörck.
▼

Adolf Fredrik (1710–1771),
Lovisa Ulrika (1720–1782) och
prins Gustav (III) (1746–1792)
King Adolf Fredrik, Queen Lovisa Ulrika and Prince
Gustav (III) of Sweden
Akvarell och gouache på pergament 4,6x5,7 liggande oval
Ram: metall
NMB 42
PROVENIENS: 1869 Gåva av grosshandlare Joseph Jacobson
UTSTÄLLD: Stockholm vandringsutst. 1973, kat.nr 35
LITTERATUR: Carlander 1897, s. 54; Nationalmuseum 1929,
s. 26

Fredrik I (1676–1751)
King Fredrik I of Sweden
Akvarell och gouache på pergament 6,4x7,6
Ram: förgyllt trä
NMB 64
PROVENIENS: 1872 Inköpt från statsrådet F.O. Silfverstolpe
LITTERATUR: Nationalmuseum 1929, s. 26

David spelande harpa för Saul
Kopia efter Charles-Nicolas Cochin d.y:s gravyr
efter Carle Vanloo
King David Playing the Harp to Saul
Copy after Charles-Nicolas Cochin's the Younger
Engraving after Carle Vanloo
Sign: "Nicol. Lafrensen pinxit. 1743."
Gouache på pergament 19,5x25
Ram: omonterad
NMB 118
PROVENIENS: 1875 Inköpt från konsthandlare Levertin &
    Sjöstedt
UTSTÄLLD: Paris 1949, s. 3, kat.nr 4
LITTERATUR: Carlander 1897, s. 54; Levertin 1899, s. 10;
    SKL, vol. III, 1957, s. 440; Sahut 1977, s. 91

Förlagan till miniatyren, Cochin d.y.:s gravyr efter
Vanloo, utfördes 1736.
▼ ◆

Sara förande Hagar fram för Abraham

Kopia efter Louis Desplaces gravyr efter Carle
Vanloo
Sarah Presenting Hagar to Abraham
Copy after Louis Desplace's Engraving after
Carle Vanloo
Sign: "N. Lafren [otydligt årtal]"
Gouache på pergament 19,5 x 25
Ram: omonterad
NMB 119
PROVENIENS: 1875 Inköpt från konsthandlare Levertin &
    Sjöstedt
UTSTÄLLD: Paris 1949, s. 3, kat.nr 3
LITTERATUR: Carlander 1897, s. 54; Levertin 1899, s. 10;
    Sahut 1977, s. 35
▼

Friherre Per Abraham Örnsköld
(1720–1791), ämbetsman, landshövding
Baron Per Abraham Örnsköld, Civil Servant,
County Governor
Gouache på pergament (?) 5,3x7,1
Ram: förgylld metall
NMB 385
PROVENIENS: 1917 Test. av friherre Carl Örnsköld
LITTERATUR: Nationalmuseum 1929, s. 26; SPA In-
dex, vol. II, 1939, s. 965; Schidlof 1964, s. 457;
von Malmborg 1978, s. 145, avb. s. 146

Göran Josua Adelcrantz (1668–1739),
arkitekt
Kopia efter Georg Engelhardt Schröder
Göran Josua Adelcrantz, Architect
Copy after Georg Engelhardt Schröder
Påskrift a tergo med senare stil: "N.
LAFRENSEN. D: Ä: px. Kristofer
Polhem f: 1661 – d: 1751." samt
"Samma porträtt i olja finns å
Stjernsund i Dalarna byggd[...]
af Polhem"
Akvarell och gouache på perga-
ment 9,2x7,2
Ram: förgylld brons
NMB 738
PROVENIENS: Christoffer Eichhorns
samling; Charles Emil Hagdahls
samling (?); Carl Ulrik Palms
samling; 1924 Inköpt från A.-B.
H. Bukowskis konsthandel; 1927
Gåva av konsul Hjalmar Wican-
der, A.K. 641
UTSTÄLLD: Stockholm 1915, kat.nr 71
LITTERATUR: Carlander 1897, s. 54;
Carlander ms, fol. 54; Asplund
1929, s. 14, kat.nr 25, pl. 8;
Nationalmuseum 1929, s. 26;
SPA Index, vol. II, 1939, s. 636;
Schidlof 1964, s. 988, fig. 672,
pl. 332; Cavalli-Björkman 1981,
s. 77, fig. 63

Modellen kallades för Christof-
fer Polhem fram till 1954, då
Tord O:son Nordberg fastslog
att porträttet föreställer Göran
Josua Adelcrantz. Arkitekten
sitter vid sitt ritbord med pas-
sare i hand och pekar på pla-
nen till Katarina kyrka i Stock-
holm, vars nya kupol efter
branden 1723 uppfördes efter
hans ritningar. Schröders ori-
ginal tillhör Sinebrychoffs
konstmuseum, Helsingfors
(inv.nr 44). ▼

Gustav Vasa (1496–1560)
King Gustav Vasa of Sweden
Gouache på pergament 5,9x4,8 oval
Ram: metallist
NMB 1554a
PROVENIENS: 1946 Test. av grevinnan Anna Bogeman, f.
 Stackelberg
LITTERATUR: Sjöblom 1950, s. 149

NMB 1554a–p är monterade tillsammans i en för-
gylld träram med kunglig krona som överstycke.

Erik XIV (1533–1577)
King Erik XIV of Sweden
Gouache på pergament 6x4,9 oval
Ram: metallist
NMB 1554b
PROVENIENS: 1946 Test. av grevinnan Anna Bogeman, f.
 Stackelberg
LITTERATUR: Sjöblom 1950, s. 149

Johan III (1537–1592)
King Johan III of Sweden
Gouache på pergament 6x4,9 oval
Ram: metallist
NMB 1554c
PROVENIENS: 1946 Test. av grevinnan Anna Bogeman, f.
 Stackelberg
LITTERATUR: Sjöblom 1950, s. 149

Sigismund (1566–1632)
King Sigismund of Sweden
Gouache på pergament 6,1x4,8 oval
Ram: metallist
NMB 1554d
PROVENIENS: 1946 Test. av grevinnan Anna Bogeman, f.
    Stackelberg
LITTERATUR: Sjöblom 1950, s. 149

Karl IX (1550–1611)
King Karl IX of Sweden
Gouache på pergament 5,9x4,9 oval
Ram: metallist
NMB 1554e
PROVENIENS: 1946 Test. av grevinnan Anna Bogeman, f.
    Stackelberg
LITTERATUR: Sjöblom 1950, s. 149

Gustav II Adolf (1594–1632)
King Gustav II Adolf of Sweden
Gouache på pergament 6x4,8 oval
Ram: metallist
NMB 1554f
PROVENIENS: 1946 Test. av grevinnan Anna Bogeman, f.
    Stackelberg
LITTERATUR: Sjöblom 1950, s. 149

Drottning Kristina (1626–1689)
Queen Kristina of Sweden
Gouache på pergament 5,9x4,8 oval
Ram: metallist
NMB 1554g
PROVENIENS: 1946 Test. av grevinnan Anna Bogeman, f.
    Stackelberg
LITTERATUR: Sjöblom 1950, s. 149

Karl X Gustav (1622–1660)
King Karl X Gustav of Sweden
Gouache på pergament 5,8x4,8 oval
Ram: metallist
NMB 1554h
PROVENIENS: 1946 Test. av grevinnan Anna Bogeman, f.
    Stackelberg
LITTERATUR: Sjöblom 1950, s. 149

Karl XI (1655–1697)
King Karl XI of Sweden
Gouache på pergament 5,9x4,8 oval
Ram: metallist
NMB 1554i
PROVENIENS: 1946 Test. av grevinnan Anna Bogeman, f.
    Stackelberg
LITTERATUR: Sjöblom 1950, s. 149

Karl XII (1682–1718)
King Karl XII of Sweden
Gouache på pergament 5,8x4,8 oval
Ram: metallist
NMB 1554j
PROVENIENS: 1946 Test. av grevinnan Anna Bogeman, f.
    Stackelberg
LITTERATUR: Sjöblom 1950, s. 149

Drottning Ulrika Eleonora d.y. (1688–1741)
Queen Ulrika Eleonora the Younger of Sweden
Gouache på pergament 6x5 oval
Ram: metallist
NMB 1554k
PROVENIENS: 1946 Test. av grevinnan Anna Bogeman, f.
    Stackelberg
LITTERATUR: Sjöblom 1950, s. 149

Fredrik I (1676–1751)
King Fredrik I of Sweden
Gouache på pergament 6x4,9 oval
Ram: metallist
NMB 1554l
PROVENIENS: 1946 Test. av grevinnan Anna Bogeman, f.
    Stackelberg
LITTERATUR: Sjöblom 1950, s. 149

Karl XII (1682–1718)
King Karl XII of Sweden
Ram: metallkapsel, fasettslipat glas
NMB 2220
PROVENIENS: 1978 Överförd från RS 5689

Drottning Ulrika Eleonora d.y. (1668–1741)
Queen Ulrika Eleonora the Younger of Sweden
Graverat på baksidan: "Ulrica. Eleonora. Iun: RS"
Gouache på elfenben (?) 3,4x2,9 oval
Ram: metallkapsel, fasettslipat glas
NMB 2221
PROVENIENS: 1978 Överförd från RS 5690

Fredrik I (1676–1751)
King Fredrik I of Sweden
Graverat på baksidan: "Fridericus I. R: S:"
Gouache på pergament (?) 3,7x3 oval
Ram: metallkapsel, fasettslipat glas
NMB 2222
PROVENIENS: 1978 Överförd från RS 5691

Friherre Carl Hårleman (1700–1753), arkitekt, över-intendent

Kopia efter Olof Arenius
Baron Carl Hårleman, Architect,
Director of Public Works
Copy after Olof Arenius
Gouache på papp 9×7,5
Ram: förgyllt trä
NMB 2265
PROVENIENS: 1894 Test. av C.F. Dahl-
gren; 1981 Omförd från NMDs 95
UTSTÄLLD: Stockholm 1981:II, kat.nr
37
LITTERATUR: SPA Index, vol. I, 1935,
s. 405; Cavalli-Björkman 1981,
s. 77, fig. 62

Maria von Kohl (1731–1801), g. m. gross-handlaren Seele i Stockholm

Maria von Kohl, m. to the Stockholm Wholesaler Seele
Påskrift på papperslapp: "Maria Kohl – Fru Seele"
Gouache och akvarell på papper 7,6×6,3
Ram: förgyllt trä med ornament
NMDs 99
PROVENIENS: 1894 Test. av C.F. Dahlgren

Elise Arnberg utförde en kopia (NMB 1226)
efter Lafrensen d.ä:s porträtt av Maria von
Kohl.

Fredrik I (1676–1751)

King Fredrik I of Sweden
Gouache på pergament
1,5×1,2 oval
Ram: omonterad (endast täckglas)
NMDs 598
PROVENIENS: 1894 Test. av C.F.
Dahlgren

▲

LAFRENSEN

344

Regentlängd Gustav Vasa–Fredrik I

Genealogical Table of the Monarchs of Sweden Gustav Vasa–Fredrik I

Gustav Vasa (1497–1560), Erik XIV (1533–1577), Johan III (1537–1592), Sigismund (1566–1632), Karl IX (1550–1611), Gustav II Adolf (1594–1632), Kristina (1626–1689), Karl X Gustav (1622–1660), Karl XI (1655–1697), Karl XII (1682–1718), Ulrika Eleonora d.y. (1688–1741), Fredrik I (1676–1751)

Påskrift: "Fr[edr]", "D.G.", "Rex", "La[...]"

Gouache på papper 36,5x29 dagermått

De enskilda porträtten mäter ca 6,6x5,6 oval, med undantag av Fredrik I:s porträtt 12,3x10,2

Ram: förgylld träram, överstycke: lilla riksvapnet, krona och lagerfestong; porträtten infällda bakom samma papper med målad förgylld oval kring varje regent

NMGrh 462

<small>PROVENIENS:</small> Efter 1825 till Grh; 1831 Upptagen i inventariet, nr 386

<small>LITTERATUR:</small> SPA Index, vol. III, 1943, s. 72 (E XIV:6), 133 (K IX:7b), 245 (Kr:a 19); von Malmborg 1951, s. 73

▼

LAFRENSEN

Gustav (III) (1746–1792) som barn

Kopia efter Gustaf Lundberg
King Gustav (III) of Sweden as a Child
Copy after Gustaf Lundberg
Påskrift a tergo: "Konung Gustaf den tredje som barn.
  Gifvit till Gripsholms Slott af Kammarjunkaren Rääf.
  Uppger hafva varit Prinsessan Sophia Albertinas."
Gouache på papper 12x9,5
Ram: förgyllt trä
NMGrh 1324
PROVENIENS: 1820-talet (?) Gåva av kammarjunkare Leon-
  hard Rääf
LITTERATUR: von Malmborg 1951, s. 183

Den numera vattenskadade miniatyren efter Gus-
taf Lundbergs stora komposition har en ram som
är identisk med originalets. Denna miniatyr är
förmodligen det exemplar som hängde i dock-
skåpsmodellen av Åkerö, skänkt av Carl Gustaf
Tessin till kronprins Gustav. Originalet finns i fle-
ra exemplar.

**Gustav Vasa (1496–1560) och Margareta
Leijonhufvud (1513–1551)**

*King Gustav Vasa and Queen Margareta Leijonhufvud
of Sweden*

Gouache på pergament 10x7,5

Ram: förgyllt trä, krönt

NMGrh 4232

PROVENIENS: Carl Gustaf Tessins samling; 1998 Inköpt från
Bukowskis auktion nr 508, kat.nr 206a

LITTERATUR: Granberg 1930, vol. II, s. 241; Olausson & de
Robelin 1998, s. 19, avb.

Perseus och Andromeda

Perseus and Andromeda

Sign: "Lafrensen pinx: 17[...]"

Påskrift på bakstycket: "Minne af A: S: Rålamb Sign: N.
 Lafrensen 1743"

Gouache på pergament (?) 16x11

Ram: förgyllt trä

NMHpd 118

PROVENIENS: 1917 Inköpt genom Semmy Josephson från
 Bukowskis auktion nr 211, kat.nr. 440 1/2; Konsul
 Hjalmar Wicander, A.K. 126; 1953 Test. av Carl August
 Wicander

LITTERATUR: Asplund 1920, s. 46, kat.nr 64, pl. 22

Signaturens autencitet har inte med full visshet
kunnat fastställas.

▼

Greve Svante Sture d.y. (1517–1567), riksråd, generalguvernör

Count Svante Sture the Younger, Councillor of the Realm, Governor-General

Graverat på baksidan: "Sten Sture Senior"
Gouache på elfenben (?) 3,1x2,5 oval dagermått
Ram: förgylld brons
NMB 90
PROVENIENS: 1873 Test. av Carl XV, nr 472
LITTERATUR: Upmark 1882, s. 86; Carlander 1897, s. 120 (attribuerad till okänd svensk konstnär); SPA Index, vol. II, 1939, s. 819

Friherre Erik Sture (1546–1567), fodermarsk

Baron Erik Sture, Equerry

Graverat på baksidan: "Sten Sture Junior"
Gouache på elfenben (?) 3,3x2,6 oval dagermått
Ram: förgylld brons
NMB 91
PROVENIENS: 1873 Test. av Carl XV, nr 473
LITTERATUR: Upmark 1882, s. 86; SPA Index, vol. II, 1939, s. 818

Med ledning av texten på miniatyrernas baksidor har de avbildade på NMB 90 och NMB 91 tidigare felaktigt kallats Sten Sture d.ä. resp. Sten Sture d.y. Porträtten föreställer emellertid Svante Sture d.y. och hans son Erik Sture, båda mördade under Sturemorden i Uppsala. Miniatyrerna har förmodligen utförts efter oljeporträtt i Statens porträttsamling på Gripsholm (NMGrh 1765 resp. NMGrh 938).

Karl XII (1682–1718)

King Karl XII of Sweden
Akvarell och gouache på papper 7,3×5,4
Ram: trä
NMB 776
PROVENIENS: 1927 Gåva av konsul Hjalmar
   Wicander, A.K. 198
LITTERATUR: Asplund 1920, s. 39, kat.nr 51, pl.
   16; Nationalmuseum 1929, s. 36; SKL, vol.
   V, 1967, s. 225

Greve Thure Gabriel Bielke (1684–1763), riksråd

Troligen kopia efter Georg Engelhardt Schröder
Count Thure Gabriel Bielke, Councillor of the Realm
Probably copy after Georg Engelhardt Schröder
Gouache på pergament 3,5×3 oval
Ram: metall, trä
NMB 1754
PROVENIENS: 1894 Test. av C.F. Dahlgren; 1958 Omförd
   från NMDs 87
UTSTÄLLD: Stockholm 1874:II

Fredrik I (1676–1751)
King Fredrik I of Sweden
Gouache på pergament (?) 23,5×15

Ram: förgyllt trä med krona (avslagen) och bladornament
NMGrh 3485
PROVENIENS: 1974 Inköpt från fru Gun Lundin

LAFRENSEN, Niclas d.ä. Hans skola
STOCKHOLM 1698–1756 STOCKHOLM

Karl XII (1682–1718)
Kopia efter David von Krafft
King Karl XII of Sweden
Copy after David von Krafft
Påskrift a tergo: "Konung Carl XII."; med blyerts "N.

Lafrensen d.ä."; "Gifvet till Gripsholms Slott år 1855,
af öfverkammarherren Grefve G:G: Oxenstjerna."
Gouache på papper monterat på trä 18,3x13,3 dager-
mått
Ram: förgyllt trä
NMGrh 1469
PROVENIENS: 1855 Gåva av greve Gustaf Göran Gabriel
Oxenstierna
LITTERATUR: SPA Index, vol. III, 1943, s. 385 (KXII:34g);
von Malmborg 1951, s. 201   ▼

Karl XII

King Karl XII of Sweden

Gouache på pergament 26,4x19,9

Ram: förgyllt trä

NMGrh 2421

PROVENIENS: 1952 Omförd från NMB 33

LITTERATUR: Carlander 1897, s. 120 (som okänd svensk
konstnär); Levertin 1899, s. 8; SPA Index, vol. III,
1943, s. 383 (KXII:25a)

▼

LAFRENSEN, Niclas d.ä. Hans art
STOCKHOLM 1698–1756 STOCKHOLM

Adolf Fredrik (1710–1771)
King Adolf Fredrik of Sweden
Akvarell och gouache på pergament monterat på spel-
    kort 5x7,1
Ram: trä
NMDs 320
PROVENIENS: 1894 Test. av C.F. Dahlgren

Okänd man
An Unknown Man
Gouache på pergament 7x5,3 oval
Ram: metall, trä
NMDs 333
PROVENIENS: Häradshövding Josef Palm; 1883 Inköpt från
    auktion i Hotel Kung Carl, Göteborg, kat.nr 18 (?);
    1894 Test. av C.F. Dahlgren

Modellen kallades tidigare Nicodemus Tessin d.y.

Adolf Fredrik (1710–1771) som kronprins
Adolf Fredrik as Crown Prince of Sweden
Gouache på pergament 4,3x3,6 oval
Ram: förgylld metall
NMDs 374
PROVENIENS: 1894 Test. av C.F. Dahlgren

Karl (XIII) (1748–1818) som barn
Kopia efter Gustaf Lundberg (NMDrh 32)
King Karl (XIII) of Sweden as a Child
Copy after Gustaf Lundberg (NMDrh 32)
Gouache och akvarell på elfenben 5,6x7,3
Ram: förgyllt trä
NMDs 518
PROVENIENS: 1894 Test. av C.F. Dahlgren

LAFRENSEN, Niclas, d.y.
STOCKHOLM 1737–1807 STOCKHOLM

Tre damer som musicerar
Ladies Playing a Trio
Gouache på papper 26x20
Ram: förgyllt trä
NMB 12
PROVENIENS: 1866 Omförd från
  NMDrh
UTSTÄLLD: Stockholm 1886,
  kat.nr 306; Köpenhamn
  1921, kat.nr 166, avb. s. 46;
  Paris 1949, nr 51; Turin
  1951
LITTERATUR: Levertin 1899, s.
  126, 164; Lemberger 1912,
  s. 66, 226, pl. 23; Colding
  1947, s. 49; Wennberg
  1947, s. 55, fig. 30; Natio-
  nalmuseum 1995, s. 312
▼

Damer som spelar kort
Ladies Playing Cards
Gouache på papper 29x21
Ram: förgyllt trä
NMB 13
PROVENIENS: 1866 Omförd från NMDrh

UTSTÄLLD: Stockholm 1886, kat.nr 307; Köpenhamn
  1921, kat.nr 165
LITTERATUR: Levertin 1899, s. 126, 164, avb. s. 103; Lember-
  ger 1912, s. 66, 226, pl. 24; Colding 1947, s. 49; Wenn-
  berg 1947, s. 55, fig. 29; Nationalmuseum 1995, s. 312

▼

LAFRENSEN

Gustav III (1746–1792)
King Gustav III of Sweden
Sign: "Lafrensen 1792"
Gouache på papper monterad på papp 40x32
Ram: förgyllt trä
NMB 77
PROVENIENS: 1818 upptagen i Karl XIII:s bouppteckning (?);
1872 Test. av Carl XV, nr 437
UTSTÄLLD: Stockholm 1886, kat.nr 310; Stockholm 1946,

kat.nr 105; Paris 1947, kat.nr 510; Stockholm
1998–99, kat.nr 230, avb. s. 260
LITTERATUR: Upmark 1882, s. 80; Levertin 1899, s. 127 f.,
165, avb. mot titelsidan; Lorenzen 1934, s. 56; Berg-
man 1938, s. 169; Wennberg 1947, s. 60 ff., fig. 87;
Cavalli-Björkman 1981, s. 110, fig. 95; Nationalmu-
seum 1995, s. 313

Graverad som bröstbild av Charles Etienne
Gaucher.　　　　　　　　　　　　　　　▼

Drottning Kristina (1626–1689) och Karl X Gustav (1622–1660)

Queen Kristina and Karl X Gustav of Sweden
Sign: "Lafrensen 1793"
Påskrift på ramen: "Conversation de la Reine Christine avec le Prince Charles Gustave sur son mariage avec lui en présence de Cte Magnus de la Gardie et l'Eveque Jean Matthie au paravant son Precepteur" samt "Mem. de Christine par Arckenholtz T. I p. 164."
Gouache på papper 31x25

Ram: förgyllt trä
NMB 78
PROVENIENS: 1872 Test. av Carl XV, nr 438
UTSTÄLLD: Stockholm 1800, kat.nr 29; Stockholm 1886, kat.nr 311; Köpenhamn 1921, kat.nr 170; Stockholm 1960, kat.nr 745
LITTERATUR: Upmark 1882, s. 80; Levertin 1899, s. 127, 165; Wennberg 1947, s. 60, fig. 92; Nationalmuseum 1995, s. 313
▼

LAFRENSEN

Drottning Kristina (1626–1689) på besök hos professor Saumaise

Queen Kristina of Sweden Visiting Professor Saumaise
Sign: "Lafrensen 1794"
Påskrift på ramen: "Visite gaillarde de la Reine Christine accompagné de Mlle de Sparre à Saumaise Savant Professeur de Leyde malade à la cour de Suède" samt "voies Mem. de Christine par Arckenholtz T. I. p. 232"
Gouache på papper 31x25

Ram: förgyllt trä
NMB 79
PROVENIENS: 1872 Test. av Carl XV, nr 439
UTSTÄLLD: Stockholm 1800, kat.nr 31; Stockholm 1886, kat.nr 312; Köpenhamn 1921, kat.nr 169; Stockholm 1960, kat.nr 756; Stockholm vandringsutst. 1992, kat.nr 24
LITTERATUR: Upmark 1882, s. 80; Levertin 1899, s. 127, 165; Wennberg 1947, s. 60, fig. 91; SKL, vol. III, 1957, s. 442; Nationalmuseum 1995, s. 313
▼

Julia Magdalena Nicole Fromageau (d. 1801), g. des Roches, aktris

Julia Magdalena Nicole Fromageau, m. des Roches, Actress

Sign: "Lafrensen"
Akvarell och gouache på papper h: 7,8 oval dagermått
Ram: förgyllt trä
NMB 109
PROVENIENS: 1875 Omförd från NMDrh 112
UTSTÄLLD: Köpenhamn 1921, kat.nr 181; Paris 1949, kat.nr 31; Stockholm & Paris 1993–94, kat.nr 837 (709); Stockholm 2000, kat.nr 12
LITTERATUR: Carlander 1897, s. 55 f.; Levertin, 1899, s. 80, 170; Lemberger 1912, s. 64; National-museum 1929, s. 28; Colding 1947, s. 49; Wennberg 1947, s. 46 f., fig. 2; Colding 1953, s. 154, fig. 173; SKL, vol. III, 1957, s. 441; Schidlof 1964, s. 458; Cavalli-Björkman 1981, s. 104, fig. 87

Madame des Roches var verksam vid Adolf Fredriks och Lovisa Ulrikas franska teatertrupp i Stockholm 1753–71. Porträttet tillkom omkring 1771–72. Enligt uppgift lämnad av fil.kand Roger de Robelin var den avbildade senare sällskapsdam hos greve Eric Ruuth, Stockholm.

Musicerande herrar och damer i ett landskap

Ladies and Gentlemen Making Music in the Open Air

Gouache på papper 33x26 oval

Ram: förgyllt trä

NMB 110

PROVENIENS: 1875 Omförd från NMDrh 81

UTSTÄLLD: Stockholm 1886, kat.nr 308; Köpenhamn
1921, kat.nr 164; Stockholm 1981:II, kat.nr 24; Stock-
holm & Paris 1993–94, kat.nr 840 (712), avb.; Stock-
holm 2000, nr 13

LITTERATUR: Levertin 1899, s. 106, 126, 164, avb. s. 77;
Wennberg 1947, s. 43, avb. mot s. 42; Cavalli-Björkman
1981, s. 104, fig. 89; Nationalmuseum 1995, s. 313

▼

En dam i samtal med sin kammarjungfru

Lady Chatting with her Maid

Gouache på papper 41x34

Ram: förgyllt trä

NMB 111

PROVENIENS: 1875 Omförd från NMDrh 189

UTSTÄLLD: Stockholm 1886, kat.nr 309; Köpenhamn
1921, kat.nr 167

LITTERATUR: Levertin 1899, s. 110, 126, 164 f.; National-
museum 1995, s. 313

Miniatyren hängde förmodligen, liksom NMB
110, NMB 12 och NMB 13, på Kungl. slottet un-
der Gustav III:s tid (jfr Sander, vol. II, 1873, s.
123).

▼

Mamsell Sophie Hagman (1758–1826), dansös
Mademoiselle Sophie Hagman, Dancer
Sign: "Lafrensen 1795"
Gouache på papper 45,5×37
Ram: förgyllt trä
NMB 129
PROVENIENS: 1876 Inköpt

UTSTÄLLD: Stockholm 1886, kat.nr 313; Köpenhamn
   1921, kat.nr 185
LITTERATUR: Levertin 1899, s. 128, 166; SPA Index, vol. I,
   1935, s. 347; Wennberg 1947, s. 60, fig. 94; National-
   museum 1995, s. 314
▼

Okänd kvinna
An Unknown Woman
Sign: "Lafr. 1782"
Akvarell och gouache på elfenben diam: 6,6
Ram: metall
NMB 147
PROVENIENS: 1878 Gåva av expeditionschef C.H. Odelberg
UTSTÄLLD: Stockholm vandringsutst. 1952, kat.nr 16
LITTERATUR: Carlander 1897, s. 32 (attribuerad till Hall);
    Lemberger 1912, s. 66, 226, pl. 20; Nationalmuseum
    1929, s. 27; Wennberg 1947, s. 58, fig. 75; SKL, vol.
    III, 1957, s. 442; Cavalli-Björkman 1981, s. 108, om-
    slagsbild

Gustav III (1746–1792)
King Gustav III of Sweden
Gouache på papp 15,5x11,5
    oval
Ram: förgyllt trä
NMB 150
PROVENIENS: 1878 Inköpt från
    majoren Carl Florus Toll
UTSTÄLLD: Stockholm 1886,
    kat.nr 314
LITTERATUR: Carlander 1897, s.
    56; Levertin 1899, s. 128,
    165; Wennberg 1947, s.
    156; Nationalmuseum
    1995, s. 314

Liknande bild graverad
efter Lafrensen av Charles
Etienne Gaucher för Col-
lection des Écrits de Gus-
tave (jfr NMB 77).
▼

Drottning Sofia Magdalena (1746–1813)

Queen Sofia Magdalena of Sweden

Gouache på papp 15,5x11,5 oval

Ram: förgyllt trä

NMB 151

PROVENIENS: 1878 Inköpt från majoren Carl Florus Toll

UTSTÄLLD: Stockholm 1886, kat.nr 315

LITTERATUR: Carlander 1897, s. 56; Levertin 1899, s. 128,
165 f.; Wennberg 1947, s. 156; Nationalmuseum 1995,
s. 314

▼

**Drottning Hedvig Elisabet Charlotta
(1759–1818)**

Queen Hedvig Elisabet Charlotta of Sweden
Gouache på papp 15,5x11,5 oval
Ram: förgyllt trä
NMB 152

PROVENIENS: 1878 Inköpt från majoren Carl Florus Toll
UTSTÄLLD: Stockholm 1886, kat.nr 316
LITTERATUR: Carlander 1897, s. 56; Levertin 1899, s. 128,
165; Wennberg 1947, s. 156; Nationalmuseum 1995,
s. 314
▼

Självporträtt

Self-Portrait

Sign: "N LAFR[...]P[...]", i skrivboken: "1768"
Akvarell och gouache på papper 5,2x6,3
Ram: metall
NMB 212

PROVENIENS: 1889 Inköpt från kapten J. Hagdahl

UTSTÄLLD: Köpenhamn 1921, kat.nr 180; Sockholm
vandringsutst. 1952, kat.nr 18; Stockholm van-
dringsutst. 1973, kat.nr 42

LITTERATUR: Carlander 1897, s. 56; Levertin 1899, s.
170; Nationalmuseum 1929, s. 27; SPA Index, vol.
II, 1939, s. 457; Sjöblom 1941, s. 80; Wennberg
1947, s. 45 ff., 53, fig. 1; Colding 1953, s. 154, fig.
172; Schidlof 1964, s. 458, 988, fig. 673, pl. 332;
Cavalli-Björkman 1981, s. 101 f., fig. 85

Carlander nämner ytterligare ett självporträtt
av Lafrensen d.y. i Nationalmusei samling
men anger inte inventarienummer. Förmodli-
gen har han förväxlat det med självporträttet i
Konstakademien i Stockholm. ◆

Henrik Gahn (1747–1816), läkare

Henrik Gahn, Physician

Monterad i samma medaljong som NMB 286b
Sign: "Lvr 1798"
Akvarell och gouache på elfenben h: 7 oval
Ram: medaljong av förgylld metall
NMB 286a

PROVENIENS: 1901 Gåva av brukspatron Ernst Nisser
genom fru Ellen Nisser

UTSTÄLLD: Stockholm 1908; Köpenhamn 1921, kat.nr
178

LITTERATUR: Asplund 1923, s. 193; Nationalmuseum
1929, s. 28; SPA Index, vol. I, 1935, s. 302; Wenn-
berg 1947, fig. 99; SKL, vol. III, 1957, s. 442;
Schidlof 1964, s. 458

Lafrensens porträtt av Henrik Gahn kopiera-
des i blyerts och graverades sedermera av An-
ton Ulrik Berndes i *Vetenskapshandlingar för lä-
kare och fältskärer.*

Familjescen. Ofullbordad

Family Scene. Uncompleted
Sign: "Nicolaus Lafrensen 1790"
Gouache på papper 25x20
Ram: trä
NMB 305

PROVENIENS: Hammerska samlingen i Byströms villa; 1907
    Inköpt från dödsboet efter grosshandlare S. Josephson
UTSTÄLLD: Köpenhamn 1921, kat.nr 168; Paris 1949,
    kat.nr 83
LITTERATUR: Levertin 1899, s. 126, 168; Wennberg 1947, s.
    51, fig. 4; Nationalmuseum 1995, s. 314
    ▼

Parkscen

Scene in a Park
Sign: "Laf [...]"
Akvarell och gouache på elfenben diam: 6,5
Ram: dosa
NMB 495
PROVENIENS: 1926 Gåva av herr Edward Björk-
  man, Paris, genom Nationalmusei vänner
UTSTÄLLD: Stockholm vandringsutst. 1952, kat.nr
  19, avb. s. 19; Stockholm vandringsutst.
  1973, kat.nr 40
LITTERATUR: Nationalmuseum 1929, s. 29; Wenn-
  berg 1947, avb. s. 63

Okänd kvinna

An Unknown Woman
Sign: "Lafrensen 1790"
Akvarell och gouache på elfenben 5,2x4,3 oval
Ram: svart bendosa
NMB 695
PROVENIENS: 1917 Inköpt från H. Bukowskis
  konsthandel; 1927 Gåva av konsul Hjalmar
  Wicander, A.K. 187
UTSTÄLLD: Paris 1949, kat.nr 85
LITTERATUR: Asplund 1920, s. 56, kat.nr 81, pl.
  30; Nationalmuseum 1929, s. 27; Wennberg
  1947, s. 59, fig. 79

Okänd pojke

An Unknown Boy
Sign: "[L]afrensen 1790"
Akvarell och gouache på elfenben 4,1x3,4 oval
Ram: guld, hårflätning på baksidan
NMB 696
PROVENIENS: 1880 Inköpt från brukspatron Knut
  Michaelssons samling; 1914 fru C. Leffler,
  Göteborg; 1920 Inköpt från ingenjör Carl
  Robert Lamm på Näsby; 1927 Gåva av konsul
  Hjalmar Wicander, A.K. 475
UTSTÄLLD: Stockholm 1891; Stockholm 1915,
  kat.nr 102; Paris 1949, kat.nr 84; Stockholm
  vandringsutst. 1973, kat.nr 43
LITTERATUR: Levertin 1899, s. 172; Asplund 1916,
  s. 79; Asplund 1929, s. 19, kat.nr 30; Natio-
  nalmuseum 1929, s. 27; Wennberg 1947, s.
  59, fig. 81

Okänd man, kallad Cordiroski

*An Unknown Man, traditionally identified as
Cordiroski*
Sign: "Lafrensen 1791"
Påskrift innanför baksidans glas: "Cordiroski"
Akvarell och gouache på elfenben 5,3x4,1 oval
Ram: guld
NMB 697
PROVENIENS: 1925 Inköpt från Carl Ulrik Palms samling;
  1927 Gåva av konsul Hjalmar Wicander, A.K. 693
LITTERATUR: Asplund 1929, s. 19 f., kat.nr 31; Nationalmu-
  seum 1929, s. 27; Wennberg 1947, s. 60, färgpl. mot s.
  60 (1), fig. 80; Asplund 1951, s. 576 f.; Cavalli-Björk-
  man 1981, fig. 97

Okänd kvinna

An Unknown Woman
Sign: "Lafrensen 1791"
Akvarell och gouache på elfenben 5,2x4,1 oval
Ram: guld
NMB 698
PROVENIENS: 1925 Inköpt från Carl Ulrik Palms samling;
  1927 Gåva av konsul Hjalmar Wicander, A.K. 694
LITTERATUR: Asplund 1929, s. 20, kat.nr 33; Nationalmu-
  seum 1929, s. 27

Greve Johan Gabriel Oxenstierna
(1750–1818), t.f. kanslipresident, skald

*Count Johan Gabriel Oxenstierna, Acting President of
the Chancellery, Poet*
Sign: "[La]frensen 1791"
Akvarell och gouache på elfenben 4,2x3,1 oval
Ram: guld, hårlock på baksidan
NMB 699
PROVENIENS: Friherre Reinhold Rudbeck; 1922 Inköpt från
  A.-B. Bukowskis konsthandel; 1927 Gåva av konsul
  Hjalmar Wicander, A.K. 589
UTSTÄLLD: Stockholm 1898; Stockholm 1915, kat.nr 109
  1/2
LITTERATUR: Levertin 1899, s. 131, 173; Asplund 1929, s.
  20, kat.nr 32; Lespinasse 1929:II, s. 117; National-
  museum 1929, s. 27; SPA Index, vol. II, 1939, s. 606;
  Wennberg 1947, s. 60, fig. 84; Asplund 1951, s. 576;
  SKL, vol. III, 1957, s. 442; Schidlof 1964, s. 458

Jean Le Febure (1736–1805), bruksägare, bergsråd

Jean Le Febure, Works Owner, Member of the Board of Mines

Monterad i samma ram som NMB 701
Sign: "Lafre. 179[1]"
Gouache på elfenben 5,3x4,2 oval
NMB 700
PROVENIENS: 1919 Inköpt från H. Bukowskis konsthandel;
1927 Gåva av konsul Hjalmar Wicander, A.K. 357
UTSTÄLLD: Stockholm 1921, kat.nr 38; Köpenhamn 1921,
kat.nr 194; Paris 1949, kat.nr 89
LITTERATUR: Asplund 1920, s. 55 f., kat.nr 78, pl. 29; Asp-
lund 1923, s. 193; Nationalmuseum 1929, s. 27; SPA
Index, vol. II, 1939, s. 470; Wennberg 1947, fpl. mot
s. 60 (5)

Grevinnan Margaretha Charlotta Lillienberg (1735–1829), g. Le Febure

Countess Margaretha Charlotta Lillienberg, m. Le Febure

Monterad i samma ram som NMB 700
Sign: "Lafr.1791"
Gouache på elfenben 5,3x4,2 oval
NMB 701
PROVENIENS: 1919 Inköpt från H. Bukowskis konsthandel;
1927 Gåva av konsul Hjalmar Wicander, A.K. 358
UTSTÄLLD: Stockholm 1921, kat.nr 38; Köpenhamn 1921,
kat.nr 194; Paris 1949, kat.nr 88
LITTERATUR: Asplund 1920, s. 56, kat.nr 79, pl. 29; Asplund
1923, s. 193; Nationalmuseum 1929, s. 27; SPA Index,
vol. II, 1939, s. 500; Cavalli-Björkman 1981, fig. 96

Okänd officer

An Unknown Officer

Sign: "Lafrensen 1791"
Akvarell och gouache på elfenben 4,5x3,5 oval
Ram: metall
NMB 702
PROVENIENS: 1916 Inköpt från H. Bukowskis konsthandel;
1927 Gåva av konsul Hjalmar Wicander, A.K. 10
UTSTÄLLD: Paris 1949, kat.nr 86
LITTERATUR: Asplund 1920, s. 57, kat.nr 85, pl. 26; Natio-
nalmuseum 1929, s. 27; Wennberg 1947, s. 60, fig. 82

Gustav IV Adolf (1778–1837)

King Gustav IV Adolf
Sign: "Laf:n p. 1793"
Akvarell och gouache på elfenben 4,1x3,1 oval
Ram: metall
NMB 703
PROVENIENS: Gåva av konungen till greve Samuel af Ugglas;
  Friherre Emanuel Cederströms samling, Krusenberg;
  1916 Inköpt genom Semmy Josephson från Bukowskis
  julauktion nr 210, kat.nr 859, pl. 21; 1927 Gåva av
  konsul Hjalmar Wicander, A.K. 90
LITTERATUR: Levertin 1899, s. 171; Asplund 1920, s. 55,
  kat.nr 75, pl. 26; Lespinasse 1929:II, s. 113; National-
  museum 1929, s. 27; Asplund 1951, s. 559; SKL, vol.
  III, 1957, s. 442; Schidlof 1964, s. 458

Replik av porträttet i Hammerska samlingen sig-
nerat 1792.

Johanna Elisabeth Hollström (1749–1833), g. Müller

Johanna Elisabeth Hollström, m. Müller
Sign: "Laf 1793"
Akvarell och gouache på elfenben 5,4x4,2 oval
Ram: taffeldiamanter i silverinfattning
NMB 704
PROVENIENS: Friherre G. Manderströms samling; Etatsrådet
  Emil Glückstadt; 1924 Inköpt från Glückstadtska auk-
  tionen, Köpenhamn, kat.nr 269; 1927 Gåva av konsul
  Hjalmar Wicander, A.K. 654
UTSTÄLLD: Stockholm 1915, kat.nr 112
LITTERATUR: Levertin 1899, s. 173; Asplund 1929, s. 20,
  kat.nr 34; Nationalmuseum 1929, s. 27; SPA Index,
  vol. I, 1935, s. 387; Asplund 1951, s. 578; Schidlof
  1964, s. 458

Johanna Elisabeth Hollström var gift med kom-
merserådet Jürgen Christoffer Müller (NMB 624).

Friedrich August Internari (d. 1805), sachsisk legationssekreterare i Stockholm

Friedrich August Internari, Secretary of the Saxon Legation in Stockholm
Sign: "Lafrensen 1794"
Påskrift a tergo: "Mr Internari, Ministre de Saxe en Suede"
Akvarell och gouache på elfenben 4,4x3,4 oval
Ram: metall
NMB 705
PROVENIENS: 1920 Inköpt från ingenjör Carl Robert Lamm på Näsby; 1927 Gåva av konsul Hjalmar Wicander, A.K. 469
UTSTÄLLD: Stockholm 1915, kat.nr 105; Stockholm 1921, kat.nr 44; Köpenhamn 1921, kat.nr 197; Paris 1949, kat.nr 92
LITTERATUR: Asplund 1916, s. 79; Asplund 1929, s. 20 f., kat.nr 35; Nationalmuseum 1929, s. 27; Wennberg 1947, s. 63, fpl. mot s. 60 (3), fig. 101; Asplund 1951, s. 575 f.; Schidlof 1964, s. 458

Friedrich August Internari var gift med Hedvig Ulrika von Engeström (1771–1849). Se även NMH 636/1875.

Bengt Ferner (1724–1802), professor, kansliråd, Gustav III:s lärare

Bengt Ferner, Professor, Senior Official in the Royal Chancellery, Tutor to King Gustav III of Sweden
Sign: "Laf. 1794"
Akvarell och gouache på elfenben 2,7x1,8 oktagonal
Ram: förgylld metall
NMB 706
PROVENIENS: 1917 Inköpt från bankir Erik O. Severins samling; 1927 Gåva av konsul Hjalmar Wicander, A.K. 181
LITTERATUR: Carlander ms, fol. 56; Asplund 1920, s. 55, kat.nr 76, pl. 28; Nationalmuseum 1929, s. 28; SPA Index, vol. I, 1935, s. 268; Wennberg 1947, s. 155

Miniatyr för klackring.

Greve Otto Thott (1768–1826), landshövding

Count Otto Thott, County Governor
Sign: "Lafrensen 1797" (?)
Graverat på ramen: "Grefve O. Thott * 1768 †1826."
Akvarell och gouache på elfenben 4,5x3,6 oval
Ram: guld, hårfläta på baksidan
NMB 707
PROVENIENS: 1923 Inköpt; 1927 Gåva av konsul Hjalmar Wicander, A.K. 596
LITTERATUR: Asplund 1929, s. 21, kat.nr 36; Nationalmuseum 1929, s. 28; SPA Index, vol. II, 1939, s. 852

Brita Cecilia Tranchell (1775–1863), g. m. brukspatron Leonard Magnus Waern, förmodat porträtt

Portrait presumed to be Brita Cecilia Tranchell, m. to the Works Owner Leonard Magnus Waern
Sign: "Lafrensen 1798"
Akvarell och gouache på elfenben 5,2x4,1 oval
Ram: guld, på baksidan monogram
NMB 708
PROVENIENS: 1909 Familjen Waern (?); 1926 Inköpt från
Sigge Björcks konsthandel; 1927 Gåva av konsul Hjal-
mar Wicander, A.K. 714
UTSTÄLLD: Stockholm vandringsutst. 1973, kat.nr 45
LITTERATUR: Dahlgren 1909, s. 152, repr. s. 149; Asplund
1929, s. 21, kat.nr 37; Nationalmuseum 1929, s. 28;
SPA Index, vol. II, 1939, s. 862; Wennberg 1947, fpl.
mot s. 60 (2), fig. 97; Asplund 1951, s. 576; von Malm-
borg 1978, s. 194, avb. s. 195, fig. 6

Christina Leijonhufvud (1748–1820), g. Danckwardt-Lillieström

Christina Leijonhufvud, m. Danckwardt-Lillieström
Sign: "Lafr 179 [...]"
Akvarell och gouache på elfenben h: 5,5 oval
Ram: metall
NMB 709
PROVENIENS: 1916 Fröken Sigrid Torsk; 1920 Inköpt från
ingenjör Carl Robert Lamm på Näsby; 1927 Gåva av
konsul Hjalmar Wicander, A.K. 468
UTSTÄLLD: Stockholm 1898; Stockholm 1915, kat.nr 111;
Stockholm 1921, kat.nr 43
LITTERATUR: Carlander ms, fol. 55; Levertin 1899, s. 173;
Asplund 1916, s. 80; Asplund 1929, s. 21, kat.nr 39;
Nationalmuseum 1929, s. 28; Wennberg 1947, s. 21 f.,
färgpl. mot s. 60 (4), fig. 98; Asplund 1951, s. 575

Modellen har även kallats Anna Gordon, gift med
Earlen av Kelly.

Familjebild

Family Portrait
Sign: "LaVrein 1786"
Akvarell och gouache på elfenben diam: 7,1
Ram: sköldpaddsdosa
NMB 710
PROVENIENS: Fru C. Lefflers samling, Göteborg;
1920 Inköpt från ingenjör Carl Robert Lamm
på Näsby; 1927 Gåva av konsul Hjalmar Wican-
der, A.K. 462
UTSTÄLLD: Stockholm 1915, kat.nr 106
LITTERATUR: Asplund 1929, s. 23, kat.nr 48; Wennberg
1947, s. 59, fig. 78; Nationalmuseum 1929, s. 28;
Asplund 1951, s. 576; Schidlof 1964, s. 458

(Anna) Margaretha Theresia Damstedt (1766–1818), g. Barbière i Stockholm

(Anna) Margaretha Theresia Damstedt, m. Barbière
Sign: "NL 1801"
Akvarell och gouache på elfenben 5,6x4,8 oval
Ram: metall
NMB 711
PROVENIENS: 1924 Inköpt från Carl Ulrik Palms samling;
    1927 Gåva av konsul Hjalmar Wicander, A.K. 640
LITTERATUR: Asplund 1929, s. 21, kat.nr 38; Nationalmu-
    seum 1929, s. 28; Wennberg 1947, s. 63, fig. 100; Asp-
    lund 1951, s. 576; SKL, vol. III, 1957, s. 442; Schidlof
    1964, s. 458
    ◆

Okänd man

An Unknown Man
Sign: "Lafrensen"
Akvarell och gouache på elfenben 3,9x3,3 oval
Ram: guld
NMB 712
PROVENIENS: 1918 Inköpt från H. Bukowskis konsthandel;
    1927 Gåva av konsul Hjalmar Wicander, A.K. 282
LITTERATUR: Asplund 1920, s. 56, kat.nr 82, pl. 26; Natio-
    nalmuseum 1929, s. 28; Wennberg 1947, s. 60, fig. 83

Christophe Barbière (d. 1821), hovmästare och ekonomidirektör i Stockholm

Christophe Barbière, Head Waiter and Financial Manager in Stockholm
Sign: "Lafrensen"
Påskrift a tergo enligt uppgift: "Kristoffer Barbier, Lina
    Barbiers farfar"
Akvarell och gouache på elfenben 7,4x6,2 oval dager-
    mått
Ram: guld
NMB 713
PROVENIENS: 1920 Inköpt från ingenjör Carl Robert Lamm
    på Näsby; 1927 Gåva av konsul Hjalmar Wicander,
    A.K. 467
UTSTÄLLD: Stockholm 1915, kat.nr 103; Stockholm 1921,
    kat.nr 42
LITTERATUR: Asplund 1916, s. 79 f., fig. 71; Asplund 1929,
    s. 21 f., kat.nr 40; Nationalmuseum 1929, s. 28; Asp-
    lund 1951, s. 576; Schidlof 1964, s. 988, fig. 675, pl.
    333; Cavalli-Björkman 1981, fig. 98

Carl Gustaf af Leopold (1756–1829), skald, statssekreterare

Carl Gustaf af Leopold, Poet, Under-Secretary of State
Akvarell och gouache på elfenben 7,8x6 oval
Ram: guld
NMB 719
PROVENIENS: 1903 Bukowskis auktion nr 152, kat.nr 471;
    1916 Inköpt från fru C. Lefflers samling, Göteborg;
    1927 Gåva av konsul Hjalmar Wicander, A.K. 101
UTSTÄLLD: Stockholm 1915, kat.nr 320 (attribuerad till L.
    Sparrgren); Stockholm 1921, kat.nr 37; Köpenhamn
    1921, kat.nr 193; Gripsholm 1992, kat.nr 85, avb. s.
    55; Stockholm 1993–94
LITTERATUR: Asplund 1916, s. 80, fig. 72; Asplund 1920, s.
    55, kat.nr 77, pl. 29; Asplund 1923, s. 193, avb. s. 190;
    Nationalmuseum 1929, s. 29; SPA Index, vol. II, 1939,
    s. 479; Wennberg 1947, s. 156; Asplund 1951, s. 566,
    avb. s. 565; Cavalli-Björkman 1981, s. 113, fig. 101;
    Ullman 1985, s. 37, avb. s. 36

Den stulna kyssen

The Stolen Kiss
Akvarell och gouache på elfenben diam: 6
Ram: sköldpaddsdosa
NMB 724
PROVENIENS: Greve Casimir De la Gardies samling; 1920
    Inköpt från ingenjör Carl Robert Lamm på Näsby;
    1927 Gåva av konsul Hjalmar Wicander, A.K. 461
UTSTÄLLD: Stockholm 1915, kat.nr 122; Stockholm
    1921, kat.nr 40; Köpenhamn 1921, kat.nr 195
LITTERATUR: Asplund 1916, s. 78, not 2; Asplund 1929,
    s. 23, kat.nr 47; Nationalmuseum 1929, s. 29, avb. i
    bildbilaga; Uggla 1929, fig. 37; Wennberg 1947, s.
    52, fig. 10; Asplund 1951, s. 576, avb. s. 575; SKL,
    vol. III, 1957, s. 442

Friherre Johan Magnus af Nordin (1746–1823), landshövding

Baron Johan Magnus af Nordin, County Governor
Akvarell och gouache på elfenben h: 3,4 oval
Ram: förgyllt silver, hårflätning på baksidan
NMB 725
PROVENIENS: 1920 Inköpt från ingenjör Carl Robert Lamm
    på Näsby; 1927 Gåva av konsul Hjalmar Wicander,
    A.K. 470
UTSTÄLLD: Stockholm 1915, kat.nr 107; Stockholm 1921,
    kat.nr 45
LITTERATUR: Asplund 1916, s. 79; Asplund 1929, s. 22,
    kat.nr 41; Nationalmuseum 1929, s. 29; SPA Index,
    vol. II, 1939, s. 588; Asplund 1951, s. 576

Okänd kvinna
An Unknown Woman
Pendang till NMB 729
Akvarell och gouache på elfenben 2,9x1,2 oktagonal
Ram: metall
NMB 728
PROVENIENS: Inköpt från Marcus Konsthandel, Köpen-
hamn; 1920 Inköpt från ingenjör Carl Robert Lamm
på Näsby; 1927 Gåva av konsul Hjalmar Wicander,
A.K. 473
UTSTÄLLD: Stockholm 1915, kat.nr 109 (där enligt gammal
uppgift kallad "biskopinnan Ekman")
LITTERATUR: Asplund 1916, s. 79; Asplund 1929, s. 25,
kat.nr 53; Nationalmuseum 1929, s. 30

Miniatyr för klackring.

Okänd man
An Unknown Man
Pendang till NMB 728
Akvarell och gouache på elfenben 2,6x1,6 oktagonal
Ram: metall
NMB 729
PROVENIENS: Inköpt från Marcus Konsthandel, Köpen-
hamn; 1920 Inköpt från ingenjör Carl Robert Lamm
på Näsby; 1927 Gåva av konsul Hjalmar Wicander,
A.K. 472
UTSTÄLLD: Stockholm 1915, kat.nr 108 (där enligt gammal
uppgift kallad "en medlem av släkten Ekman")
LITTERATUR: Asplund 1916, s. 79; Nationalmuseum 1929, s.
30

Miniatyr för klackring.

Louise Sparre af Sundby (1745–1817), g. Meyerfelt
Louise Sparre af Sundby, m. Meyerfelt
Akvarell och gouache på elfenben 5,1x4,2 oval
Ram: guld med baksida av pärlemor
NMB 731
PROVENIENS: 1918 Inköpt från H. Bukowskis konsthandel;
1927 Gåva av konsul Hjalmar Wicander, A.K. 338
LITTERATUR: Asplund 1920, s. 57, kat.nr 88, pl. 30; Natio-
nalmuseum 1929, s. 30; SPA Index, vol. II, 1939, s.
775

Okänd man i svenska dräkten

An Unknown Man Dressed in the Swedish Costume
Akvarell och gouache på elfenben 2,7x2 oval
Ram: guld
NMB 734
PROVENIENS: 1920 Inköpt från ingenjör Carl Robert Lamm
  på Näsby; 1927 Gåva av konsul Hjalmar Wicander,
  A.K. 556
LITTERATUR: Asplund 1929, s. 23, kat.nr 46; Nationalmu-
  seum 1929, s. 29; Wennberg 1947, s. 156

Greve Fredrik Horn af Åminne (1725–1796), generalmajor

Count Fredrik Horn af Åminne, Major-General
Akvarell och gouache på elfenben 2,9x2,5 oval
Ram: metall
NMB 735
PROVENIENS: Hornska samlingen; 1922 Inköpt genom Sem-
  my Josephson från Bukowskis auktion nr 237, kat.nr
  588; 1927 Gåva av konsul Hjalmar Wicander, A.K. 587
LITTERATUR: Asplund 1929, s. 22 f., kat.nr 45; Nationalmu-
  seum 1929, s. 29; SPA Index, vol. I, 1935, s. 396

Änkedrottning Lovisa Ulrika (1720–1782)

Queen Dowager Lovisa Ulrika of Sweden
Akvarell och gouache på elfenben 3,3x2,6 oval
Ram: metall
NMB 737
PROVENIENS: Inköpt från Carl Ulrik Palms samling; 1923 In-
  köpt genom Semmy Josephson från Bukowskis auktion
  nr 244, kat.nr 501; 1927 Gåva av konsul Hjalmar
  Wicander, A.K. 605
LITTERATUR: Asplund 1929, s. 22, kat.nr 44; Nationalmu-
  seum 1929, s. 30

Okänd man

An Unknown Man

Akvarell och gouache på elfenben 5,6x4,7 oval

Ram: guld

NMB 739

PROVENIENS: 1926 Inköpt från direktör Carl Erik Levins
samling; 1927 Gåva av konsul Hjalmar Wicander, A.K.
700

LITTERATUR: Asplund 1929, s. 22, kat.nr 42; Nationalmu-
seum 1929, s. 30

Magdalena Rudenschöld (1766–1823), hovfröken

Magdalena Rudenschöld, Maid of Honour

Akvarell och gouache på elfenben 6x5,2 oval

Ram: metall

NMB 798

PROVENIENS: Grevinnan Julie Bonde, f. Banér; 1911 Inköpt
från Bukowskis auktion nr 191, kat.nr 353; 1920 In-
köpt från ingenjör Carl Robert Lamm på Näsby; 1927
Gåva av konsul Hjalmar Wicander, A.K. 476

UTSTÄLLD: Köpenhamn 1921, kat.nr 424

LITTERATUR: Asplund 1929, s. 32, kat.nr 79, pl. 18; Natio-
nalmuseum 1929, s. 38; SPA Index, vol. II, 1939, s.
699; Asplund 1951, s. 579 (attribuerad till Lorentz
Sparrgren); Ullman 1985, s. 33, 89, avb. s. 32, nr 34;
Olausson 1999, s. 246, avb.

**Friherre Eric Magnus Staël von Holstein
(1749–1802), svensk ambassadör i Paris**

*Baron Erik Magnus Staël von Holstein, Swedish
Ambassador in Paris*
Sign: "Lafenez [?] 1792"
Påskrift: "Gustavine Stael v. Holstein nee le 22 Juillet
    1787 – morte le 7Avril 1789"
Gouache på papper 25x20
Ram: förgyllt trä
NMB 1210

PROVENIENS: Baron Pichons samling; 1929 Inköpt från A.B.
    Bukowskis konsthandel
UTSTÄLLD: Stockholm 1804; Paris 1949, kat.nr 91; Paris
    1966; Köpenhamn & ´s-Hertogenbosch 1990–91,
    kat.nr 13, s. 25, 131, fig. 17
LITTERATUR: Levertin 1899, s. 113 f., 182; SPA Index, vol.
    II, 1939, s. 786; Wennberg 1947, s. 59, fig. 86; SKL,
    vol. III, 1957, s. 442; Nationalmuseum 1995, s. 315

▼

Dam som stiger ur sängen

Lady Getting out of Bed

Sign (monogram): "NL 1776"

Påskrift på baksidan: "peint à la gouache par Lavreince
du cabinet de Mr Le duc de Choiseul, vendue en 1780
par Paillet 140 frcn."

Gouache på papp 25x20

Ram: förgyllt och skulpterat trä

NMB 1405

PROVENIENS: Etienne-François de Choiseul (?); 1780 Såld
av Alexandre Joseph Paillet (?); 1784 Auktion, baron
de Saints samling (?); 1940 Test. av konsul Hjalmar Wi-
cander

UTSTÄLLD: Stockholm 1940, kat.nr 14, avb.

LITTERATUR: Sjöblom 1941, s. 81–84, fig. 37; Bocher 1875,
s. 59 (?); Wennberg 1947, s. 53, fig. 17; Asplund 1951,
s. 515, avb. s. 514; Nationalmuseum 1995, s. 315

De båda herrarna Choiseul och Paillet som om-
nämns i påskriften på miniatyrens baksida avser
förmodligen dels diplomaten och statsmannen
Etienne-François de Choiseul (1719–1785), dels
konstexperten Alexandre Joseph Paillet. Den se-
nare ägnade sig bl.a. åt värderingar av målningar
och miniatyrer i Paris 1778–89.

▼

Dam som tager på sig strumporna

Lady Pulling on her Stockings

Gouache på papp 26x22

Ram: förgyllt och skulpterat trä

NMB 1406

PROVENIENS: 1784 Auktion, baron de Saints samling (?);
    1940 Test. av konsul Hjalmar Wicander

UTSTÄLLD: Stockholm 1940, kat.nr 15; Paris 1949, kat.nr 65

LITTERATUR: Sjöblom 1941, s. 81–84; Bocher 1875, s. 59 (?);
    Wennberg 1947, fig. 18; Asplund 1951, s. 515; Natio-
    nalmuseum 1995, s. 315

Efter återkomsten till Paris 1774 övergick Lafren-
sen huvudsakligen till att ägna sig åt kabinettsmi-
niatyren med förkärlek för galanta salongsinteriö-
rer och parkscener. Dessa båda miniatyrer (NMB
1405 & NMB 1406) torde tillhöra de tidigaste i
konstnärens produktion inom denna genre.

▼

Ulrika Charlotta Bahrendt (1776–1822), g. Wessman

Ulrika Charlotta Bahrendt, m. Wessman
Akvarell och gouache på elfenben
   diam: 4
Ram: doslock av horn
NMB 1483
PROVENIENS: Direktör Fritz Ottergren, Stockholm; 1943
   Gåva av fru Valborg Ottergren, Stockholm
LITTERATUR: SPA Index, vol. I, 1935, s. 40; Sjöblom 1944:I,
   s. 148

Bakgrunden målad av Fanny Hielm före 1915
enligt uppgift i SPA.

Badet

The Bath
Akvarell och gouache på elfenben diam: 6,9
Ram: förgylld metall
NMB 1675
PROVENIENS: Heine Collection; 1935 Collection J. Pierpont
   Morgan, Christie's London, nr 598; 1953 Inköpt från
   Bukowskis auktion nr 352, kat.nr 836
LITTERATUR: Williamson 1906–07, nr 555; Wennberg 1947,
   s. 52, fig. 7; SKL, vol. III, 1957, s. 442

Senkommen ånger

Belated Regrets

Sign: "LaVreinc[e]"

Akvarell och gouache på elfenben diam: 6,8

Ram: metall, doslock

NMB 1686

PROVENIENS: 1954 Inköpt från Bukowskis

UTSTÄLLD: Amsterdam 1961, kat.nr 36; Stockholm vand-
ringsutst. 1973, kat.nr 41; Stockholm & Paris
1993–94, kat.nr 841 (713), avb.

LITTERATUR: Cavalli-Björkman 1981, s. 107, fig. 91

Gustav IV Adolf (1778–1837) offrar åt Hygieia för sin faders hälsa

King Gustav IV Adolf of Sweden Sacrifices to Hygieia for his Father's Health

Sign: "Lafrensen A 1792"

Gouache på papper 39,5x31

Ram: förgyllt trä

NMB 1837

PROVENIENS: Tidigare i Eremitaget; 1931 Boerner, Leipzig, kat.nr 32; Sten Westerberg, Beatelund; 1961 Gåva av fru Britta Westerberg och hennes fyra barn

UTSTÄLLD: Stockholm 1972–73, kat.nr 299; Gripsholm 1992, kat.nr 28, s. 38 f.; Gripsholm 2000, kat.nr 27, s. 29 f., avb. s. 31

LITTERATUR: Hoppe 1933, s. 163 not; Wennberg 1947, s. 60, fig. 88; Nationalmuseum 1995, s. 315; SKL, vol. III, 1957, s. 442

▼

Martin Holterman (1715–1793), direktör vid Ostindiska kompaniet

Martin Holterman, Director of the Swedish East India Company
Sign: "Lafrin[...]1791"
Akvarell och gouache på elfenben 4,5x3,5 oval
Ram: metall
NMB 1989
PROVENIENS: Åkers styckebruk; 1970 Inköpt från generalskan Jeanne Nyblaeus dödsbo, Stockholm
LITTERATUR: SPA Index, vol. I, 1935, s. 390

Sällskap i park

Company in a Park
Gouache på elfenben diam: 6,1 dagermått
Ram: dosa av guld, horn och sköldpadd med graverad dekor
NMB 2089
PROVENIENS: Har förekommit i miniatyrmålaren Saints samling såld 1846, kat.nr 291; Collection Vincent; Collection Tondu, såld 24.4–26.4.1865, kat.nr 203; Collection Leblond, såld 1.2.1870, kat.nr 277; 1975 Inköpt från Palais Galliera, Paris, 5 december, kat.nr 131 (Ader-Picard-Tajan)
UTSTÄLLD: Paris (?) 1874; Paris 1878; Paris (?) 1883; Paris 1906, kat.nr 329; Stockholm 1972–73, kat.nr 40; Stockholm 1981:II, kat.nr 23; Stockholm 1990–91, kat.nr 33; Stockholm & Paris 1993–94, kat.nr 839 (711)
LITTERATUR: Cavalli-Björkman 1981, s. 104, pl. IV

Anna Charlotta von Stapelmohr (1754–1791), g. Schröderheim

Anna Charlotta von Stapelmohr, m. Schröderheim
Akvarell och gouache på elfenben h: 2,6 oval
Ram: metall
NMB 2361
PROVENIENS: Byggmästare Edvard Alfred Bomans samling (?); Sigrid Sundborgs konsthandel (?); 1993 Inköpt från Bukowskis

I byggmästaren Edvard Alfred Bomans samling fanns ett porträtt av Niclas Lafrensen d.y. föreställande fru Schröderheim i bröstbild vänd åt vänster. Om det är identiskt med NMB 2361 är omöjligt att säga.

Friherre Fredrik Ulrik Sack (1730–1794), förmodat porträtt

Portrait presumed to be Baron Fredrik Ulrik Sack
Gouache på pergament (?) 5,1x6,7
Ram: metall
NMB 2481
PROVENIENS: Christoffer Eichhorns samling, nr 46 (?);
   Advokat Ivar Morssing; 2000 Inköpt från Hans
   Göran Sjöström AB

Modellen identifierad av fil.kand. Roger de
Robelin. Jfr SPA 1922:946.

Okänd kvinna

An Unknown Woman
Akvarell och gouache på elfenben 5,1x4,2 oval
Ram: trä, metall
NMDs 269
PROVENIENS: 1894 Test. av C.F. Dahlgren

Attribuerad till Niclas Lafrensen d.y. av dr. phil
Torben Holck Colding.

Katarina Jagellonica (1526–1583) på Gripsholms slott

Queen Katarina Jagellonica of Sweden in Gripsholm Castle

Sign: "Lafrensen 1800."

Påskrift på ramens inskriftsplatta: "Catharina Jagellonica beledsagade sin Gemål hertig JOHAN af Finland, till Fängelset på Gripsholms slott, där han blef insatt af sin bror Konung ERIC XIV, det blef henne lemnadt fritt val att njuta ett försteligt behåll, eller ett bedröfligt rum i ett fängelse. Med ädel stolthet tar hon af sig sin vigselring och visar konungens utskickade, de der instuckna ord. NIL NISI MORS. – F: Franzén om Svenska Drottningar."

Gouache på papper 31×25

Ram: skulpterat och förgyllt trä

NMDrh 185

PROVENIENS: Utförd enl. föreskrift i pensionsbrev den 28 juni 1792 vari bestämdes att konstnären årligen skulle utföra två målningar i gouache

UTSTÄLLD: Stockholm 1801; Stockholm 1960, kat.nr 524

LITTERATUR: Levertin 1899, s. 122, 127, 167 ▼

Ebba Brahe (1596–1674) skriver på fönstret

Ebba Brahe Writing on the Window
Sign: "Lafrensen 1797"
Påskrift på ramens inskriftsplatta: "Ebba Brahe skrifver
på en fönsterruta Jag är förnögd med lyckan min, och
tackar Gud för nåden sin. Enke Drottningen skref se-
dan därunder det ena du vill, det andra du skall, så
plägar det mest gå i sådana fall. Kong Gust: Ad: Hist af
Hallenberg 3 band p: 261."

Gouache på papper 31x25
Ram: skulpterat och förgyllt trä
NMDrh 186
PROVENIENS: Som NMDrh 185
UTSTÄLLD: Stockholm 1798, kat.nr 30; Stockholm 1960,
   kat.nr 624; Västerås 1990
LITTERATUR: Levertin 1899, s. 127, 166 f.; Cavalli-Björkman
   1981, s. 109, fig. 94
▼

Gustav I (1496–1560) överraskar Svante Sture (1517–1567) vid sin gemåls fötter

King Gustav I Surprises Svante Sture at his Consort's Feet

Sign: "Lafrensen 1800"

Påskrift på ramens inskriftsplatta: "Konung Gust: I Kommer oförmodadt in i Drottning Marg: Leijonhufvuds, rum och finner där för hennes fötter, Sturen, med hvilken hon varit förlåfvad innan hon blef Konungens Gemål. Konungen som genom hot och hårda utlåtelser roijer sin svartsjuka, blir dock blidkad, då hon be-rättar det han allenast anhåller om att få hennes systers hand, som ock blef honom beviljadt. – F. Franzén om Svenska Drottningar."

Gouache på papper 31x25

Ram: skulpterat och förgyllt trä

NMDrh 187

PROVENIENS: Som NMDrh 185

UTSTÄLLD: Stockholm 1801, kat.nr 22; Stockholm 1960, kat.nr 493

LITTERATUR: Levertin 1899, s. 127, 168

▼

Gustav II Adolfs (1594–1632) frieri till Maria Eleonora (1599–1655)

Gustav II Adolf's Proposal to Maria Eleonora

Sign: "Lafrensen pinx. 1797."

Påskrift på ramens inskriftsplatta: "Kong Gust :Ad : reste i hemlighet till Berlin i april månad 1620, Kom en söndags afton till Staden, underrättade Kurförstinnan om sin ankomst, bevistade predikan på Slottet, och sedan inkallad i enrum, der han ärhöll behageliga svar både af dottern och modern. – Kong Gust :Ad :Hist: af Hallenberg IV band p: 2."

Gouache på papper 31x25

Ram: skulpterat och förgyllt trä

NMDrh 188

PROVENIENS: Som NMDrh 185

UTSTÄLLD: Stockholm 1798; Stockholm 1960, kat.nr 632

LITTERATUR: Levertin 1899, s. 127, 167

▼

LAFRENSEN, Niclas, d.y. Tillskriven

STOCKHOLM 1737–1807 STOCKHOLM

Hedwig Catharina De la Gardie (1732–1800), g. grevinna von Fersen, iklädd s.k. pilgrimsdräkt

Hedwig Catharina De la Gardie, m. Countess von Fersen, in 'Pilgrim's Dress'
Påskrift på bakstycket: "Grefvinnan von Fersen"
Gouache på pergament 4,4x6,3
Ram: mässing
NMB 718
PROVENIENS: Bankir Erik O. Severins samling;
    1917 Inköpt genom Semmy Josephson från
    Bukowskis höstauktion, nr 212, kat.nr 551;
    1927 Gåva av konsul Hjalmar Wicander, A.K.
    174
UTSTÄLLD: Stockholm vandringsutst. 1973, kat.nr
    37
LITTERATUR: Asplund 1916, s. 68, fig. 56 (attribue-
    rad till Lafrensen d.ä:s art); Asplund 1920, s.
    47, kat.nr 65, pl. 22; Nationalmuseum 1929,
    s. 26; SPA Index, vol. I, 1935, s. 198; Cavalli-
    Björkman 1981, s. 100, fig. 83

Adolf Fredrik (1710–1771)

Kopia efter Lorens Pasch d.y.
King Adolf Fredrik of Sweden
Copy after Lorens Pasch the Younger
Gouache på? h: 2,4 oval
Ram: förgyllt silver
NMB 2130
PROVENIENS: 1851 Inköpt; S.H.M. 1675; 1978 Överförd
    från SKS 626
UTSTÄLLD: Stockholm 1930, kat.nr 626

Porträttet är utfört omkring 1770.

Gustav III (1746–1792)

King Gustav III of Sweden
Akvarell och gouache på papper h: 3,7 oval
Ram: silverkapsel
NMB 2159
PROVENIENS: 1849 Gåva av ärkebiskop J.D. af Wingård;
    S.H.M. 1531; 1978 Överförd från SKS 627
UTSTÄLLD: Stockholm 1930, kat.nr 627

Porträttet är utfört 1775 och har tidigare varit till-
skrivet Johan Georg Henrichsen.

LAFRENSEN, Niclas d.y. Hans art

STOCKHOLM 1737–1807 STOCKHOLM

Okänd kvinna

An Unknown Woman

Gouache på pergament 4,8x3,6 oval

Ram: metall

NMB 54

PROVENIENS: 1870 Inköpt från löjtnant friherre H. Bennet

LITTERATUR: Carlander 1897, s. 56; Levertin 1899, s. 171; Na-
tionalmuseum 1929, s. 28; Wennberg 1947, avb. s. 61

Okänd kvinna

An Unknown Woman

Akvarell och gouache på elfenben h: 7,3 oval

Ram: metall

NMB 122

PROVENIENS: 1876 Inköpt från Johan Tobias Sergels arving-
ar genom friherre Ernst von Vegesack (kallad Sergels
hustru av Peter Adolf Hall)

UTSTÄLLD: Köpenhamn 1921, kat.nr 179 (modellen kallad
Sergels hustru)

LITTERATUR: Carlander 1897, s. 56; Levertin 1899, s. 171;
Nationalmuseum 1929, s. 30

Denna miniatyr, som kallades för Sergels moitié
Anna Rella (Elisabeth) Hellström (d. 1796) i sam-
band med inköpet från skulptörens arvingar, är
ett verk av ganska låg kvalité. Trots proveniensen
måste Lafrensen d.y. fränskrivas detta verk på
grund av det bristfälliga utförandet.

Kärleksscen

Love Scene
Gouache på elfenben diam: 6,4
Ram: dosa av mörk sköldpadd
NMB 723
PROVENIENS: Inköpt från Paris; 1920 Inköpt
från ingenjör Carl Robert Lamm på
Näsby; 1927 Gåva av konsul Hjalmar
Wicander, A.K. 463
UTSTÄLLD: Stockholm 1915, kat.nr 123 (be-
tecknad som ofullbordat arbete av La-
frensen)
LITTERATUR: Asplund 1916, s. 78, not 2; Asp-
lund 1929, s. 53 f., kat.nr 139, pl. 51; Natio-
nalmuseum 1929, s. 31

LAGERLÖF, Catharina Maria. Se ROOS
AF HJELMSÄTER, Catharina Maria

LARSON, Nils Alfred
SANNÄS 1872–1914 SANNÄS

Anna Kristina Nystrand (1804–1881)

Anna Kristina Nystrand
Sign: "Nils Larson 95"
Påskrift på bakstycket: "Fru Anna Christina Nys-
trand f. 1804. d. 1881. Målad af Nils Larson
1894. (elev vid Akad. för de fria konsterna) ef-
ter en fotografi, som togs af gumman då hon
var 70 år gammal. (mycket lik men för hög an-
siktsfärg). [...] V Nystrand"
Gouache på elfenben 9,7x7,6 oval
Ram: trä
NMB 289
PROVENIENS: 1902 Test. av herr A.E. Nystrand
LITTERATUR: Carlander ms, fol. 57; Nationalmuseum 1929,
s. 31; SPA Index, vol. II, 1939, s. 593; SKL, vol. III,
1957, s. 484

LEFFLER, Niklas
GÖTEBORG 1775–1828 GÖTEBORG

Général des Réaux
Général des Réaux
Sign: "Leffler 1800"
Gouache på elfenben 4,7x3,6 oval
Ram: omonterad
NMDs 1181
PROVENIENS: 1894 Test. av C.F. Dahlgren

LEHMANN, Carl Peter
KÖPENHAMN 1794–1876 SIGTUNA

Självporträtt
Self-Portrait
Sign: "Lehmann"
Akvarell och gouache på elfenben h: 6 oval
Ram: metall
NMB 199
PROVENIENS: 1886 Inköpt från kaptenen J. Hagdahl
LITTERATUR: Carlander 1897, s. 58; Nationalmuseum 1929,
s. 31; SPA Index, vol. II, 1939, s. 471; SKL, vol. III,
1957, avb. s. 496; Schidlof 1964, s. 485   ◆

Konstnärens syster
The Artist's Sister
Påskrift på baksidan: "C P Lehmann, konstnärens syster
köpt från hans son 1884"
Gouache på pergament diam: 4,8
Ram: förgylld metall
NMDs 1621
PROVENIENS: Lehmann; Chenon; Christoffer Eichhorn;
1890 Inköpt från Bukowskis auktion nr 61, kat.nr 391;
1894 Test. av C.F. Dahlgren
LITTERATUR: Carlander 1897, s. 58

Vid katalogiseringen av Carl Fredrik Dahlgrens
donation till Nationalmuseum förtecknades i all
hast Carl Peter Lehmanns miniatyr föreställande
hans syster som ett porträtt av en okänd kvinna ut-
fört av en okänd konstnär. Då miniatyren i sam-
band med en inventering av samlingen 1994 för
första gången monterades isär, och baksidans på-
skrift därmed blev synlig, gav den information om
såväl upphovsmannens som modellens identitet,
och därtill proveniensen.

LE MOINE, Erik Vilhelm

RAMNÄS 1780–1859 STRÄNGNÄS

Friherre Johan Magnus af Nordin (1746–1825), landshövding

Baron Johan Magnus af Nordin, County Governor
Sign: "V. Le Moine f. 1803"
Akvarell och gouache på elfenben h: 7 oval
Ram: mässing
NMB 966
PROVENIENS: 1917 Inköpt genom Semmy Josephson från Bukowskis auktion, nr 211, kat.nr 442; 1927 Gåva av konsul Hjalmar Wicander, A.K. 134
LITTERATUR: Asplund 1920, s. 94, kat.nr 217, pl. 75; Nationalmuseum 1929, s. 31; SPA Index, vol. II, 1939, s. 588; Schidlof 1964, s. 487, 993, fig. 715, pl. 346

Okänd man

An Unknown Man
Sign: "L. M. pinx. 1829"
Gouache och akvarell på papper
12x10,7 dagermått
Ram: glas med guldmålning
NMB 1813
PROVENIENS: 1894 Test. av C.F. Dahlgren; 1960 Omförd från NMDs 1271

▼

Greve Axel von Fersen d.y. (1755–1810), riksmarskalk

Kopia efter Carl Fredrik von Breda
Count Axel von Fersen the Younger, Marshal of the Realm
Copy after Carl Fredrik von Breda
Sign: "Le Moine pxt 1811."
Akvarell och gouache på elfenben h: 7,5 oval
Ram: metall
NMB 2131
PROVENIENS: 1895 Inköpt till Statens Historiska Museum, inv.nr S.H.M. 9920; 1978 Överförd från SKS 669
UTSTÄLLD: Stockholm 1930, kat.nr 669

Miniatyren var tidigare placerad i ett plånboksfodral av rött och svart skinn stämplat: "M. HARLING". Carl Fredrik von Bredas förlaga, målad 1805, finns i Uppsala universitets konstsamling.

Wilhelm von Braun

Wilhelm von Braun
Sign: "Le Moine pinx. 1830."
Påskrift på pappersbakstycket:
"Sign: Le Moine 1830. Le Moine, Wilhelm 1780–1859 miniatyr och landskapsmålare. Var elev af konstakademien i Stockholm."
samt "Wilhelm von Braun"
Akvarell och gouache på papper
11,6x10,2 oval dagermått
Ram: trä och brännförgylld brons
NMB 2494
PROVENIENS: V. Längstadius, Stockholm; 1971 (?) Stiftelsen Blomsterfonden; 2000 Inköpt från Hans Göran Sjöström AB

Okänd kvinna

An Unknown Woman
Sign: "Le Moine pinx 1830."
Gouache på papp 12,5x11
Ram: omonterad
NMDs 2042
PROVENIENS: 1894 Test. av C.F. Dahlgren

Okänd kvinna

An Unknown Woman
Sign: "Le Moine Pinxit 1831."
Gouache på papper 8x6,5 oval
Ram: förgyllt trä
NMDs 2056
PROVENIENS: 1894 Test. av C.F. Dahlgren

Okänd man

An Unknown Man
Sign: "Le Moine pinx. 1830."
Gouache på papper 12,6x10,9 oval
Ram: förgyllt trä, förgylld passepartout
NMGrh 2548
PROVENIENS: 1894 Test. av C.F. Dahlgren; 1956 Omförd
    från NMDs 1350
LITTERATUR: von Malmborg 1968, s. 54

**Adolf Törneros (1794–1839), professor,
filolog, skald**

Adolf Törneros, Professor, Philologist, Poet
Sign: "Mortai imag pinx LeMoine 1839."
Gouache på papper 14x12,5
Ram: förgyllt trä
NMGrh 2741
PROVENIENS: 1894 Test. av C.F. Dahlgren; 1960 Omförd
   från NMDs 1277
LITTERATUR: von Malmborg 1968, s. 62

Wilhelm Le Moines dotter Augusta Charlotta
(1809–1839) var väninna till Adolf Törneros.

LEWENHAUPT, Charlotte
STOCKHOLM 1855–1957

Historiserande självporträtt
Historicizing Self-Portrait
Påskrift på bakstycket: "Sjelfporträtt af en Grefvinna
    Lewenhaupt på 1800talet"
Gouache på papper (?) diam: 10,5
Ram: metall
NMB 1462
PROVENIENS: 1942 Test. av fröken Zelma Lovisa Kjellberg

LIEDSTRÖM, Peter
1765–1804

Okänd kvinna
An Unknown Woman
Gouache på elfenben 3,5×2,2 oktagonal
Ram: förgylld metall
NMB 828
PROVENIENS: 1917 Inköpt från H. Bukowskis julauktion
    nr 214, kat.nr 635; 1927 Gåva av konsul Hjalmar
    Wicander, A.K. 238
LITTERATUR: Asplund 1920, s. 75, kat.nr 143, pl. 42; Natio-
    nalmuseum 1929, s. 31; Schidlof 1964, s. 503, 998, fig.
    746, pl. 369; von Malmborg 1978, s. 196, avb. s. 197,
    fig. 17

Okänd kvinna
An Unknown Woman
Akvarell och gouache på elfenben 3,5x2,2 oktagonal
Ram: mässing
NMB 829
PROVENIENS: 1917 Inköpt från H. Bukowskis julauktion nr
214, kat.nr 635; 1927 Gåva av konsul Hjalmar Wican-
der, A.K. 237
LITTERATUR: Asplund 1920, s. 75, kat.nr 144, pl. 42; Natio-
nalmuseum 1929, s. 31; Schidlof 1964, s. 503

LIEDSTRÖM, Peter. Tillskriven
1765–1804

**Per Olof Nyström (1764–1830), ämbetsman,
psalmist**
Per Olof Nyström, Civil Servant, Hymn Writer
Akvarell och gouache på elfenben 2,8x1,6 oktagonal
Ram: guld
NMB 319
PROVENIENS: 1909 Gåva av handelsbokhållaren Emil Olsen

P.O. Nyström författade psalm 260 & 475 i sven-
ska psalmboken (1909).

LIEDSTRÖM, Peter. Hans skola
1765–1804

Okänd man
An Unknown Man
Akvarell och gouache på pergament 3,6x2,9 oval
Ram: metallinfattning
NMDs 653
PROVENIENS: 1894 Test. av C.F. Dahlgren

Okänd officer
An Unknown Officer
Gouache på elfenben (?) 3,4x2,7 oval
Ram: metallkapsel
NMGrh 2941
PROVENIENS: 1894 Test. av C.F. Dahlgren; 1962 Omförd
från NMDs 581

LIND, Maria
VERKSAM UNDER 1790-TALET

Två kvinnor leker med blomsterkrans
Two Women Playing with a Garland of Flowers
Sign: "Mar[...] Lind Pinx 179[...]"
Gouache och akvarell på elfenben h: 6,8 oval
Ram: metall, trä
NMDsä 224
PROVENIENS: 1894 Test. av C.F. Dahlgren

LINDBERG, Hildur
VERKSAM UNDER 1880-TALET

Vendela Åstrand (1808–1899), g. Hebbe, författare, publicist
Vendela Åstrand, m. Hebbe, Author, Publicist
Sign: "Hildur Lindberg 1884"
Påskrift a tergo med bläck: "Vendela Hebbe målad af Hildur Lindberg 1884"
Gouache och akvarell på papper 8,1x6,6 oval
Ram: förgylld pastellage
NMDs 2203
PROVENIENS: 1887 Bukowskis auktion nr 32, kat.nr 116 (?);
Grosshandlaren A. Brandt; 1893 Bukowskis auktion nr
86, kat.nr 26; 1894 Test. av C. F. Dahlgren
LITTERATUR: Carlander 1897, s. 60; SKL, vol. III, 1957, s.
530

Vendela Hebbe var en av Sveriges första kvinnliga journalister då hon år 1841 påbörjade sin publicistiska bana. Hon var bl.a. verksam på Aftonbladet. Enligt uppgift skall miniatyren ha ingått i Hagdahls samling, detta har dock inte med full visshet kunnat fastställas.

LINDER, Albert
VERKSAM UNDER 1840-TALET

Okänd man i uniform
An Unknown Man in Uniform
Sign: "Albert Linder s. 12 maj 1842"
Akvarell och gouache på papper h: 10,3 oval
Ram: omonterad
NMDs 1192
PROVENIENS: 1894 Test. av C.F. Dahlgren

LINDHBERG, Pehr. Tillskriven
LINDBY 1785–1868 STOCKHOLM

**Gustaf Adolf Fredrik De la Gardie
(1800–1833) som barn, sedermera överste**
*Gustaf Adolf Fredrik De la Gardie, as a Child,
later Colonel*
Gouache på elfenben diam: 4,3
Ram: förgyllt trä
NMGrh 3451
PROVENIENS: Gåva enligt greve Axel och grevinnan
   Malwina De la Gardies testamente 1874/83, ge-
   nom greve Pontus De la Gardies dödsbo 1973

LINDSTRÖM, Fredrik Olaus
STOCKHOLM 1847–1919 STOCKHOLM

August Blanche (1811–1868), författare
August Blanche, Author
Påskrift a tergo: "Lindström px. 1883."
Gouache på papper 5,7x4,7 oval
Ram: förgylld brons
NMDs 1432
PROVENIENS: Hagdahls samling; 1887 Bukowskis auktion nr
32, kat.nr 110; 1894 Test. av C.F. Dahlgren
LITTERATUR: Carlander 1897, s. 60

LUNDBÄCK, Arvid
VÄRMLAND 1752–1827 STOCKHOLM

Carl Edvard Taube (1746–1785), biskop i Stockholm, ordensbiskop
Carl Edvard Taube, Bishop of Stockholm, Prelate of the Orders of Chivalry
Påskrift på träbaksida: "Portrait af Ord. Biskop: Taube:
    Arvid Lundbäck pinxit."
Akvarell och gouache på elfenben 5x4,2 oval
Ram: ciselerad och förgylld brons
NMB 740
PROVENIENS: 1917 Inköpt från bankir Erik O. Severins sam-
ling; 1927 Gåva av konsul Hjalmar Wicander, A.K. 190
UTSTÄLLD: Stockholm 1915, kat.nr 166
LITTERATUR: Lemberger 1912, s. 68; Asplund 1920, s. 67,
    kat.nr 115, pl. 41; Nationalmuseum 1929, s. 31; SKL,
    vol. III, 1957, s. 607; Schidlof 1964, s. 517

LUNDGREN, Egron
STOCKHOLM 1815–1875
STOCKHOLM

**Konstnärens broder, Vilgott
(f. 1809) eller Varsaniel
(f. 1813/14)**
The Artist's Brother, Vilgott or Varsaniel
Graverat på baksidan: "V. Lundgren af
  Egron Lundgren"
Olja på koppar 10x8,4
Ram: förgyllt trä
NMB 1888
PROVENIENS: 1894 Test. av C.F. Dahlgren;
  1963 Omförd från NMDso 441

LÖWEN, Axel
1686–1772 STRALSUND

Karl XII (1682–1718)
King Karl XII of Sweden
Påskrift av Ulrika Eleonora d.y.: "uneingefast. Ihro Majes-
  teten, des Königs Meines Bruders Portrait en touche
  von Löwen. 1714."
Tusch på papper 7x5,4 oktagonal
Ram: omonterad
NMB 2132
PROVENIENS: Drottningholms slott; 1978 Överförd från SKS
  610
UTSTÄLLD: Stockholm 1930, kat.nr 610
LITTERATUR: Lemberger 1912, s. 34; Sjöberg 1912, s. 122,
  avb.; SPA Index, vol. III, 1943, s. 373 f., 384 (KXII:31),
  fig. 339; SKL, vol. IV, 1961, s. 55; von Malmborg 1978,
  s. 126; Cavalli-Björkman 1981, s. 62 f., fig. 46

Karl XII (1682–1718)

King Karl XII of Sweden

Sign. på baksidan: "J'ai par l'impression et par la seule
    idée. representé ces traits à la Posteritée j'ai même
    sans peinceau fait ce Portrait du Roÿ un plus habil que
    moi depeindra ses Exploits. Axel Löwen."
Grisaille på papper 7x4,8 oval
Ram: omonterad
NMB 2133
PROVENIENS: Drottningholms slott; 1978 Överförd från SKS
    612
UTSTÄLLD: Stockholm 1930, kat.nr 612
LITTERATUR: Lemberger 1912, s. 36; Sjöberg 1912, s. 122,
    avb.; SPA Index, vol. III, 1943, s. 385 (KXII:32); SKL,
    vol. IV, 1961, s. 55; von Malmborg 1978, s. 126

Axel Löwen var arméofficer och följde Karl XII
bland annat till Bender och Stralsund. De båda
ovanstående miniatyrerna (NMB 2132 & NMB
2133) är förmodligen de enda porträtt av Karl XII
som utfördes under Stralsundsvistelsen.

Stanislaus I Leszczynski (1677–1766), kung av Polen

King Stanislaus I Leszczynski of Poland

Gouache på papper 6,2x5,2 oval
Ram: omonterad (endast täckglas)
NMB 2134
PROVENIENS: Drottningholms slott; 1978 Överförd från SKS
    656
UTSTÄLLD: Stockholm 1930, kat.nr 656

Miniatyren är troligtvis utförd 1712 då Stanislaus
tillsammans med Magnus Stenbock anlände till
Pommern, där Axel Löwen var svensk general-
kvartermästarlöjtnant för de tyska provinserna.

MALMQVIST, Alexander
ASK 1796–1854 MALMÖ

Självporträtt
Self-Portrait
Sign: "Comte de AF Malmskog"
Gouache på elfenben 7,5x6,5
Ram: ciselerad metall
NMB 166
PROVENIENS: 1883 Inköpt från häradshövding Josef Palms
   samling, auktion i Göteborg, kat.nr 36
UTSTÄLLD: Stockholm vandringsutst. 1949–50, kat.nr 94
LITTERATUR: Carlander 1897, s. 64; Lemberger 1912, s.
   100; Wrangel 1918, s. 152; Nationalmuseum 1929, s.
   32; SPA Index, vol. II, 1939, s. 537; SKL, vol. IV, 1961,
   s. 71; Schidlof 1964, s. 526, 1002, fig. 779, pl. 379

Alexander Malmqvist led från 1830-talet av sinnes-
sjukdom. Självporträttet utfördes under sjukdoms-
tiden och signaturen har sin förklaring i att han
trodde sig vara son till en greve.

MARTIN, Elias
STOCKHOLM 1739–1818 STOCKHOLM

Okänd man
An Unknown Man
Akvarell och gouache på elfenben 4,5x3,4 oval
Ram: metall
NMB 741
PROVENIENS: 1887 Inköpt från Bukowskis auktion nr 32,
   kat.nr 35; Hovtandläkare Elof Förbergs samling; 1927
   Gåva av konsul Hjalmar Wicander, A.K. 417
UTSTÄLLD: Stockholm 1915, kat.nr 161; Stockholm 1921,
   kat.nr 59
LITTERATUR: Carlander 1897, s. 66; Lemberger 1912, s. 52;
   Asplund 1916, s. 82, fig. 79; Asplund 1920, s. 66,
   kat.nr 112, pl. 40; Nationalmuseum 1929, s. 32; von
   Malmborg 1978, s. 196, avb. s. 197, fig. 8

Landskap
Landscape
Pendang till NMDsä 350
Sign: "Elias Martin 1779 London."
Papper 29,5x22
Ram: förgyllt trä
NMDsä 349
PROVENIENS: 1894 Test. av C.F. Dahlgren

NMDsä 349 ej avbildad.

Landskap med sjö
Landscape with a Lake
Pendang till NMDsä 349
Sign: "E. Martin 1773"
Papper 29x23,5 oval
Ram: förgyllt trä
NMDsä 350
PROVENIENS: 1894 Test. av C.F. Dahlgren

NMDsä 350 ej avbildad.

MARTIN, Elias. Hans skola
STOCKHOLM 1739–1818 STOCKHOLM

Allmogescen
Peasant Scene
Akvarell på papper 4,2x5,6 oval
Ram: trä
NMDsä 45
PROVENIENS: 1894 Test. av C.F. Dahlgren

MEURLING, Alexander
1730–1771 STOCKHOLM

Okänd officer (f. 1727)
An Unknown Officer
Graverat på baksidan: "Né le 20 Janu. 1727 depeint le 11
   Mars 1756"
Akvarell och gouache på pergament 3,8x3 oval
Ram: mässingskapsel, fasettslipat glas
NMB 742
PROVENIENS: 1920 Inköpt från Hoving & Winborgs hös-
   tauktion, nr 80; 1927 Gåva av konsul Hjalmar Wican-
   der, A.K. 437
LITTERATUR: Nationalmuseum 1929, s. 32; SKL, vol. IV,
   1961, s. 115; Schidlof 1964, s. 554; von Malmborg
   1978, s. 175, avb. s. 174, fig. 12

MEURLING, Alexander. Tillskriven
1730–1771 STOCKHOLM

Okänd ung man
An Unknown Young Man
På baksidan graverat monogram: "A:E:M:L:"
Akvarell och gouache på pergament 4x3,2 oval
Ram: metallkapsel
NMB 358
PROVENIENS: 1913 Test. av revisor Johan Vilhelm Schützer-
   crantz

Okänd man

An Unknown Man

Akvarell och gouache på elfenben 3,3x2,5 oval

Ram: metall

NMB 1090

PROVENIENS: 1924 Inköpt; 1927 Gåva av konsul Hjalmar
Wicander, A.K. 652

LITTERATUR: Nationalmuseum 1929, s. 81

van MEYTENS, Martin, d.y.

STOCKHOLM 1695–1770 WIEN

Okänd man

An Unknown Man

Sign: "Meytens"

Emalj 4,1x3,5 oval

Ram: gulddosa, "deux couleurs", chanér i guld med
pärlor

NMB 743

PROVENIENS: Kungliga ungerska hovrådet Gustav von
Gerhardt, Budapest; 1911 Rudolph Lepke's Kunst-
Auctions-Haus, Berlin, novemberauktionen nr 1623,
kat.nr 489, pl. 58; 1914 Inköpt från Berlin; 1927 Gåva
av konsul Hjalmar Wicander, A.K. 305

UTSTÄLLD: Stockholm 1921, kat.nr 26; Stockholm 1981:II,
kat.nr 22; Stockholm 1990–91, kat.nr 36

LITTERATUR: Asplund 1916, s. 51; Asplund 1920, s. 43,
kat.nr 57, pl. 19; Nisser 1927, s. 154; Nationalmuseum
1929, s. 32; Uggla 1929, s. 57; Sjöblom 1950, s. 148;
Asplund 1951, s. 589; SKL, vol. IV, 1961, s. 125; Schid-
lof 1964, s. 557; Lisholm 1974, s. 30, nr 134; Cavalli-
Björkman 1981, s. 46, fig. 20; Coffin & Hofstetter,
2000, s. 88 f.

◆

Fredrik I (1676–1751)

King Fredrik I of Sweden
Emalj h: 6,5 oval
Ram: metall
NMB 1570
PROVENIENS: 1948 Inköpt från M. Jacques Kugel, Paris
LITTERATUR: Sjöblom 1950, s. 148, fig. 76; Lisholm 1974, s.
30, nr 46; Cavalli-Björkman 1981, s. 46, fig. 21; Coffin
& Hofstetter, 2000, s. 89

Drottning Ulrika Eleonora d.y. (1688–1741)

Queen Ulrika Eleonora the Younger of Sweden
Emalj 6,5x5 oval
Ram: metall
NMB 1571
PROVENIENS: 1948 Inköpt från M. Jacques Kugel, Paris
LITTERATUR: Sjöblom 1950, s. 148, fig. 77; Schidlof 1964, s.
1008, fig. 821, pl. 402; Lisholm 1974, s. 30, nr 45; von
Malmborg 1978, s. 144, avb. s. 146, fig. 3; Cavalli-Björk-
man 1981, s. 46, fig. 22; Coffin & Hofstetter, 2000, s. 89

Efter utbildning i Stockholm lämnade Meytens
landet redan 1714 för att så småningom bli kam-
marmålare i Wien. Han arbetade främst i olja men
var också verksam som emalj- och miniatyrmålare.
Under ett besök i Sverige 1730–31 utfördes pen-
dangporträtten av Fredrik I och Ulrika Eleonora
d.y. (NMB 1570 och NMB 1571) i den för Mey-
tens karaktäristiska starka koloriten.

van MEYTENS, Martin, d.y. Tillskriven

STOCKHOLM 1695–1770 WIEN

Drottning Ulrika Eleonora d.y. (1688–1741)

Queen Ulrika Eleonora the Younger
Pendang till NMB 2136
Akvarell och gouache på elfenben h: 5,3 oval
Ram: omonterad
NMB 2135
PROVENIENS: Drottningholms slott; 1978 Överförd från SKS
620
UTSTÄLLD: Stockholm 1930, kat.nr 620
LITTERATUR: Lundberg 1931, s. 82; SKL, vol. IV, 1961, s.
125; Lisholm 1974, s. 30, nr 16

Enligt traditionen utförde Martin van Meytens d.y.
pendangporträtten av Fredrik I och Ulrika Eleo-
nora d.y. (NMB 2135 och NMB 2136) under sitt
besök i Sverige 1730–31. Miniatyrerna håller så
pass hög kvalitet att det inte finns någon anled-
ning att ifrågasätta attribueringen till Meytens.

Fredrik I (1676–1751)
King Fredrik I of Sweden
Pendang till NMB 2135
Gouache på pergament h: 5,1 oval
Ram: omonterad
NMB 2136
PROVENIENS: Drottningholms slott; 1978 Överförd från SKS
  624
UTSTÄLLD: Stockholm 1930, kat.nr 624
LITTERATUR: Lundberg 1931, s. 82; SKL, vol. IV, 1961, s.
  125; Lisholm 1974, s. 30, nr 15

MONOGRAMMISTEN C W
VERKSAM UNDER 1810-TALET

Okänd kvinna
Kopia efter Jean-Marc Nattier
An Unknown Woman
Copy after Jean-Marc Nattier
Sign: "C W"
Påskrift a tergo: "Målat vid Ljungby den 16de mars
  1816."
Påskrift på träbakstycke: "G. Lagerström?"
Akvarell och gouache på elfenben 7,9x6,4
Ram: omonterad
NMDs 693
PROVENIENS: 1894 Test. av C.F. Dahlgren

Jfr SPA 1924:1683.

Okänd kvinna
An Unknown Woman
Sign: "C.W."
Elfenben 8x6,5 oval
Ram: förgylld brons
NMDs 871
PROVENIENS: 1894 Test. av C.F. Dahlgren

NMDs 871 ej avbildad.

MONOGRAMMISTEN D S

<small>VERKSAM UNDER 1600-TALETS ANDRA HÄLFT</small>

Okänd man

An Unknown Man

Sign: "DS."

Akvarell och gouache på pergament h: 6,5 oval

Ram: trä

NMB 65

<small>PROVENIENS:</small> 1872 Inköpt från änkefru Brogren, Stockholm

<small>LITTERATUR:</small> Carlander 1897, s. 89; Lemberger 1912, s. 26; National-
museum 1929, s. 40

Miniatyren har tidigare varit tillskriven Stafvert.

MONOGRAMMISTEN E L

<small>VERKSAM UNDER 1800-TALET</small>

Klockan på Hamneskär

The Bell on Hamneskär

Sign: "EL"

Påskrift a tergo: "Klockan på Hamneskär Icke som bygdens vänliga
klocka, Bjuder jag mödans söner till andrum och ro. Icke som
templets till frid, Seglare här du i dimmorna villad, mot farliga
blindskär Ljud af min varning, Vänd om – kämpa ock bed."

Olja på papp 9x11,1

Ram: trä, delvis förgylld

NMDso 507

<small>PROVENIENS:</small> 1894 Test. av C.F. Dahlgren

MONOGRAMMISTEN I A S

OKÄNDA LEVNADSDATA

**Kvinna med bok, timglas och
dödskalle**

Woman with Book, Hour-Glass and Scull
I ett band på himlen målat: "Syr. 7:40. PS. 90:12."
Gouache på glas 12,9x10
Ram: förgyllt trä
NMDsä 290
PROVENIENS: 1894 Test. av C.F. Dahlgren

MONOGRAMMISTEN J R

VERKSAM UNDER 1700-TALET

Adolf Fredrik (1710–1771)

King Adolf Fredrik of Sweden

Sign: "I:R:"

Påskrift a tergo i rött: "Adolphus Fredricus rex Sveciae Natus Die 14 Maji Anno 1710 Maritus Die 19 Aug.

Anno 1744. Coronatus Die 25 Nov. Anno 1751. Denatus Die 12. Februari Ao 1771. Depictus Aetatis Suae XXXIV ab I:R:"

Olja på trä 21,5x16

Ram: förgyllt trä

NMHpd 179

PROVENIENS: Konsul Hjalmar Wicander; 1953 Test. av Carl August Wicander

MONOGRAMMISTEN K W H

OKÄNDA LEVNADSDATA

Okänd man
An Unknown Man
Sign: "KWH:"
Gouache på elfenben 3,5x2,8 oval
Ram: guld
NMDs 1321
PROVENIENS: 1894 Test. av C.F. Dahlgren

MÜLLER, Anders Emanuel

STOCKHOLM 1761–1829 STOCKHOLM

Förmodat självporträtt
Portrait presumed to be the Artist's Self-Portrait
Akvarell och gouache på elfenben 5,3x4,4 oval
Ram: förgylld metall
NMDs 2159
PROVENIENS: Charles Emil Hagdahl; 1890 Inköpt från Hag-
dahls auktion, Stockholm, kat.nr 27 (?); 1894 Test. av
C.F. Dahlgren

Landskap
Landscape
Olja på koppar diam: 8,8
Ram: omonterad
NMDso 490
PROVENIENS: 1894 Test. av C.F. Dahlgren

Landskap
Landscape
Olja på koppar diam: 8,6
Ram: förgyllt trä
NMDso 491
PROVENIENS: 1894 Test. av C.F. Dahlgren

Landskap
Landscape
Olja på koppar diam: 8,5
Ram: förgyllt trä
NMDso 492
PROVENIENS: 1894 Test. av C.F. Dahlgren

Magnus Norling (1796–1823), pastorsadjunkt i Maria församling, Stockholm

Magnus Norling, Curate in the Parish of St Mary Magdalene, Stockholm

Påskrift på bakstycket: "A. E. Müller pinx" samt "Magnus Norling"

Akvarell och gouache på papper 7,9x6,8 oval dagermått

Ram: förgylld metall

NMGrh 2550

PROVENIENS: 1894 Test. av C.F. Dahlgren; 1956 Omförd från NMDs 1201

LITTERATUR: von Malmborg 1968, s. 54

MÖRCK, Carl Fredrik
1721–1764

Gustav II Adolf (1594–1632)

King Gustav II Adolf

Påskrift på bakstycket: "Konung Johan Den Tredje [sic!]"

Gouache på papper 6x5,6

Ram: förgyllt trä

NMDs 2248

PROVENIENS: 1894 Test. av C.F. Dahlgren

MÖRCK

Pretendenterna till svenska kronan 1743

The Pretenders to the Swedish Throne 1743

Hertig Adolf Fredrik av Holstein-Gottorp (1710–1771),
  hertig Kristian av Pfalz-Zweibrücken (1722–1775),
  prins Fredrik (V) av Danmark (1723–1766), hertig
  Karl Peter Ulrik av Holstein-Gottorp (1728–1762)
Porträtten monterade tillsammans på blå grund
Sign: "Carl. Frd: Mörck"
Påskrift på bakstycket: "Pretendenterna till Svenska Kro-
  nan år 1743 Adolph Fredrik Hertig af Hollstein. Prins
  Christian af Zweibrücken. Prins Fredrik: Danmark.
  [...] Prinsen Carl Petter Ulrik."

Gouache på papper och pergament 16,1x12,5
De enskilda porträtten mäter 5,5x4,6 oval
Ram: förgyllt och skulpterat trä
NMGrh 2479
PROVENIENS: 1894 Test. av C.F. Dahlgren; 1954 Omförda
  från NMDs 348, NMDs 349, NMDs 350 och NMDs
  351
UTSTÄLLD: Stockholm 1998–99, kat.nr 6, avb. s. 30; St. Pe-
  tersburg 1999, kat.nr 83 (bd 1)
LITTERATUR: SKL., vol. IV, 1961, s. 172; Schidlof 1964, s.
  1010, fig. 835, pl. 410; von Malmborg 1978, s. 175,
  avb.   ◆

Drottning Lovisa Ulrika (1720–1782)
Queen Lovisa Ulrika of Sweden
Gouache på pergament 15,7x10,8
Ram: förgyllt trä
NMGrh 2562
PROVENIENS: 1894 Test. av C.F. Dahlgren; 1956 Omförd
från NMDs 356

Regentserie Gustav Vasa–Fredrik I

Swedish Regents Gustav Vasa–Fredrik I

Gustav Vasa (1496–1560), Erik XIV (1533–1577), Johan
  III (1537–1592), Sigismund (1566–1632), Karl IX
  (1550–1611), Gustav II Adolf (1594–1632), Kristina
  (1626–1689), Karl X Gustav (1622–1660), Karl XI
  (1655–1697), Karl XII (1682–1718), Ulrika Eleonora
  d.y. (1688–1741) och Fredrik I (1676–1751)

Sign: "Carl Fredrick Mörck"

Porträtten infällda bakom samma papper med målad
  ram jämte initialer och "RS" kring varje regent

Gouache på papper och pergament 31x22

De enskilda porträtten är målade på pergament och mä-
  ter ca 4,8x4 oval dagermått, med undantag av Fredrik
  I:s porträtt 7,7x6,5 oval dagermått

Ram: förgyllt och skulpterat trä

NMGrh 2622

PROVENIENS: 1894 Test. av C. F. Dahlgren; 1958 Omförda
  från NMDs 2481, NMDs 2482, NMDs 2483, NMDs
  2484, NMDs 2485, NMDs 2486, NMDs 2487, NMDs
  2488, NMDs 2489, NMDs 2490, NMDs 2491 och
  NMDs 2492

▼

MÖRCK

Adolf Fredrik (1710–1771)
Kopia efter Gustaf Lundberg
King Adolf Fredrik of Sweden
Copy after Gustaf Lundberg
Påskrift: "Adolph Friedrich Född 3. maij 1710.
   Crönt 26 Novem 1751."
Gouache på papper 8,3x6,7
Ram: förgyllt trä
NMGrh 2813
PROVENIENS: 1894 Test. av C.F. Dahlgren; 1960 Om-
   förd från NMDs 288

MÖRCK, Carl Fredrik. Tillskriven
1721–1764

Okänd man
An Unknown Man
Gouache på papp 4x3,5 oval
Ram: metallkapsel, ciselerat monogram på baksidan:
  "J M K", fasettslipat glas
NMB 1804
PROVENIENS: 1894 Test. av C.F. Dahlgren; 1960 Omförd
  från NMDs 565

Okänd man
An Unknown man
Gouache på papper 11,3 x 8,5
Ram: förgyllt trä
NMB 2110
PROVENIENS: 1894 Test. av C.F. Dahlgren; 1978 Omförd
  från NMDs 949

Hertig Kristian av Pfalz-Zweibrücken (1722–1775), tronpretendent
Duke Kristian of Pfalz-Zweibrücken, Pretender to the Swedish Throne
Gouache och akvarell på papper h: 5,4 oval
Ram: mässing
NMDs 376
PROVENIENS: 1894 Test. av C.F. Dahlgren

Adolf Fredrik (1710–1771)
King Adolf Fredrik of Sweden
Gouache och akvarell på papper 5,4x4,3 oval
Ram: mässing
NMDs 377
PROVENIENS: 1894 Test. av C.F. Dahlgren

Gustav Vasa (1496–1560)
King Gustav Vasa of Sweden
Gouache på papper 4,7x4 oval dagermått
Ram: trä
NMDs 2301
PROVENIENS: 1894 Test. av C.F. Dahlgren

Erik XIV (1533–1577)
King Erik XIV of Sweden
Gouache på papper 4,7x4 oval dagermått
Ram: trä
NMDs 2302
PROVENIENS: 1894 Test. av C.F. Dahlgren

Johan III (1537–1592)
King Johan III of Sweden
Gouache på papper 4,7x4 oval dagermått
Ram: trä
NMDs 2303
PROVENIENS: 1894 Test. av C.F. Dahlgren

Karl IX (1550–1611)
King Karl IX of Sweden
Gouache på papper 4,7x4 oval dagermått
Ram: trä
NMDs 2304
PROVENIENS: 1894 Test. av C.F. Dahlgren

Gustav II Adolf (1594–1632)
King Gustav II Adolf of Sweden
Gouache på papper 4,7x4 oval dagermått
Ram: trä
NMDs 2305

Drottning Kristina (1626–1689)
Queen Kristina of Sweden
Gouache på papper 4,7x4 oval dagermått
Ram: trä
NMDs 2306

Karl X Gustav (1622–1660)
King Karl X Gustav of Sweden
Gouache på papper 4,7x4 oval dagermått
Ram: trä
NMDs 2307

Karl XI (1655–1697)
King Karl XI of Sweden
Gouache på papper 4,7x4 oval dagermått
Ram: trä
NMDs 2308
PROVENIENS: 1894 Test. av C.F. Dahlgren

Karl XII (1682–1718)
King Karl XII of Sweden
Gouache på papper 4,7x4 oval dagermått
Ram: trä
NMDs 2309
PROVENIENS: 1894 Test. av C.F. Dahlgren
LITTERATUR: Levertin 1899, s. 9 (?)

Drottning Ulrika Eleonora d.y. (1688–1741)
Queen Ulrika Eleonora the Younger
Gouache på papper 4,7x4 oval dagermått
Ram: trä
NMDs 2310
PROVENIENS: 1894 Test. av C.F. Dahlgren

MÖRCK

Karl (XIII) (1748–1818), som barn

King Karl (XIII) of Sweden as a Child

Gouache på pergament 7,7x6,2 oval

Ram: metall

NMGrh 2481

PROVENIENS: 1894 Test. av C.F. Dahlgren; 1954 Omförd
från NMDs 408

Gustav (III) (1746–1792) som kronprins

Gustav (III) as Crown Prince of Sweden

Påskrift (mycket svag): "Cronp Gustaf Född 4 Janu"

Gouache på papper 9,4x7,9

Ram: förgyllt trä

NMGrh 2629

PROVENIENS: 1894 Test. av C.F. Dahlgren; 1958 Omförd
från NMDs 311

▼

Karl (XIII), (1748–1818), som barn

King Karl XIII of Sweden as a Child

Påskrift: "Född 7 okt 1749"

Gouache på papper 9,6x7,9

Ram: omonterad (tidigare monterad i förgylld träram,
numera mycket skadad)

NMGrh 2630

PROVENIENS: 1894 Test. av C.F. Dahlgren; 1958 Omförd
från NMDs 312

▼

Drottning Kristina (1626–1689)

Queen Kristina of Sweden
På bakstycket: "Konung Carl Den 11es [överstruket med
blyerts] Drottning"; "Kristina"
Gouache på papper 6x5,5 (målad oval 5,3x4,4)
Ram: förgyllt trä
NMGrh 2733
PROVENIENS: 1894 Test. av C.F. Dahlgren; 1960 Omförd
från NMDs 844

Gustav Vasa (1496–1560)

King Gustav Vasa of Sweden
Gouache på papper 6x4,9 (målad oval: 5,6x4,7)
Ram: förgyllt trä
NMGrh 2808
PROVENIENS: 1894 Test. av C.F. Dahlgren; 1960 Omförd
från NMDs 283

Karl X Gustav (1622–1660)

Kopia efter David Klöcker Ehrenstrahl
King Karl X Gustav of Sweden
Copy after David Klöcker Ehrenstrahl
Gouache på papper 6,2x5,4 (målad oval: 5,7x4,6)
Ram: förgyllt trä
NMGrh 2809
PROVENIENS: 1894 Test. av C.F. Dahlgren; 1960 Omförd
från NMDs 284

MÖRCK

Karl XI (1655–1697)
Kopia efter David Klöcker Ehrenstrahl
King Karl XI of Sweden
Copy after David Klöcker Ehrenstrahl
Påskrift på baksidan: "Konung Carl Den 11te"
Gouache på papper 6,4x5,5 (målad oval:6x4,8)
Ram: förgyllt trä
NMGrh 2810
PROVENIENS: 1894 Test. av C.F. Dahlgren; 1960 Omförd
   från NMDs 285

Karl XII (1682–1718)
Kopia efter David von Krafft
King Karl XII of Sweden
Copy after David von Krafft
Gouache på papper 6x5,4 (målad oval: 5,4x4,3)
Ram: förgyllt trä
NMGrh 2811
PROVENIENS: 1894 Test. av C.F. Dahlgren; 1960 Omförd
   från NMDs 286

Fredrik V (1723–66) som kronprins av Danmark
Frederik V as Crown Prince of Denmark
Gouache på papper 5,4x4,3 oval
Ram: mässing
NMGrh 2930
PROVENIENS: 1894 Test. av C.F. Dahlgren; 1962 Omförd
   från NMDs 337

Hör till serien tronpretendenter, se NMDs 376
och NMDs 377.

MÖRNER, Hjalmar
STOCKHOLM 1794–1837 PARIS

Postiljon
A Post-Boy
Sign: "H. Mr"
Akvarell och gouache på papper 16,2x13,1
Ram: omonterad
NMDsä 254
PROVENIENS: 1894 Test. av C.F. Dahlgren

NMDsä 254 ej avbildad.

NORÉUS, Wilhelmina.
Se KRAFFT, Wilhelmina

NOVISADI, Fredrik Sigismund.
Tillskriven
KARLSKRONA 1737–1801 KARLSKRONA

Mathias Ehlers (1728–1788), justitie-borgmästare, riksdagsman
Mathias Ehlers, Mayor for Judicial Affairs,
Member of Parliament
Akvarell och gouache på elfenben 3,4x2,6 oval dager-
   mått
Ram: metall
NMB 379
PROVENIENS: 1916 Gåva av herr Elers Sténson, Stockholm

Okänd man
An Unknown Man
Akvarell och gouache på elfenben h: 3,5 oval
Ram: förgylld metall, på baksidan monogram "FD" inom
   krans av blad
NMB 1125
PROVENIENS: Fredrik Morssings samling; 1911 Inköpt från
   Bukowskis auktion nr 192, kat.nr 666 (tillskriven P.A.
   Hall); 1920 Inköpt från ingenjör Carl Robert Lamm
   på Näsby; 1927 Gåva av konsul Hjalmar Wicander,
   A.K. 471
LITTERATUR: Nationalmuseum 1929, s. 85

Modellen kallades tidigare Wargentin.